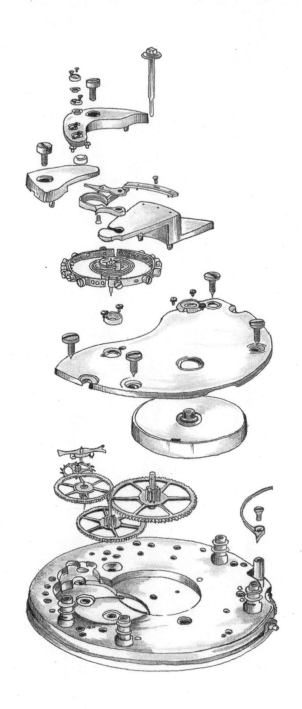

REBECCA STRUTHERS

MEMORIE DI UN'OROLOGIAIA

Traduzione di
ROSSELLA MONACO

Garzanti

Prima edizione: febbraio 2024

Per essere informato sulle novità del Gruppo editoriale Mauri Spagnol visita:
www.illibraio.it

Traduzione dall'inglese di
Rossella Monaco

Titolo originale dell'opera:
Hands of Time. A Watchmaker's History of Time

© Rebecca Struthers 2023

Illustrazioni © Craig Struthers 2023
Foto © Andy Pilsbury 2023

ISBN 978-88-11-81964-6

© 2024, Garzanti S.r.l., Milano
Gruppo editoriale Mauri Spagnol

Printed in Italy

www.garzanti.it

MEMORIE DI UN'OROLOGIAIA

In memoria di Adam Phillips e Indy Struthers

UNA PREFAZIONE CHE GUARDA AL PASSATO[I]

Jeff 10/03/1971

Quando a diciannove anni ho iniziato la mia formazione come orologiaia, mi è stato insegnato a non lasciare mai una mia traccia negli orologi che aggiustavo. Eppure, sono proprio loro che possono raccontarci storie di ogni genere su questi oggetti altrimenti inanimati. Per esempio, l'orologio da polso d'epoca che ora si trova sul mio banco da lavoro, un Omega Seamaster, è stato riparato da un uomo di nome Jeff il 10 marzo 1971. Lo so perché Jeff ha inciso il suo nome e la data di riparazione sul retro del quadrante, cosicché, se l'orologio gli fosse capitato di nuovo sottomano, avrebbe potuto sapere che ci aveva già lavorato e quando.

Siccome l'orologiaio lavora su oggetti di pochi centimetri di diametro, spesso il suo mondo è appena più grande dell'unghia di un pollice. Si tratta di un'attività totalizzante. A volte passo un'intera mattinata senza mai distogliere lo sguardo dal minuscolo meccanismo su cui sto lavorando. All'improvviso mi accorgo che il caffè accanto a me è freddo e che ho gli occhi secchi perché mi sono concentrata così tanto da dimenticare di sbattere le palpebre. Anche mio marito Craig è un orologiaio e sebbene lavoriamo una di fronte all'altro ci capita di trascorrere intere giornate in un silenzio quasi assoluto, scambiandoci poche parole, giusto quanto serve ad avviare il bollitore. Per realizzare un nuovo orologio, con pezzi di recupero o partendo da zero, impieghiamo da sei mesi a sei anni. Potremmo misurare la no-

[I] Un ringraziamento a *The Roots of Civilization* di Alexander Marshack.

9

stra vita sulla base di questi progetti e a volte soltanto quando li abbiamo conclusi ci rendiamo conto di essere molto più vecchi di quando abbiamo iniziato.

Il nostro studio si trova in un laboratorio orafo del XVIII secolo nello storico Jewellery Quarter di Birmingham. Sette generazioni di artigiani hanno lavorato qui, le pareti sono impregnate di storia. I locali al piano di sotto ospitano presse, matrici e grafici di progettazione vecchi di secoli che gli artigiani utilizzano ancora oggi per produrre gioielli. La nostra stanzetta all'ultimo piano è piena di luce, ariosa, con lucernari e finestre ad arco. Quando ci siamo trasferiti qui e abbiamo allestito lo spazio, ci è stato riferito che durante il Blitz[II] una bomba aveva sfondato il tetto senza però esplodere. Ho rimosso un vecchio isolante che copriva il lucernario e ho trovato una trave carbonizzata da allora, che ho pulito ed esposto nel laboratorio. Ora domina il banco del tornio e la macchina per sagomare gli ingranaggi che, ironia della sorte, è tedesca. La chiamiamo Helga. Si trova su un bancone che si estende lungo un'intera parete, ricoperto da una grande varietà di macchine antiche. Sotto ci sono numerosi cassetti pieni del luccichio opaco di vecchi meccanismi e componenti di orologi che abbiamo reperito o salvato nel corso degli anni, spesso da commercianti di metalli preziosi che li avevano rimossi dalle casse per poterle vendere sul mercato dell'oro e dell'argento, o da laboratori di ex orologiai che le loro famiglie stavano svuotando. I nostri banchi da lavoro «puliti» si trovano sul lato opposto del laboratorio, il più lontano possibile dai trucioli metallici e dall'olio che ogni tanto viene sputato dalle macchine.

Manteniamo gli spazi lindi, per evitare che polvere e sporcizia finiscano nei delicati meccanismi degli orologi. Nelle fabbriche all'avanguardia in Svizzera o in Asia orientale, i laboratori sono dotati di doppie porte a chiusura ermetica e tappetini appiccicosi per rimuovere lo sporco dalle scarpe; gli oro-

---

[II] Nota campagna di bombardamenti avvenuta nel Regno Unito a opera dell'esercito tedesco, durata otto mesi tra il 1940 e il 1941.

logiai sono tenuti a indossare sempre camici e coperture sui piedi. Noi siamo un po' meno rigorosi. Il nostro cane, Archie, sonnecchia in un angolo. Alla fine di una giornata di lavoro su nuovi pezzi, la stanza profuma dell'olio del tornio, un aroma caratteristico che ricorda quasi quello del pomodoro, con note metalliche di rame e di ferro. Ci sono mucchietti di trucioli di ottone e di acciaio vicino ai torni, alle frese e ai trapani, e disegni macchiati di olio e di caffè sparsi sui banchi da lavoro. Spazziamo con regolarità il pavimento, in previsione della caccia ai pezzi caduti accidentalmente: nella maggior parte dei laboratori di orologeria si potrebbe comporre un intero orologio con i pezzi che rotolano sotto le cassettiere o finiscono in ogni angolo. Il pavimento è in vinile grigio chiaro, un contrasto perfetto con il giallo dell'ottone e il rosso vivo di un rubino prezioso.[III] Nessuno ammette mai che una delle capacità fondamentali richieste a un orologiaio è saper trovare pezzi minuscoli e luccicanti sul pavimento.[IV]

I precedenti inquilini del nostro laboratorio erano smaltatori; sono oltre due secoli che questo spazio ospita un laboratorio artigianale. Almeno in questa stanza, non è cambiato molto. Anche se disponiamo di computer, la maggior parte degli strumenti e delle macchine con cui lavoriamo ha tra i 50 e i 150 anni. Anche le nostre competenze appartengono a un'epoca passata. Nell'«età dell'oro» dell'orologeria, tra il XVII e il XVIII secolo, la Gran Bretagna era centro d'eccellenza del settore. Oggi quella degli orologiai come me e Craig è una categoria rara. Nel 2012 ci siamo messi in proprio, diventando una delle poche aziende nel Regno Unito ancora in grado di costruire orologi meccanici da zero e di restaurare orologi antichi risalenti agli ultimi cinque

[III] Molti orologi meccanici utilizzano come cuscinetto il rubino sintetico, o corindone, un materiale incredibilmente duro. I piccoli perni in acciaio che sostengono ogni ruota dentata possono sfregare contro tale superficie senza che questa si logori a causa dell'attrito.

[IV] Le nostre cacce di solito si svolgono sotto l'occhio vigile, anche se un po' confuso, di Archie, che non è mai riuscito ad accettare l'idea di dover cercare qualcosa di non commestibile.

secoli. Ma il percorso di studi che abbiamo affrontato non esiste più. La Heritage Crafts Red List of Endangered Crafts (una sorta di lista delle specie in via di estinzione, ma per l'artigianato) attualmente annovera l'orologeria artigianale tra le professioni ad alto rischio nel Regno Unito.

In parte il nostro mestiere sta scomparendo perché, nella nostra epoca tecnologicamente avanzata, è possibile realizzare un intero orologio tramite il controllo numerico computerizzato (CNC). Ci si potrebbe chiedere perché ci affanniamo su queste vecchie attrezzature quando potremmo inserire un progetto in una macchina gestita da un software e farle eseguire la maggior parte dei compiti al posto nostro. Dove sarebbe però il divertimento? Ci piace sporcarci le mani per costruire oggetti, trafficare con le minuterie e farle funzionare come un tutt'uno. Lavorando con le mani si instaura un rapporto più stretto con quello che si sta realizzando. Si intuisce la velocità ideale di un tornio o di una fresa, e dalla resistenza è possibile percepire se la pressione dell'utensile è quella giusta. Ci piace questa connessione con gli oggetti e con le generazioni di artigiani che ci hanno preceduto.

Sono sempre stata affascinata dal tempo, ma non avevo mai pensato di fare l'orologiaia. Quando ero ancora una studentessa volevo fare il medico legale (molto prima che i telefilm polizieschi rendessero interessante questa branca della medicina). Ero un tipo stravagante, mi affascinava il funzionamento delle cose, in particolare dei corpi. Volevo aiutare le persone, ma non sempre riuscivo a parlare con gli altri; lavorando con i morti, pensavo, mi sarei risparmiata molte difficili conversazioni con i pazienti. Mi piaceva l'idea di poter comprendere perché un corpo avesse smesso di funzionare. In questo modo speravo di poter aiutare altre persone, contribuendo a fare giustizia o a conoscere più a fondo una malattia mortale. La mia carriera di medico legale non era destinata a realizzarsi, ma trovo ci sia un che di forense nel lavorare sui vecchi orologi. I meccanismi contengono decine, se non centinaia e talvolta migliaia di componenti, ognuno dei quali svolge un compito specifico. I più semplici indicano semplicemente l'ora. I più complicati (le funzioni aggiuntive di un orologio che vanno oltre la semplice indicazione dell'ora sono definite appunto «complicazioni») possono far risuonare le ore e i minuti con minuscoli gong ottenuti da fili metallici attentamente regolati, indicare la data con precisione per oltre un secolo e tracciare le stelle. Quando uno solo di questi componenti sviluppa dei difetti, oppure deve essere pulito o oliato, il meccanismo non funziona più. In qualità di restauratori, dissezioniamo per determinare la causa del decesso, con l'aggiunta che, una volta riparato e riassemblato, il nostro paziente avrà la possibilità di tornare a vivere. La fase finale del riassemblaggio di un orologio meccanico consiste nella sostituzione del bilanciere, che fa riprendere il ticchettio dell'orologio. Non c'è niente di meglio che ridare vita a un pezzo che non ha funzionato per anni, o addirittura per secoli, sapendo che il ticchettio che sento ora è stato lo stesso che ha sentito l'orologiaio che lo ha assemblato la prima volta. La pulsazione del bilanciere viene definita «battito» e la molla a spirale che ne regola l'azione «respira».

Con il passare del tempo, mi è sembrato molto naturale spostarmi dal lavoro sugli orologi alla riflessione e alla scrittura su questi oggetti e sulla loro storia. Sono stata la prima orologiaia praticante nel Regno Unito a conseguire un dottorato in Orologeria antiquaria, ossia la storia della misurazione del tempo. Dopotutto, i restauratori sono anche degli storici. Si tratta di una storia di tipo pratico: bisogna sapere come è stato creato un oggetto e come funzionava in passato per farlo ritornare a funzionare come il suo creatore lo aveva inteso. Adesso so che è vero anche il contrario: quando io e Craig abbiamo iniziato a costrui-

13

re orologi da zero, le mie ricerche storiche e i miei scritti hanno influenzato i progetti che abbiamo realizzato, in una sorta di fecondazione incrociata dell'orologeria. La mia ricerca ha ampliato il mio minuscolo mondo di orologiaia. L'attenzione dell'orologiaio spesso si concentra su elementi più piccoli di un chicco di riso, ma l'ispirazione in orologeria è grande quanto l'universo: amo questo contrasto tra micro e macro. E studiare i meccanismi di un orologio del XVIII secolo per capire cosa possono dirmi sulla sua provenienza e sui suoi proprietari mi ha fatto comprendere non soltanto come la storia abbia plasmato questi oggetti, ma anche come questi oggetti abbiano plasmato noi.

Non sarebbe azzardato dire che l'invenzione degli orologi meccanici ha avuto per la cultura umana la stessa importanza della stampa. Immaginate di dover prendere un treno affidandovi soltanto alla posizione del sole. Oppure di organizzare una conferenza su Zoom con 200 persone sparse in tutto il mondo, ognuna delle quali cerca di decifrare l'ora di inizio affacciandosi alla finestra per essere a portata d'orecchio delle campane dell'orologio pubblico più vicino. O ancora, nei casi di vita o di morte, pensate ai chirurghi che eseguono un trapianto di organi o rimuovono un tumore senza un punto di riferimento preciso per misurare la frequenza cardiaca del paziente. La nostra capacità di misurare con accuratezza le ore ci permette di concludere affari, di definire le nostre giornate e di trarre giovamento dai progressi salvavita della scienza e della medicina.

Fin dai suoi esordi l'orologio ha rispecchiato e influenzato il nostro rapporto con il tempo. Gli orologi non creano il tempo, ma ne misurano la nostra percezione culturale. Tutti i dispositivi di misurazione, che siano antiche ossa incise o gli orologi che restauro sul mio banco da lavoro, sono un modo per contare, misurare, analizzare il mondo che ci circonda. I primi misuratori hanno cominciato rilevando i fenomeni naturali della Terra e del sistema solare. Ancora oggi, gli apparecchi di modellistica più aggiornati che possediamo, gli Smartwatch come l'Apple Watch, sono in grado di tracciare i movimenti celesti, tenendo il passo del nostro pianeta mentre sfreccia intorno al Sole nel corso della giornata. I sistemi che abbiamo sviluppato per comprendere questi processi e il nostro posto all'interno di essi sono il nostro modo di accettare l'esistenza dell'universo, di stabilire un ordine razionale cosmico che possiamo utilizzare per vivere meglio.

Quello che definiamo orologio da polso – un piccolo orologio da indossare – è un miracolo d'ingegneria. Gli orologi meccanici sono tra le macchine più efficienti mai create. Ho lavorato su orologi che non erano stati toccati dagli anni Ottanta, eppure hanno smesso di funzionare solo ora. Faccio fatica a pensare ad altri meccanismi in grado di funzionare giorno e notte per quasi quarant'anni prima di richiedere la manutenzione di un esperto. Nel 2020, l'orologio più complicato del mondo conteneva quasi 3000 componenti ed era in grado di misurare il calendario gregoriano, quello ebraico, quello astronomico e quello lunare, di scandire le ore e i minuti oltre a supportare altre cinquanta complicazioni aggiuntive, il tutto in un dispositivo che sta nel palmo di una mano. Il più piccolo meccanismo di orologio mai creato è stato realizzato per la prima volta negli anni Venti del Novecento e racchiude 98 componenti in un volume di soli 0,2 centimetri cubi. Il primo cronometro, un orologio così preciso da poter essere utilizzato dai marinai per calcolare la longitudine in mare, è stato realizzato oltre sessant'anni prima dell'invenzione del motore elettrico e oltre cento anni prima dell'illuminazione elettrica. Da allora gli orologi hanno accompagnato l'uomo sulla cima dell'Everest, nelle profondità della Fossa delle Marianne, al Polo Nord e al Polo Sud e persino sulla Luna.

Il concetto di tempo è inseparabile dalla nostra cultura. Nella lingua inglese, per esempio, la parola *time* (tempo) è la più usata.[1] Nelle culture occidentali e capitaliste è qualcosa che abbiamo o non abbiamo, che risparmiamo o perdiamo, che passa, che ci trascina, che sembra non passare mai, che sembra fermarsi e poi volare. Il tempo scorre costantemente durante ogni nostra azione. È lo sfondo e il contesto della nostra esistenza e del nostro posto in quello che oggi è un mondo meccanizzato all'estremo.

Nel corso di decine di migliaia di anni, l'equilibrio di potere tra gli esseri umani e il tempo si è piano piano modificato. Abbiamo iniziato basando le nostre vite sui fenomeni naturali che il mondo ci lanciava addosso, e abbiamo finito per trasformare il tempo in un'entità che abbiamo cercato di controllare. Ora spesso abbiamo l'impressione che sia il tempo a controllare noi. Abbiamo scoperto che non è così «fisso» come credevamo all'inizio. Potrebbe non essere un parametro universale, in continuo movimento, che non aspetta nessuno. Potrebbe essere relativo, soggettivo e persino, un giorno, reversibile, almeno dal punto di vista medico.

Ho capito presto che volevo lavorare sugli orologi da polso piuttosto che sugli orologi più grandi. Gli orologi da polso ci seguono da secoli nella nostra vita quotidiana, li indossiamo sul corpo o li teniamo vicino. Sono sempre stata affascinata dall'intimità di questa relazione. Il legame tra la persona e l'orologio, il cui ticchettio riflette il battito delle nostre pulsazioni, il ritmo del nostro corpo, è stato per molto tempo il rapporto più stretto che abbiamo avuto con una macchina, fino a quando, ovviamente, non sono arrivati i telefoni cellulari. Per molti versi gli orologi sono un'estensione di noi, una proiezione della nostra identità, della nostra personalità, delle nostre aspirazioni e del nostro status sociale ed economico. L'orologio è il segnatempo di un individuo, ma è anche una sorta di diario: tra le sue instancabili lancette custodisce i ricordi delle ore, dei giorni e degli anni in cui l'abbiamo indossato. È il depositario della vita stessa, inanimato ma inequivocabilmente umano.

Anche questo libro è una storia della misurazione del tempo, e del tempo stesso, scritta dal punto di vista anomalo di un'orologiaia del XXI secolo. Cominceremo con i primissimi orologi costruiti dall'uomo con le ossa, orologi che misuravano il tempo grazie alle ombre, che incanalavano acqua, fuoco e sabbia. Esploreremo come poi gli inventori abbiano trovato il modo di combinare le fonti di energia naturali con l'ingegneria umana. I primi orologi, così come li intendiamo oggi, erano il risultato di una straordinaria combinazione di curiosità, sperimentazione e scienza altamente sofisticata. I loro meccanismi, che un tempo erano tanto enormi da poter essere sistemati soltanto negli imponenti campanili delle chiese, sono stati i precursori dei segnatempo in miniatura che maneggio ogni giorno sul mio banco da lavoro.

Da qui passeremo alla meraviglia degli orologi da polso. Ogni capitolo esplora un momento cruciale della loro storia, dal loro avvento cinque secoli fa fino ai giorni nostri. Scopriremo gli strabilianti progressi tecnici che hanno permesso a queste macchine di diventare portatili e sufficientemente precise da conquistare il mondo. Vi racconterò come questi piccoli strumenti hanno concertato lavoro, culto, guerre, e come hanno aiutato i popoli europei a navigare e a mappare la Terra, sostenendo il commercio globale e consentendo l'espansione coloniale. Vedremo come gli esploratori e i soldati sfiniti dalla battaglia dipendessero dagli orologi per la loro sopravvivenza e come eventi storici decisivi siano stati determinati dalla scansione del tempo. Seguiremo poi l'evoluzione di questi oggetti da *status symbol* d'élite a strumenti popolari e poi di nuovo a *status symbol*. L'orologio è il metronomo della stessa civiltà occidentale, stabilisce il ritmo che ha guidato la nostra storia e continua a governare la nostra epoca ossessionata dal tempo e dalla produttività.

Si tratta però anche di una storia personale. Da dietro al quadrante fa capolino un mio interesse. Con molti degli orologi che compaiono in questo libro ho avuto a che fare io stessa, li ho riparati, e le storie che raccontano sono fondamentali per il nostro discorso. Una volta ho lavorato su un orologio che era stato un regalo di nozze dei genitori per il loro figlio e che era appartenuto alla stessa famiglia fin dal XVIII secolo. Tenendolo in mano, lavorandoci, pensando al suo passato e al suo futuro, mi è sembrato di fare un viaggio nel tempo. Maneggiare centinaia di anni di orologeria suscita una sensazione di autoconsapevolezza surreale. Quando lavoro sui minimi dettagli di un orologio, sento un legame quasi tangibile con le persone che lo hanno costruito e indossato. Appaiono piccole tracce di umanità, come delle firme: iniziali o nomi come quello di Jeff, nascosti nei meccanismi, o l'impronta digitale di uno smaltatore di 250 anni fa, accidentalmente rimasta impressa sul vetrino verde-blu, nascosta sotto il quadrante di un orologio da taschino. Consapevole di essere solo un capitolo della storia di un oggetto creato prima che io nascessi e che, se conservato a dovere, continuerà a vivere per secoli dopo la mia dipartita, colleziono questi segni di vita.

L'orologiaio è un custode che protegge degli oggetti, ne assorbe la storia e li prepara per nuove relazioni future. A volte mi capita di rivedere un orologio, in manutenzione o in riparazione, anni dopo averci lavorato la prima volta, ed è come riallacciare i rapporti con un vecchio amico. I miei ricordi dei segni e delle peculiarità di quel preciso oggetto tornano a galla, e a volte se ne creano di nuovi. Avevo riparato un orologio che mi è tornato indietro recentemente per un danno provocato dall'acqua; non molto tempo dopo essere stato regalato per un diciottesimo compleanno, era finito in una piscina insieme al suo nuovo proprietario, un po' brillo, in vacanza a Maiorca. Il meccanismo all'interno è stato riportato allo stato originale, ma la leggera macchia intorno alle ore tre sul quadrante è un ricordo permanente dei pericoli che si corrono quando si mescolano shot di tequila, cloro e meccanismi di precisione d'epoca.

Ogni mattina, quando mi siedo al banco e comincio a lavorare, l'orologio che ho davanti è un nuovo inizio. Ciascun pezzo ha la sua storia. Perfezione ingegneristica a parte, ogni urto, ogni graffio, ogni segno nascosto lasciato da un riparatore del passato, persino il modo in cui l'orologio è stato progettato e le tecniche utilizzate per realizzarlo sono indizi di una storia che va ben oltre il piccolo oggetto che mi trovo davanti.

1. BACIATA DAL SOLE

«Kia whakatōmuri te haere whakamua.»
(«Cammino all'indietro verso il futuro con
gli occhi fissi sul passato.»)
Proverbio māori

Sono sempre stata affascinata dalla natura. Da bambina adoravo raccogliere lumache in giardino, ricoprendomi di fango e melma. Più di tutto, amavo imparare il funzionamento delle cose. Uno dei miei primi ricordi è legato alla prima volta che mio padre mi mostrò il suo microscopio.

Rimasi folgorata dalla scoperta dell'esistenza di un mondo segreto all'interno del mio, invisibile a occhio nudo. Mi era piaciuto così tanto che per Natale i miei genitori me ne avevano comprata una versione per bambini, portatile, che potevo utilizzare in giardino. Passavamo ore a studiare campioni di acqua dello stagno. Poi disegnavo le creature strane e meravigliose che vedevo guizzare e strisciare sul vetrino.

Sono cresciuta in un sobborgo di Birmingham chiamato Perry Barr. Una distesa di mattoni, cemento e asfalto densamente popolata, tagliata in due dalla A34 e da sinuosi cavalcavia e sottopassaggi. L'unico panorama che lo caratterizzava era una discarica di rifiuti, deserta e piena di moscerini, dove io e mia sorella andavamo a giocare di nascosto. La chiamavamo il «retro» (si trattava letteralmente di un terreno dietro casa nostra).

Non ho molti ricordi dello scorrere delle stagioni a Perry Barr. A parte qualche spruzzata di neve in inverno, l'erba ap-

19

puntita del «retro» era marrone-rossastra tutto l'anno. In autunno, le foglie si raccoglievano in grumi viscidi sul marciapiede, mentre i miei genitori discutevano se fosse troppo presto per accendere il riscaldamento. Di notte i lampioni pervadevano il cielo di un lattiginoso bagliore arancione che rendeva le stelle quasi invisibili.

Sarò sempre una ragazza di Birmingham. Ma a trent'anni io e Craig non abbiamo avuto altra scelta che andarcene. Eravamo costretti ad allontanarci dalla città per ragioni economiche, alla ricerca di abitazioni più abbordabili, alla portata del nostro reddito da liberi professionisti. Comprammo un vecchio cottage di tessitori in una piccola cittadina nella parte più settentrionale dello Staffordshire, al confine con il Peak District. Era la sistemazione più economica che avevamo trovato nel raggio di 80 chilometri dal nostro laboratorio.

Nessuno dei due aveva mai vissuto così vicino alla campagna. Trascorremmo i primi mesi avventurandoci con il nostro cane nei campi, nei boschi e nelle brughiere intorno alla nostra nuova casa. Il percorso preferito di Archie attraversava una valle che, ho saputo in seguito, era definita «piccola Svizzera»: una scelta appropriata per due orologiai e il loro cane da guardia. Sempre attratti dalle reliquie del passato industriale, ci piaceva passeggiare lungo la linea ferroviaria riconvertita che un tempo collegava il Cheshire a Uttoxeter, per i boschi di Dimmingsdale lungo il fiume Churnet. Il naso di Archie fremeva per gli odori della natura prima sconosciuti: tasso, cervo, donnola, gufo, arvicola.

Con il cambiare delle stagioni, cambiavano anche le passeggiate. In inverno, i bassi raggi del sole trafiggevano gli scheletri delle vecchie querce e le siepi gelate. In primavera, le ombre del bosco si riempivano di campanule. L'autunno portava nebbie così fitte che a volte faticavamo a vedere più in là di qualche metro. Cominciai a notare l'avvicendamento degli animali nei campi; in quali periodi dell'anno c'erano le mucche e quando le pecore partorivano gli agnellini. Imparai a mie spese che Archie doveva essere tenuto lontano da certe zone durante le stagioni in cui si spargeva il letame: a fine inverno e in primavera.

Il mio primo autunno nel cottage lo trascorsi lavorando a un importante progetto di orologeria, la cui scadenza era fissata per Natale. Era un lavoro particolarmente complesso e ambizioso, e mentre i giorni passavano senza che riuscissi a fare grandi progressi, continuavo a ripetermi: «La fine dell'anno è ancora lontana, ho ancora tempo». Ma sempre più spesso mi capitava di desiderare di aver investito le mie energie nell'invenzione di una macchina per viaggiare nel tempo, piuttosto che in macchine che il tempo lo segnavano.

Un pomeriggio di fine autunno, alzando lo sguardo, vidi uno stormo di oche del Canada che volava alto in una chiassosa formazione a V. Con il passare delle settimane, questi stormi diventarono sempre più grandi, finché un giorno, mentre camminavo nel bosco, l'intero cielo si riempì di battiti d'ali e di becchi starnazzanti. Archie inclinò la testa da un lato all'altro con un'espressione curiosa che presumo significasse «cos'è quello?» o «sembra appetitoso: lo inseguo?». All'improvviso mi ricordai di quando, da bambina, avevo visto uno stormo di oche simile dal «retro». Per un breve momento docleamaro, passato e presente erano entrati in collisione.

Nell'emisfero settentrionale uno stormo di oche è segno certo che l'anno sta per finire.[1] Con la scadenza che incombeva, il mio desiderio più forte era che si fermassero; era come se mi stessero dicendo che il mio tempo stava per scadere. In un certo senso, sia io sia loro stavamo misurando il tempo.

Il mondo che ci circonda è pieno zeppo di indicazioni temporali, se si sa dove cercarle. La natura è stata il nostro primo orologio e continua a scandire il tempo per coloro che se ne accorgono. Sono state la convivenza e la frequentazione diretta con la natura a far sì che l'umanità sviluppasse i segnatem-

---

[1] Ho sempre pensato che le oche stessero migrando. In realtà, le oche canadesi sono generalmente stanziali nel Regno Unito, ma in autunno volano lo stesso in formazione.

Archie osserva uno stormo di oche canadesi.

po. Se gli orologi scandiscono le ore, allora il nostro primo orologio è stato interno. Potremmo dire che l'orologio è il risultato dello sforzo di allineare la nostra percezione del tempo con ciò che osservavamo nel mondo circostante.

L'oggetto che al momento gli archeologi considerano il principale candidato come il più antico orologio mai conosciuto ha 44.000 anni. Fu ritrovato nel 1940, anno in cui un uomo che raccoglieva guano di pipistrello sui monti Lebombo, nell'attuale Sudafrica, scoprì una grotta immersa nella boscaglia. La grotta era piena di ossa umane antichissime, alcune delle quali risalenti a 90.000 anni fa. Il sito, oggi chiamato Border Cave, è uno dei più importanti nella storia dell'umanità: abitato ininterrottamente dall'uomo per 120.000 anni, ha protetto i suoi abitanti nella vita e nella morte. Situato in alta montagna, a sovrastare le pianure del paese che oggi chiamiamo eSwatini, era un luogo facile da difendere dagli attacchi dei predatori e degli altri esseri umani ed era un buon punto di osservazione da cui individuare le prede. Gli archeologi vi hanno trovato più di 69.000 manufatti, molti dei quali testimoniano una profonda comprensione del mondo naturale e delle modalità di interazione con esso: sono stati rinvenuti bastoni per la ricerca di tuberi, ricchi di carboidrati, ossa affilate per la lavorazione del cuoio, monili realizzati con uova di struzzo e conchiglie marine e giacigli di paglia che, stratificati su cenere e arbusti di canfora, servivano presumibilmente a respingere insetti e parassiti come le zecche.[1]

A mio parere, però, la scoperta più straordinaria è stata quella di un pezzetto di fibula di babbuino intagliato, della lunghezza di un dito indice circa, con ventinove tacche nette, levigato dalle mani dei proprietari nei molti anni di utilizzo. Si tratta della prima chiara testimonianza di calcolo nella storia dell'uomo. L'Osso di Lebombo risale a molto prima dell'avvento dell'agricoltura e di qualsiasi segno di organizzazione per le stagioni e ancora prima che fosse concepito il concetto di una giornata lavorativa standard. Si tratta di uno strumento di misurazione risalente a un'epoca in cui, per quanto ne sappiamo, c'era ben poco da misurare.

Cosa volevano quindi calcolare i nostri antenati? Non possiamo saperlo con certezza, alcuni studiosi, però, hanno elaborato una teoria. Oltre a considerare l'alternarsi del giorno e della notte, si pensa che suddividessero il tempo sulla base delle fasi lunari. I segni sull'osso consistono in trenta spazi vuoti alternati a ventinove tacche. Il mese lunare in media è di circa 29,5 giorni. Se i nostri antenati avessero misurato a rotazione le tacche e gli spazi che le suddividono, avrebbero raggiunto una media di 29,5 giorni e quindi calcolato in maniera corretta il mese lunare.[2] Alcuni studiosi hanno addirittura ipotizzato che i suoi creatori impiegassero l'osso per tracciare i propri cicli riproduttivi o la durata di una gravidanza. Mi piace pensare che sia stato utilizzato da una nostra bis-bis (centinaia di bis) bisnonna per contare i giorni.

Molte culture antiche credevano che i due cicli – quello lunare e quello mestruale – fossero collegati; in effetti, è una credenza attestata ancora oggi. Un recente studio non è stato in grado di stabilire la presenza di una effettiva correlazione, ma ha ipotizzato che lo stile di vita moderno, in particolare l'esposizione alla luce artificiale, abbia indebolito la sincronicità.[3] Se così fosse, non saremmo comunque le uniche creature il cui orologio interno si allinea ai ritmi del mondo naturale.

Il mio amico Jim,[II] agricoltore e master blender di whisky nella Scozia occidentale, e sua moglie Janet, allevatrice di pecore di quarta generazione, mi hanno raccontato come la forte diminuzione delle ore di luce a novembre stimoli le loro pecore a ovulare. Con incredibile prevedibilità e nel giro di pochi giorni, tutte le pecore del gregge seguono in sostanza lo stesso ciclo. Entro due cicli, la maggior parte delle pecore, se non tutte, sono gravide. Ventuno settimane dopo, intorno alla prima metà di aprile, nascono gli agnelli, in perfetta sincronia con la fine del rigido clima invernale e l'inizio della fioritura primaverile. Jim descrive questo processo coordinato «preparare le bocche per l'erba fresca».

Proprio in concomitanza con la nascita degli agnelli, uno o due giorni prima o dopo il 17 aprile, ritornano le rondini, in seguito a una migrazione di quasi 10.000 chilometri, in fuga dal caldo dell'estate sudafricana. Con i nuovi capi di bestiame e le rondini che nidificano, la primavera irrompe nella fattoria, in quella che Jim definisce amorevolmente «un'enorme esplosione di vita». A settembre le rondini si posizionano in fila sui cavi del telegrafo e sui rami degli alberi, sapendo, in qualche modo, che è arrivato il momento di andarsene.

Ogni creatura vivente ha un suo orologio interno. Chi abita

[II] Ho conosciuto Jim grazie al nostro comune amore per il whisky e l'artigianato, uno dei tanti legami insoliti e affascinanti che si creano nel corso degli anni quando si pratica un mestiere altrettanto insolito ed eclettico.

con i propri amici a quattro zampe e ha un orario di lavoro regolare avrà notato la loro misteriosa capacità di prevedere quando stiamo per tornare a casa dopo una giornata lavorativa. Si pensa che sia dovuto al fatto che, varcando la porta di casa, lasciamo un segnale olfattivo al nostro cane, il quale impara che, una volta che il nostro odore è diminuito fino a un certo livello, è ora del rientro. Il gallo che canta all'alba, segnando il tempo in tutto il mondo, opera sulla base di un orologio circadiano interno che si è scoperto essere attivo per una media di 23,8 ore, ed ecco perché canta poco prima dell'alba. Anche organismi piccoli quanto il plancton sono noti per il loro movimento su e giù nell'acqua, dalle profondità alla superficie, al crepuscolo e all'alba. Siamo abbastanza certi che percepiscano le variazioni del livello di raggi UV (in caso di luce solare molto forte si inabissano per evitare eventuali danni) e che quindi siano in grado di distinguere il giorno dalla notte in base alla luce del sole. È stato persino osservato, in esperimenti controllati in un acquario buio, che continuano a compiere la loro migrazione verticale per diversi giorni anche in completa assenza di luce. In altre parole, anche loro hanno un orologio biologico che funziona con un sistema di ventiquattro ore.[4]

Semmai, la nostra capacità di leggere il nostro orologio interno è più debole di quella della maggior parte degli animali, perché interferisce con la nostra percezione del tempo, che può essere deformata dalle emozioni: la felicità, la novità e il coinvolgimento sembrano accelerarlo, mentre la noia e la paura sembrano rallentarlo.[5] È innegabile che questo orologio corporeo esista, quasi come un sesto senso, ma non è universale (il mio orario interno potrebbe non coincidere con il vostro). I segnatempo sono un simbolo della nostra volontà di condividere, quantificare ed esternare la nostra consapevolezza intuitiva del

«Mamma mia, è già ora?»
Un plancton si dirige
verso la superficie.

tempo. L'Osso di Lebombo suggerisce che lo facevamo già 40.000 anni fa.[6]

Antichi strumenti di misurazione sono stati trovati in quasi tutti i continenti. Per la maggior parte gli esemplari più antichi non sono collegati tra loro e le caratteristiche rinvenute suggeriscono scopi diversi. I primi esseri umani che popolarono l'Europa, gli aurignaziani, hanno tramandato quelli che sembrano essere antichi calendari. Una piccola piastrina ricavata dall'osso di un'ala d'aquila nel Baden-Württemberg è ritenuta la più antica mappa stellare conosciuta al mondo.[III] Nella Repubblica Democratica del Congo, il manico di un utensile in osso di 25.000 anni fa, noto come Osso di Ishango, reca una serie di tacche incise che suggeriscono concetti matematici come addizione, sottrazione, moltiplicazione per due e numeri primi.[7]

Questi strumenti portatili sembrano segnare un'importante svolta concettuale per la nostra specie. Come afferma il filosofo William Irwin Thompson, «l'essere umano non stava più soltanto camminando nella natura; stava miniaturizzando l'universo, portandone un modello con sé, sotto forma di bastone da conteggio, per calcolare il calendario lunare».[8] Ma io credo che si vada ben oltre. Registrando gli eventi cosmici per mezzo di un oggetto che possiamo mettere al polso o tenere in mano, ci convinciamo – forse sbagliando – di poter controllare l'incontrollabile. Ci fanno credere che non solo esistiamo nel tempo, ma lo utilizziamo anche a nostro vantaggio.

Che percezione avevano del tempo gli esseri umani dell'antichità? Vivevano semplicemente «nel momento», come vorrebbero fare molti appassionati dell'autoaiuto? È molto probabile

---

[III] Le ottantasei tacche potrebbero rappresentare il numero di giorni in cui è visibile una delle due stelle più importanti di Orione, Betelgeuse.

che vivessero in «modalità sopravvivenza». Chi ha sperimentato circostanze estreme in cui cibo, calore e sicurezza siano limitati e minacciati, sa che l'attenzione in quei momenti tende a concentrarsi puramente sul qui e ora. Ma è una sorta di mito del «progresso» presumere che soltanto perché non abbiamo prove che l'umanità dei primordi esteriorizzasse la comprensione di esistere in un dato momento nel tempo non sia stato così. Lo sviluppo dell'arte rupestre, già presente 45.000 anni fa e sempre più comune a partire da 35.000 anni fa, dimostra forse una concezione di un passato e di un futuro più remoti. Se vi trovaste a visitare una grotta con pitture rupestri antiche, è possibile che il vostro pensiero vada agli antenati che le hanno realizzate; se aggiungeste un segno vostro sulle pareti, magari pensereste alle generazioni che le vedranno dopo di voi. Non c'è modo però di sapere quando si sia generata la concezione del tempo per come lo intendiamo oggi. La comparsa dei corredi funerari in epoca più tarda, circa 13.000-15.000 anni fa, ci fornisce una prova evidente della percezione di un tempo che supera il nostro. L'uso di seppellire i propri cari insieme ai loro beni più preziosi – il coltello preferito, un gioiello, un giocattolo per bambini – implica che questi oggetti potessero rivelarsi necessari in una futura vita ultraterrena.

Di recente, gli archeologi hanno scoperto un accampamento umano di 23.000 anni fa sulle fertili rive del Mare di Galilea, in Israele. Vi hanno trovato 140 specie diverse di piante, tra cui il farro, l'orzo, l'avena e, soprattutto, moltissime erbe infestanti (le erbacce prosperano nei terreni dissestati e nelle terre coltivate, motivo per cui sono il tormento di ogni giardiniere).[IV] Questo sito è la prima testimonianza nota di una rudimentale forma di agricoltura, risalente a circa 11.000 anni prima di quanto si credesse.[9]

Questi agricoltori pionieri probabilmente osservavano anche la posizione del sole, le fasi lunari e la migrazione degli

[IV] Hanno ritrovato anche una lastra di pietra e lame di falci, a indicare che i cereali venivano coltivati, raccolti e lavorati in modo organizzato.

27

animali. Oltretutto, avevano una chiara concezione del futuro: erano consapevoli che se avessero piantato qualcosa nel presente, avrebbero potuto raccoglierne i frutti mesi dopo.

Siamo ancora lontani dalla moderna esperienza del tempo definito dalle ore sul quadrante di un orologio. Per i nostri antenati, il tempo non si misurava con numeri astratti, ma sulla base degli eventi naturali, come le stagioni e le relative condizioni meteorologiche. Ecco come un filosofo di origine keniota, il reverendo John S. Mbiti, ha descritto il tempo in relazione agli eventi così come percepito dalle comunità tradizionali africane di cacciatori-raccoglitori: «Ci sono il mese "caldo", il mese delle prime piogge, il mese della sarchiatura, il mese dei legumi, il mese della caccia ecc. Non importa se il "mese della caccia" dura venticinque o trentacinque giorni: l'evento della caccia è molto più importante della durata del mese in termini matematici». I cicli di maggiore durata, come un anno, si misuravano nella ripetizione del ciclo agricolo: erano trascorse, per esempio, due stagioni umide e due stagioni secche e queste quattro stagioni facevano un anno. Il numero esatto di giorni in un anno non era importante, «poiché un anno non si calcola in giorni matematici, ma in termini di eventi. Perciò un anno può avere 350 giorni, mentre un altro ne avrà 390. Gli anni possono differire per lunghezza in base ai giorni, accade spesso, ma non per le stagioni e gli altri eventi regolari».[10] Per molti versi questo sistema ha più senso dei nostri tentativi di piegare gli imprevedibili meccanismi della natura al nostro volere. Riporre le speranze nel fatto che un evento naturale ricorra in un dato giorno o a una determinata ora all'interno di un sistema calendariale creato dall'uomo significa essere sempre condannati alla delusione.

Anche la narrazione ha svolto un ruolo importante nei sistemi di rilevazione del tempo basati sugli eventi. Senza un calendario numerico cui fare riferimento, i racconti sugli antenati e sulle loro esperienze relative a buoni e cattivi raccolti, inondazioni, siccità ed eclissi erano un prezioso mezzo per dare una forma alla storia, con cui il passato avvertiva il presente e anticipava il futuro. Per alcune comunità aborigene costiere che vivono nell'odierna Australia, queste storie risalgono addirittura a 10.000 anni fa, all'innalzamento dei mari alla fine dell'ultima era glaciale.[11] Anche la cultura māori attribuisce un valore fondamentale alla genealogia, all'ascendenza e a tutto ciò che è accaduto in precedenza, e per definirlo utilizza la meravigliosa parola *whakapapa* (pronunciata *fakapapa*). Per questi popoli il futuro è inconcepibile senza la conoscenza del passato.[12]

La natura influenza ancora il nostro rapporto con il tempo, persino nella nostra era, sempre più digitale. L'istituzione dell'ora legale, l'atto di regolare gli orologi un'ora in avanti o indietro ogni sei mesi per aumentare la quantità di luce diurna nelle mattine d'inverno, dimostra che la luce, non tanto l'ora, rimane il fattore decisivo per alzarsi al mattino. Calcoliamo ancora la durata di una gravidanza basandoci sui mesi lunari (dieci mesi lunari corrispondono a quaranta settimane) e concludiamo la nostra giornata in spiaggia sulla base dei movimenti delle maree. Il cambiamento di colore delle foglie e l'arrivo del freddo ci dicono che l'estate è finita in modo molto più intuitivo di qualsiasi data sul calendario.

Inoltre, la nostra misurazione del tempo si basa ancora su eventi e storie. Diciamo infatti: «Era poco prima che tu nascessi»; «Era l'estate dopo l'esame di maturità»; «Era un mese dopo il nostro matrimonio», collocando le vicende a partire da momenti fondamentali della nostra vita. Le generazioni attuali considereranno ancora per molti anni gli eventi in relazione a un «Avanti» e a un «Dopo COVID»; un evento di massa pressoché globale, anche se le persone rimaste chiuse in casa durante la pandemia hanno perso di fatto ogni riferimento temporale, dato che le pietre miliari che avrebbero potuto scandire l'anno, matrimoni e vacanze, feste ed esami, persino il Natale, sono state cancellate, e i giorni sono trascorsi con la strana sensazione di essere «fuori dal tempo».

Chiudete gli occhi e pensate a un orologio.

Sospetto che stiate immaginando un quadrante analogico, suddiviso in dodici parti;[V] due lancette che ruotano «in senso orario»; il tutto montato su un cinturino indossabile. Ognuno di questi elementi esisteva già in epoca antica. E tutti sono stati concepiti in dialogo con la natura. Ai sumeri, prima civiltà mesopotamica nota (stabilitasi tra l'Iraq e la Siria attuali), viene spesso attribuita l'invenzione del sistema numerico per la misurazione del tempo.[13] Svilupparono il primo sistema numerico scritto basato sul numero 60, che ancora oggi detta il modo in cui calcoliamo i minuti, le ore, gli angoli e le coordinate geografiche. Si trattava di un numero facilmente divisibile senza frazioni né decimali complicati. Inoltre, era divisibile per tre, il che è utile, perché la maggior parte degli esseri umani ha una capacità intrinseca di applicare la scala del tre. Ciascuna delle nostre dita ha tre articolazioni, o nocche, quindi una mano (senza considerare i pollici!) conta dodici nocche; insieme le due mani ne contano ventiquattro. Questo sistema, potrebbe essere tranquillamente all'origine del giorno di ventiquattro ore.

Circa 1600 chilometri più a ovest di Sumer, nell'antico Egitto, gli eruditi iniziarono a servirsi del sole e delle stelle per suddividere ulteriormente il tempo. Il nome dell'antico dio egizio del cielo, Horus, il cui occhio destro si credeva fosse il sole, è l'origine della moderna parola «ora». Circa 5000 anni fa, gli egizi scoprirono che l'anno solare della Terra, il tempo che il nostro pianeta impiega a girare intorno al Sole, influenzava l'innalzamento delle acque del Nilo e coincideva con il solstizio d'estate e la preminenza di Sirio, la stella del Cane, nel cielo notturno.[14]

[V] Anche se forse dipende dalla vostra età! Poiché i telefoni cellulari e i computer sono diventati i nostri dispositivi d'elezione per leggere l'ora, i quadranti analogici stanno diventando sempre meno comuni anche negli spazi pubblici. Molte stazioni ferroviarie propongono ora display digitali. La mancanza di un impiego diffuso dell'orologio analogico ha fatto sì che anche le aule scolastiche siano state dotate di orologi digitali.

Anche la concezione stessa di «senso orario» è una conseguenza dell'azione del sole, oltre che una questione di ubicazione. Le civiltà che hanno dato forma ai sistemi di misurazione contemporanei si trovavano generalmente nell'emisfero settentrionale. E se si vuole seguire il percorso del sole attraverso i cieli in questo emisfero, bisogna rivolgersi verso sud. Da quella posizione, il sole si muove da sinistra a destra nel corso della giornata, mentre l'ombra che proietta si muove da destra a sinistra: in altre parole, in senso orario. Questa semplice osservazione ha portato i nostri antenati a misurare l'ora sulla base della lunghezza e dell'inclinazione delle ombre proiettate dalle persone, dagli edifici e dagli alberi che li circondavano. La meridiana, il primo «quadrante» di orologio come lo intendiamo noi, fu un tentativo di sfruttare questo fenomeno, sostituendo gli oggetti casuali che proiettavano l'ombra con un'asta o una barra verticale appositamente concepita, definita gnomone.

Nessuno sa chi abbia inventato per primo la meridiana o l'orologio a ombra. Sono presenti in tutto il mondo, dal cerchio di pietra di Stonehenge in Inghilterra (circa 3000 a.C.), posizionato in modo da allinearsi con il sole nei solstizi d'estate e d'inverno, ai bastoncini dipinti usati per fare calcoli a partire dalle ombre nell'antico sito astronomico di Taosi in Cina (circa 2300 a.C.). Nell'antico sito funerario della Valle dei Re, in Egitto, le sezioni di una primissima meridiana sono state trovate incise su una lastra piatta di calcare sul pavimento di una capanna di lavoratori risalente alla metà del II millennio a.C. Lo gnomone, asta verticale che veniva inserita in un foro al centro del quadrante, è andato perduto, ma un tempo proiettava la propria ombra su un semicerchio disegnato in nero e diviso in dodici sezioni distanti circa 15 gradi l'una dall'altra. Le suddivisioni approssimative erano sufficienti per consentire al proprietario di definire l'inizio della giornata lavorativa, il pranzo e il momento di prendere le proprie cose e tornare a casa prima che facesse buio. È la combinazione di gnomone e quadrante a creare una «vera» meridiana.

Le meridiane avevano un altro scopo importante: erano il

punto di riferimento della comunità. Spesso collocate nel centro di città e paesi, fornivano alla popolazione locale un'indicazione condivisa del tempo, cui tutti potevano ricorrere per organizzare il proprio lavoro. Questa nozione collettiva dell'ora si è rivelata fondamentale per lo sviluppo della civiltà. Mappando il cielo e misurando i movimenti del sole, siamo stati in grado di suddividere l'esistenza e le abitudini di grandi gruppi di persone in porzioni sempre più piccole e precise. Queste divisioni hanno reso via via più facile lavorare insieme e programmare i momenti di interazione con gli altri, che si trattasse di agricoltura, commercio, istruzione o governo, e a loro volta ci hanno aiutato a pianificare il futuro.

Nelle ore di buio, gli antichi egizi guardavano le stelle, utilizzandole come un vasto quadrante di un orologio celeste[15] (ancora oggi ci serviamo dello zodiaco e delle costellazioni per misurare lo scorrere del tempo).[VI] I loro astronomi avevano identificato almeno quarantatré forme diverse, fra cui *sꜣḥ* (o *Sah* in inglese, che include parte di Orione), *ryt* (letteralmente «le fauci», l'odierna Cassiopea), *knmt* (che forse significa *mucca* e indica il Cane Maggiore) e *nwt* (la Via Lattea, simbolo celeste della dea Nut).[16] Conoscevano anche i pianeti Mercurio, Venere, Marte, Saturno e Giove e sapevano calcolare e prevedere le eclissi lunari.[17] I calendari celesti svolgevano un ruolo importante nella pianificazione dell'annuale festa lunare, durante la quale venivano sacrificati maiali al dio della Luna e a Osiride, dio dell'agricoltura, nella stagione della luna nuova.

Quando immagino un orologio, lo sento sempre ticchettare; un costante, fastidioso promemoria della velocità con cui scorre il nostro tempo su questo pianeta. Molti altri segnatempo nel passato hanno registrato il trascorrere del tempo. Gli orologi idraulici lo facevano sfruttando il ritmo regolare con cui l'acqua fluisce attraverso un foro. I primi esemplari erano sor-

---

[VI] Nel cielo notturno la costellazione dell'Orsa Maggiore segna le stagioni in senso orario. La coda dell'Orsa punta verso est in primavera, verso sud in estate e verso nord in inverno.

prendentemente semplici: si trattava in sostanza di un recipiente di terracotta riempito con una certa quantità d'acqua che poi scorreva in un secondo recipiente di terracotta. Si basavano su una accurata valutazione del volume e della portata. Per questi orologi, il tempo si esauriva in maniera letterale, doveva poi essere «riempito» da un addetto. Gli antichi egizi utilizzavano orologi idraulici in alabastro e basalto nero, mentre sulle coste del Mar Nero, nell'odierna Ucraina, sono stati ritrovati manufatti in argilla dell'età del bronzo. Varianti di questo sistema di base si sono sviluppate in tutto il mondo, dalle antiche Babilonia e Persia fino all'India, alla Cina, all'America del Nord e all'antica Roma. Nell'antica Grecia, una *clepsydra* (che significa, letteralmente, «ladro d'acqua») veniva utilizzata nei tribunali ateniesi per misurare il tempo a disposizione di ciascun oratore. Alcuni di questi orologi potevano persino attivare un allarme. Nel progetto di un orologio idraulico. inventato da Platone tra il V e il IV secolo a.c, si sfrutta una serie di quattro urne di ceramica impilate verticalmente per far fluire a velocità controllata l'acqua del recipiente superiore verso quello più in basso. Quando la seconda urna è piena, in un momento preciso, calibrato sulla base delle sue dimensioni e della velocità di riempimento del flusso, l'acqua si riversa attraverso un sifone nella terza urna, tutta in una volta. L'improvviso afflusso d'acqua spinge tutta l'aria contenuta nella terza urna in un tubo posto nella sua parte superiore che emette un fischio per dare l'allarme. La quarta urna della serie raccoglie l'acqua che è quindi pronta per essere riutilizzata.

Nell'Inghilterra del IX secolo, il re dei sassoni occidentali Alfredo il Grande utilizzava gli orologi a candela come oggi farebbe un guru della produttività, seguendo un rigido programma giornaliero che prevedeva otto ore per il lavoro, otto ore per lo studio e otto ore per il sonno.[VII] Il suo «orologio» era

---

[VII] Gli orologi a candela, ricavati dal grasso di balena, sono nati in Cina intorno al 200 a.C. Il fatto che si consumassero in maniera relativamente costante e uniforme li rendeva utili per gli ambienti interni e durante le ore notturne.

composto da sei candele di larghezza e altezza uniformi. Ciascuna impiegava quattro ore per bruciare ed era contrassegnata da dodici sezioni equidistanti, ognuna delle quali corrispondeva a venti minuti. Così due candele segnavano la durata della lettura e della scrittura giornaliera di Alfredo (che era un fervido studioso e aveva tradotto molti testi religiosi latini in inglese antico), mentre un'altra coppia lo accompagnava quando pianificava le tattiche di battaglia per difendere le sue terre dagli eserciti vichinghi invasori o mediava dispute tra i suoi sudditi. Le ultime due candele vegliavano sul re mentre dormiva.[18]

Con l'intensificarsi dei viaggi e della necessità di conoscere l'ora mentre si era in movimento, molti di questi strumenti tradizionali si rivelarono poco pratici: le meridiane erano troppo statiche, il contenuto della *clepsydra* ad acqua si rovesciava facilmente e gli orologi a candela si spegnevano a causa del vento. Nella seconda parte del medioevo, le clessidre a sabbia iniziarono a essere scelte sempre più spesso insieme agli altri strumenti. Alla fine del XIII secolo, sulle navi si utilizzavano gli «orologi a sabbia». Nei suoi *Documenti d'Amore*, scritti tra il 1306 e il 1313, Francesco da Barberino insisteva sul fatto che «oltre al magnete, ai timonieri esperti, alle buone vedette e alle carte nautiche, il marinaio [doveva] avere il proprio orologio a sabbia».[19] Alla fine del XV secolo, Cristoforo Colombo avrebbe utilizzato un'*ampoletta* (uno specifico contenitore di vetro) della durata di mezz'ora, gestita dal timoniere e corretta prendendo come riferimento il sole di mezzogiorno.[20] Le clessidre aiutavano i marinai a localizzarsi non solo nel tempo, ma anche nello spazio: sapendo quanto tempo era passato dal momento in cui erano salpati e stimando la velocità a cui si viaggiava (misurata letteralmente in nodi, facendo scorrere in mare una corda con nodi equidistanti e cronometrando la velocità con cui questi sfilavano dietro l'imbarcazione), potevano calcolare in maniera approssimativa dove si trovassero e quando avrebbero raggiunto la terraferma. Tale processo si definisce «navigazione stimata» e per diversi secoli l'orologio a sabbia è stato lo strumento migliore per calcolarla. Ci sarebbero voluti altri 500 anni e una rivoluzione scientifica e ingegneristica prima che l'orologio meccanico potesse eguagliare la precisione della clessidra nella misurazione della longitudine in mare.

Nel XVI secolo le meridiane si fecero piccole e portatili. Gli annuli astronomici[VIII] (i più piccoli avevano le dimensioni della fede nuziale di un uomo) erano orologi di metallo incisi che potevano essere letti volgendoli verso il sole: la luce, passando attraverso un piccolo foro nella fascia centrale, proiettava un punto luminoso su una scala graduata più esterna. Le armille dell'annulo, formate da pezzi di metallo separati, potevano essere ruotate per regolare il mese e la latitudine corretti e fornire una lettura più accurata. L'invenzione è attribuita al matematico e filosofo olandese del XVI secolo Gemma Frisio (1508-1555), che nel 1534 portò la propria idea di un «anello per astronomi» all'incisore e orafo Gaspard van der Heyden: una collaborazione tra scienza e artigianato che preannunciava l'arte orologiaia.

Il cinturino che abbiamo immaginato all'inizio è diventato una caratteristica distintiva dell'orologio, perché rende il tempo indossabile e perciò personale. L'annulo era importante per lo stesso motivo. Si trattava del primo segnatempo da poter infilare in tasca, da appendere a un cordoncino o a una catena e da indossare per tutta la giornata. Piccoli, leggeri e del tutto indipendenti dal movimento di chi li indossava, gli annuli si dimostrarono tanto pratici da rimanere in uso fino a diversi secoli dopo l'invenzione dell'orologio. È stato dedicato a questi oggetti persino un cameo in *Come vi piace* di Shakespeare, nel momento in cui Jacques descrive un incontro nella foresta con un «buffone», un «matto», che «cava dalla bisaccia un oriolo, e senza battere ciglio me lo fissa e dice da uomo saggio assai: "Sono le dieci"» [atto II, scena VII, tr. it. di Carlo Alberto Corsi, Garzanti, Milano 2022[10], pp. 68-69, *n.d.r.*].

Questo passaggio mi ricorda il *mio* momento di pazzia nel

[VIII] La definizione precisa è *anello equinoziale universale* o *orologio solare ad armille*.

bosco, mentre guardavo le oche ed ero ossessionata dal mio prezioso orologio. Alla fine, la scadenza del progetto cui stavo lavorando durante quel primo inverno in campagna mi è passata davanti, proprio come gli uccelli: ho concluso quel lavoro solo tre anni dopo.

Trovo sempre confortante ricordare che, per quanto meccanizzata e digitalizzata sembri oggi la nostra esperienza del tempo, sarà sempre sostenuta da forze naturali che restano del tutto fuori dal nostro controllo, e che, alla fine, per certe cose ci vuole il tempo che ci vuole.

2. DISPOSITIVI INGEGNOSI

«Misura ciò che è misurabile e rendi misurabile ciò che non lo è.»
Frase attribuita a Galileo Galilei (1564-1642)

A diciassette anni ho lasciato la scuola e mi sono iscritta a un corso di oreficeria e gioielleria. Per i miei amici e i miei insegnanti era come se fossi scappata per unirmi al circo. Avevo sempre amato l'arte, ma avevo scelto tutte materie scientifiche di livello avanzato per inseguire il mio sogno di diventare medico legale. La scuola non mi incoraggiava. Il mio tutor per l'orientamento aveva lasciato intendere che la medicina non era adatta ai ragazzi della classe operaia e, sebbene amassi le scienze, il modo in cui venivano insegnate mi sembrava piuttosto rigido, arido e freddo. L'approccio non era molto pratico. Avevo passato tutto l'anno ad aspettare con trepidazione di sezionare il cuore di una pecora durante l'ora di biologia, per poi scoprire che l'esercitazione era stata annullata in seguito allo svenimento di uno studente. A metà corso di studi ho avuto un momento di ribellione e ho deciso: visto che la scienza non mi voleva, sarei scappata alla scuola d'arte.

Il professore del corso di oreficeria si chiamava Peter ed era un maestro orafo austriaco che aveva iniziato il suo apprendistato a tredici anni e sarebbe andato in pensione l'anno in cui avrei concluso il corso. Aveva un bagaglio di conoscenze tale che stargli accanto era quasi frustrante. Ancora oggi seguo molte delle sue filosofie creative. È grazie a lui che realizzo soltanto casse di orologi in metalli preziosi. Un giorno mi osservò disegnare un progetto con un metallo dorato (una lega a base di rame e con proprietà di lavorazione simili a quelle dell'oro 9 carati, ma con un prezzo molto differente) e mi chiese di seguirlo alla cassaforte del laboratorio. Gli spiegai che non avevo i soldi per comprare dei metalli preziosi, così lui cercò tra fogli e fili d'oro e mi diede quello che mi serviva. «Rebecca», mi disse, «hai lavorato a lungo su quel progetto, ed è un progetto bellissimo. Devi lavorare solo con materiali che siano degni dei tuoi sforzi. Non preoccuparti dei costi del metallo, ne parleremo un'altra volta.» E così realizzai il pezzo in oro, una spilla a forma di fenice con occhi di diamante nero, rubini rosso sangue sul petto e un diamante nella coda. Forai ogni singola piuma delle ali per creare piccole aperture nel metallo, cellette che riempii con vetro smaltato. Aveva ragione. Lavorare con i materiali preziosi può intimorire, per non parlare dei costi, ma diversamente si rischia di trascorrere un anno intero a realizzare un pezzo in metallo dorato che, una volta terminato, avrebbe poco valore. Se si hanno la fiducia in sé stessi e il capitale per realizzare un oggetto con metalli preziosi, il suo valore non potrà che aumentare. Nonostante ciò, finii per rottamare la spilla qualche anno dopo, durante uno dei tanti momenti di disperazione sull'orlo della rovina finanziaria. Ricordo ancora di aver pianto mentre la smontavo con le pinze per staccare le pietre dalla montatura.

Tra le altre cose, Peter mi ha insegnato l'importanza di commettere errori. Stavo realizzando il mio primo anello solitario con incastonatura a griffe, uno dei modelli più tradizionali di anello di fidanzamento con una sola pietra. Mi ero lasciata prendere la mano nel limare le griffe che avrebbero mantenuto la pietra in posizione e per sbaglio le avevo fatte troppo corte. Sconfortata, chiesi a Peter se fosse possibile salvare l'incastonatura. Si sedette al mio banco e procedette a rivestire le griffe, rendendole di nuovo perfettamente utilizzabili. Ricordo di avergli dato del genio e di averlo ringraziato a profusione per avermi risparmiato una settimana di lavoro. La sua risposta? «Rebecca [iniziava sempre con "Rebecca..."], sai come faccio a sapere come risolvere un problema? Lo so perché ho commesso anch'io lo stesso errore e ho imparato. Va bene sbagliare, purché se ne tragga un insegnamento.» Penso ancora a quelle parole quasi tutti i giorni.

Grazie al corso di gioielleria di Peter ho imparato a lavorare i metalli, a saldare e usare una lama di appena un millimetro per tagliare i materiali. Continuavo a interessarmi di scienza e ingegneria e, man mano che prendevo confidenza, ho iniziato a incorporare cardini, perni e altri semplici congegni per introdurre il movimento nei miei gioielli. Ragionavo per immagini, mi sembrava importante vedere come funzionano le cose nel mondo reale. Ora che ci penso, è da sempre che imparo così: sperimentando, osservando, verificando i risvolti delle mie interazioni fisiche con gli oggetti.

Con il passare del tempo, ho iniziato a cimentarmi con i primi automi, meccanismi in movimento che imitano gli esseri viventi. Ho sempre amato i planetari meccanici, dispositivi a orologeria che illustrano il sistema solare. Sono per me tra i più begli esempi di trasposizione della natura nella meccanica: è un modo molto umano di racchiudere l'universo in un oggetto abbastanza piccolo da poter essere esaminato sopra a una scrivania. Così, per il mio progetto finale di gioielleria e oreficeria ho creato un planetario in cui ciascuno dei pianeti era un gioiello rimovibile e indossabile. Saturno era un ciondolo i cui anelli potevano girare indipendentemente l'uno dall'altro e in diverse direzioni. Il Sole era un anello con «fiamme» appuntite che giravano e sembravano tremolare. Poteva anche essere usato come tirapugni in un combattimento.

All'epoca non conoscevo a sufficienza la meccanica necessaria per creare un planetario correttamente funzionante che potesse tracciare i movimenti dei pianeti. Inoltre, avevo una scadenza molto ravvicinata. Mi ero presa enormi libertà per quanto riguardava le posizioni dei pianeti, e gli anelli che li sostenevano dovevano essere ruotati manualmente in modo indipendente, non era un sistema interconnesso alimentato da un motore o dalla rotazione di una manovella. L'oggetto non era all'altezza del progetto; non era neanche lontanamente vicino all'idea sofisticata che avrei voluto tradurre in realtà. Avevo bisogno di più tempo e conoscenze per realizzarlo, ma ero comunque affascinata dal funzionamento di quei componenti mobili interconnessi.

Durante la mostra di fine anno, il mio planetario attirò l'attenzione degli studenti di orologeria. Dal momento che condividevo con loro l'interesse per la costruzione di piccoli oggetti di precisione in movimento, mi si avvicinò un gruppetto di ragazzi (tra cui c'era anche Craig). Fino a quel momento, quando pensavo a un orologiaio, ammesso che ci avessi mai pensato, immaginavo un addetto alla sostituzione di batterie e cinturini in un centro commerciale. Ma nel loro laboratorio, circondata per la prima volta da torni e frese che ronzavano e dall'odore del metallo e dei trucioli, ho capito che l'orologeria avrebbe potuto permettermi di diventare un'artista, una designer, un ingegnere e un fisico allo stesso tempo. Alla fine del corso mi unii a loro.

Vorrei avere ancora il mio planetario ma, come è successo con la spilla a forma di fenice, ho dovuto farlo a pezzi per pagare l'affitto.

Quando penso agli antichi orologiai mi tornano sempre in mente i miei primi goffi tentativi di far muovere gli oggetti. Senza una costante manutenzione da parte dell'uomo, gli orologi ad acqua, a sabbia e a candela erano poco più che timer da cucina. Gli orologi «veri» richiedono una fonte di energia autorigenerante o meccanizzata. Sebbene gli orologi meccanici e da polso siano comparsi rispettivamente nel XIV e nel XVI secolo, gli sviluppi necessari per compiere il salto erano già in corso da oltre un millennio. I progressi ingegneristici dell'epoca mesopotamica, dai macchinari idraulici ai sistemi di irrigazione delle colture, dai mulini tessili alla produzione di mattoni e ceramiche, dai carri a ruote fino all'aratro, hanno fornito le basi per l'avvento dei segnatempo meccanizzati.[1]

Provo sempre a immaginare lo stupore che ha accompagnato la scoperta dell'idrocronometro in Europa. Nell'802 d.C., uno dei migliori diplomatici di re Carlo Magno ritornò da una spedizione a Baghdad con una pioggia di regali destinati a stupire e fare colpo. Erano doni del califfo Harun al-Rashid, a simboleggiare l'età dell'oro islamica che aveva prosperato sotto il suo governo. Anche se il vero protagonista era senza dubbio Abul-Abbas, un esemplare di elefante asiatico adulto, che si aggirava per le strade di Aix-la-Chapelle[I] creando scompiglio, tra le altre cose Harun regalò a Carlo Magno un orologio ad acqua in ottone con un meccanismo in grado di battere le ore. Alcuni testimoni oculari raccontarono che, allo scoccare di ogni ora, si sentiva suonare un cimbalo e un modellino di cavaliere usciva da una delle dodici porte. Non sappiamo esattamente come funzionasse il meccanismo, ma probabilmente si trattava di un sistema di pesi e corde azionato e controllato dal livello dell'acqua, che cambiava man mano che il liquido fuoriusciva da un foro.[2] Ai fortunati europei che lo videro, l'orologio dovette sembrare una magia.

Nell'XI secolo, al-Zarqali, astronomo spagnolo musulmano e inventore di apparecchiature scientifiche, progettò e realizzò un orologio ad acqua in grado non solo di indicare le ore del giorno, ma anche di mostrare dati astronomici. Situato nell'antica città di Toledo, nella Spagna centrale, l'orologio era famoso perché indicava le fasi lunari utilizzando due recipienti che si riempivano gradualmente d'acqua e poi si svuotavano nel corso di ventinove giorni, a rappresentare il sorgere e il tramonto della luna. Al-Zarqali gestiva i livelli d'acqua in continuo cambiamento con un sistema di tubature sotterranee capace di compensare l'acqua aggiunta o sottratta dai contenitori, nel caso in cui qualcuno tentasse di interferire.[3] Chissà,

---

[I] Ora Aquisgrana, nella Germania occidentale.

forse un bambino curioso (come io stessa sarei stata), sgattaiolando verso l'orologio di al-Zarqali mentre i genitori contrattavano con un venditore ambulante, avrà tolto un po' d'acqua per vedere cosa succedeva e avrà osservato meravigliandosi che il piatto si riempiva magicamente al livello giusto.

Anche nel centro della mia città natale, Birmingham, c'è un'opera che funziona ad acqua. Progettata dallo scultore indiano Dhruva Mistry nel 1992, si tratta di una fontana artistica, chiamata *The River*. Occupa il posto d'onore davanti al municipio di Victoria Square. In cima, un gigantesco nudo femminile reclinato, fuso in bronzo, regge una brocca d'acqua che confluisce in un'imponente vasca superiore, dove viene trattenuta finché non trabocca dal bordo e scende lungo una serie di gradini che si svuotano in una seconda vasca sottostante. Definita affettuosamente dagli abitanti del posto «la sgualdrinella nella Jacuzzi», è un luogo di incontro conosciuto da tutti. La gente le regala monete esprimendo desideri e, nelle calde giornate estive, si avventura fin dentro l'acqua (anche se in modo illecito) per nuotare e rinfrescarsi. Le installazioni situate nei luoghi pubblici invitano le persone a interagire con esse,[II] sono spazi condivisi di cui ci sentiamo tutti un po' proprietari.

L'orologio di al-Zarqali rimase a Toledo fino a quando un altro inventore, incuriosito dalla sua costruzione, non ebbe il permesso di smontarlo per esaminarlo, ma a quanto pare non fu in grado di rimetterlo insieme.[4] Questa storia mi ha sempre commosso perché ho lavorato su molti orologi che hanno avuto lo stesso destino. Molte delle mie prime conversazioni con i proprietari degli oggetti su cui mi ritrovo a lavorare partono quasi sempre così: «Be', è un po' imbarazzante, ma io... e poi... quindi vede... per farla breve...» per poi arrivare al-

---

[II] A volte l'interazione è un po' eccessiva. Dopo alcuni anni di inattività, durante i quali l'acqua era stata sostituita da alcune aiuole, la fontana è stata riportata alla sua gloria acquatica nel 2022, ma dopo neanche un mese è stata danneggiata per via dell'aggiunta di bagnoschiuma, un'eventualità che al-Zarqali non aveva mai dovuto affrontare.

l'ammissione che l'orologio ereditato dai nonni/acquistato all'asta/regalato per un'occasione importante è ora un insieme di pezzi che non si sa come rimettere insieme. Da secoli la curiosità continua a uccidere ogni sorta di orologio.

Circa 6500 chilometri più a est di Toledo, nella provincia cinese di Henan,[5] nel 1088, l'astronomo Su Song fu incaricato dall'imperatore di creare l'orologio ad acqua migliore al mondo, destinato a diventare un simbolo del valore intellettuale della dinastia Song. Il progetto della *clepsydra* di Su Song prevedeva una serie di complesse rappresentazioni astronomiche: all'epoca le case dinastiche governavano grazie a un mandato celeste, o *tianming*, il che richiedeva la capacità di tracciare e prevedere gli eventi astronomici per interpretarli, perché guidassero le decisioni di governo.[6] Con le sue sfere armillari e astronomiche in bronzo e gli automi in forma umana a battere le ore più importanti della giornata, l'orologio di Su Song non solo confermava la preminenza tecnologica della Cina, ma funzionava in «linea diretta con la divinità, un condotto attraverso cui la saggezza celeste affluiva alla corte imperiale».[7]

Partendo da un prototipo di legno in forma di pagoda in scala ridotta, Su Song e il suo team di artigiani e ingegneri impiegarono otto anni per costruire la *clepsydra* celeste idromeccanica. L'orologio finito era alto circa 12 metri, l'altezza di un edificio di quattro piani, ed era alimentato da una gigantesca ruota idraulica, di circa 3 metri di diametro, con 36 secchi applicati intorno. Quando un secchio si riempiva d'acqua e diventava abbastanza pesante da far scattare il meccanismo, ricadeva in avanti, facendo girare la ruota e trascinando un altro secchio vuoto in direzione dell'acqua che scorreva da un serbatoio separato per mantenere il volume costante.

Da orologiaia ciò che mi affascina di questo pezzo di ingegneria pionieristico di Su Song è che rappresenta di fatto il primo scappamento della storia: un meccanismo che blocca e rilascia alternativamente il moto delle ruote dentate, dando potenzialmente all'orologio una durata illimitata. (Ossia infinita, a patto che ci fossero controllori umani sempre pronti a mantenere il livello dell'acqua nel serbatoio di alimentazione e a eseguire le regolazioni e le manutenzioni necessarie.) Questo tipo di componenti in grado di trattenere e rilasciare l'energia a partire da fonti motrici come l'acqua, la gravità o di altro genere sarebbe stato determinante per l'invenzione dei primi orologi meccanici. Si trattava anche della prima volta nella storia in cui era possibile sentire il *tic tac* di un orologio.

Questi primi dispositivi meccanici erano permeati dalla gioia della sperimentazione e della scoperta, frutto di tentativi, errori e possibilità illimitate. Al volgere del XIII secolo, Ismail al-Jazari, eclettico studioso e inventore musulmano proveniente dall'Alta Mesopotamia, portò le prospettive della meccanica a un livello totalmente nuovo. Capotecnico del Palazzo Artuklu in Turchia, al-Jazari viene talvolta definito uno dei padri della robotica; era un maestro degli automi. Il suo libro sulla conoscenza dei dispositivi meccanici più ingegnosi, che si dice abbia ispirato Leonardo da Vinci circa 250 anni dopo, riporta un centinaio di invenzioni meccaniche accompagnate da illustrazioni gradevolmente vivaci dipinte a mano. Tra queste figurano automi in forma di pavone, una cameriera umanoide alimentata ad acqua capace di servire bevande durante le feste, un gruppo di musicisti che «suonava» musica per gli ospiti e diversi orologi a candela e ad acqua, anche molto complessi.[8]

Se Harun aveva voluto impressionare con un orologio e un elefante, al-Jazari fece di meglio progettando un orologio idraulico a forma d'elefante. Sul dorso, appollaiato su un tappeto persiano, uno scriba arabo con una penna in mano siede su un *howdah*, una lettiga dorata. Un *mahout*, o addestratore di elefanti, lo cavalca sul davanti, draghi rossi cinesi e una fenice egiziana adornano la parte superiore.[9] Nella pancia dell'elefante è nascosto un contenitore pieno d'acqua. Sull'acqua gal-

44

leggia una ciotola con un piccolo foro, attaccata con delle corde a un meccanismo a carrucola. La ciotola si riempie lentamente d'acqua e affonda, facendo ruotare lo scriba una volta al minuto. Dopo mezz'ora, la ciotola si riempie completamente e sprofonda sul fondo del contenitore, innescando un meccanismo di oscillazione che rilascia una palla all'interno della bocca di uno dei draghi. Il peso della palla fa sì che il drago si inclini in avanti, riportando la ciotola in superficie. Questo movimento fa anche sì che una figura umana, che si trova in cima, alzi un braccio. Ogni mezz'ora suona un cembalo, la fenice gira e il *mahout* muove le sue fruste. Una volta completato il ciclo e terminata la rappresentazione, i personaggi tornano nella loro posizione iniziale in attesa che la ciotola si riempia di nuovo.

Tutti gli elementi dell'orologio sono stati progettati appositamente per includere l'intera conoscenza ingegneristica disponibile all'epoca. Secondo al-Jazari, «l'elefante rappresenta la cultura indiana e africana, i due draghi l'antica cultura cinese, la fenice la cultura persiana, l'opera d'acqua l'antica cultura greca e il turbante la cultura islamica». L'orologio a forma di elefante continua a stupire ancora oggi. Nel 2005 ne è stata costruita una replica monumentale all'interno di un centro commerciale di Dubai. Posizionato al centro di una sala con il soffitto a volta rivestita di marmi, circondato da clienti entusiasti pronti a scattare fotografie, l'orologio a forma d'elefante di Dubai è tornato a essere un punto di riferimento del tempo condiviso.

Quando si trattava di misurare le ore, gli europei del medioevo erano in ritardo rispetto alle loro controparti cinesi e islamiche, ma quando l'Europa entrò nel rinascimento, emerse un numero sempre crescente di astronomi nella Chiesa cattolica e più in generale nelle élite, trascinando l'orologeria verso una nuova entusiasmante era. Ritenevano l'acqua una fonte di energia inaffidabile (durante le estati europee tendeva a evaporare e in inverno congelava) e fecero grandi progressi nello sviluppo di orologi meccanici.

La chiave per realizzare un orologio del tutto meccanico e con una manutenzione relativamente bassa era trovare una fonte di energia che fosse affidabile. Il problema fu risolto con un piccolo aiuto da parte della gravità. Nel XIV secolo (non sappiamo esattamente quando né chi l'abbia inventato né dove) fece la sua comparsa un orologio straordinario, alimentato da una corda legata a un'estremità a un peso mentre l'altra era fissata a un'asta orizzontale (che funzionava come un rocchetto su cui si avvolge il filo).[III] Il più antico orologio con un meccanismo simile sopravvissuto è stato costruito nel 1386 e ora si trova nella cattedrale di Salisbury, in Inghilterra. In questo caso, il movimento è avviato da due pesi in pietra; quando i pesi scendono, le corde si srotolano dai grandi rocchetti di legno. Un rocchetto aziona l'ingranaggio che segna lo scorrere del tempo, mentre l'altro aziona il rintocco, che fa suonare la campana per dare il segnale orario. L'asta poteva essere fatta girare manualmente con una manovella, avvolgendovi la corda intorno e sollevando il peso verso l'alto. Il funzionamento del cricchetto permetteva all'albero di girare in un senso, ma poi lo bloccava, un po' come se si trattasse di un pesce con la lenza, impedendogli di tornare indietro nel senso opposto. Una volta arrotolata del tutto la corda, la forza di gravità tirava il peso verso il basso, facendo sì che l'asta ruotasse su sé stessa a una velocità incontrollata. Era quindi necessario un nuovo dispositivo per controllare la velocità di rotazione, che possiamo definire *scappamento a verga*.

Lo scappamento a verga di questi primi orologi è costituito da un'asta d'acciaio lunga e sottile (l'asse) sormontata da una barra orizzontale, che la fa assomigliare a una T. In cima e in fondo all'asta ci sono due «palette» rettangolari fissate a un'angolazione di circa 90 gradi l'una rispetto all'altra. Queste palette sono distanziate in modo tale che, quando una delle due ruota con l'oscillazione dell'asta, aggancia un dente della ruota a corona (così chiamata per i suoi denti seghettati, che

---

[III] Esiste un rapporto dettagliato relativo a un altro orologio simile situato nella torre di Chioggia, vicino a Venezia, anch'esso risalente almeno al 1386 e sopravvissuto, anche se attualmente in stato di inattività.

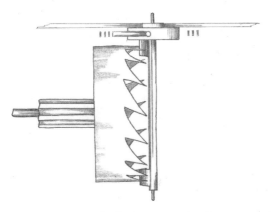

Lo scappamento a verga fu il primo a essere utilizzato in orologi completamente meccanici e rimase in uso fino agli inizi del XIX secolo.

ricordano la forma di una corona). Quando la ruota gira in avanti, la paletta si sposta per consentire il passaggio di un dente, mentre l'altra paletta ne aggancia un altro, controllando in questo modo il rilascio della forza. Una volta che la paletta è entrata in contatto con la ruota della corona, il meccanismo porta la barra superiore a oscillare all'indietro nella direzione opposta, consentendo all'altra paletta di catturare un dente mentre la prima ne rilascia un altro e così via, avanti e indietro. Questo ciclo si ripete di continuo, migliaia di volte ogni ora, controllando il rilascio di energia ed emettendo un rumore ogni volta che una paletta cattura un dente.

Lo scappamento a verga ha consentito la realizzazione dei primi campanili – torri che incombevano su paesi e città, visibili anche a chilometri di distanza. I primi orologi non avevano quadranti; prevedevano alcuni rintocchi di campana per indicare le ore e avevano lo scopo di ricordare gli eventi pubblici come il momento del culto. Il drammaturgo elisabettiano Thomas Dekker scrisse che la campana dell'orologio si poteva sentire da «molto lontano, sia a letto, di notte, sia di giorno».[10] La parola inglese *clock* deriva dal latino medievale *clocca* e dal francese *cloche*, che significano entrambi «campana». Durante

47

il tardo medioevo e nella prima età moderna, fino al XVII secolo, in Europa la gestione del tempo era ancora di dominio pubblico, non privata: veniva trasmessa, letteralmente, dall'alto.[11] In un'epoca in cui il 90 per cento della popolazione europea era costituito da contadini, l'idea di un orologio personale con cui poter determinare da soli il tempo era ancora molto lontana.[12]

I grandi orologi pubblici sono quanto di più lontano ci possa essere dall'universo microscopico dell'orologio da polso. Qualche anno fa ho avuto il piacere di visitare i laboratori della Smith of Derby, azienda di restauro e produzione di orologi da torre fondata nel 1856 e oggi gestita dalla quinta generazione della famiglia Smith. Credo che una simile esperienza sarebbe abbastanza surreale per la maggior parte delle persone, e del resto anche io, abituata al mio piccolo laboratorio, mi sono sentita un piccolo gnomo appena uscito da un buchino nel muro per trovarsi in un regno di giganti. Sebbene gli strumenti con cui lavoriamo siano abbastanza simili, quelli della Smith sono cinque, dieci, venti volte più grandi dei miei. Mi è sembrato incredibilmente familiare, eppure del tutto diverso. Quando incastro le lancette sul quadrante di un orologio (una delle ultime cose che faccio al momento di rimontare il tutto) spesso non sono più lunghe della punta del mio mignolo. Nei laboratori in cui si fabbricano orologi da torre, le lancette giganti, alcune più alte di voi o di me, devono essere sistemate su quadranti grandi come un autobus a due piani.[IV]
Anche mettendo da parte le differenze di scala, chi si occupa di orologi così imponenti deve affrontare sfide quasi in-

[IV] Per darvi un'idea delle dimensioni, il più grande quadrante di orologio esistente si trova in cima alle Torri Abraj Al Bait in Arabia Saudita. Costruito nel 2012, misura 43 metri di diametro.

concepibili per chi lavora su pezzi più piccoli. Combatte contro le tempeste e il gelo sui campanili delle chiese, si dondola sospeso sui tetti con le sue imbracature, raschia via i mucchi di guano di piccione che intasano il meccanismo e di tanto in tanto deve anche affrontare gabbiani inferociti. Tutto ciò mi fa ringraziare il fatto di avere un laboratorio caldo e sicuro dove lavorare. Rimane comunque un che di magico nei movimenti degli orologi da torre. Il loro aspetto richiama le opere di H.G. Wells. Sono macchine curiose e fantascientifiche, producono suoni metallici e ronzii. Il loro movimento è pesante e metodico, quasi simbolico del modo in cui il «tempo dell'orologio» ha poi dominato il mondo moderno.

Lo scappamento a verga non era, in verità, molto preciso (alcuni orologi perdevano o guadagnavano diverse ore nel corso di una settimana), ma fu di certo una base su cui gli inventori e gli ingegneri successivi poterono lavorare, realizzando orologi più complicati, più impressionanti e più appariscenti di quanto si potesse immaginare solo un secolo prima. Gli orologi delle chiese medievali mostrarono presto una serie di informazioni molto complesse, tra cui le posizioni dei pianeti, le eclissi, le fasi lunari, l'alta e la bassa marea, dati spesso rappresentati da elaborati automi.[13] I registri finanziari della cattedrale di Norwich, tra il 1321 e il 1325, descrivono la commissione e l'installazione di un orologio meccanico i cui quadranti includevano un modello del sole e della luna e cinquantanove sculture mobili intagliate nel legno, tra cui un coro e una processione di monaci.[V]

[V] Gli inventari descrivono nel dettaglio l'uso di vernici dai colori vivaci e di dorature. L'intero progetto richiese il talento di numerosi artigiani specializzati, che furono impegnati nella costruzione per tre anni: da fabbri e falegnami a muratori, stuccatori e campanari. Il costo totale dell'orologio fu indicato in 52 sterline, che all'epoca, se si fosse trattato di un lavoro eseguito da un solo uomo, avrebbe coperto il salario di un artigiano specializzato per oltre quattordici anni di duro lavoro.

Nel XIV e nel XV secolo, la Chiesa considerava questi complicati orologi astronomici grandiose rappresentazioni pubbliche della cosmologia cristiana, progettate per illustrare ai fedeli, attraverso decorazioni e automi, il significato dello scorrere del tempo.

Nel medioevo l'astronomia era al centro della cosmologia dei cristiani, che vedevano in Dio l'architetto divino dell'universo. Le rappresentazioni pittoriche dell'epoca dipingono Dio come un geometra, compassi alla mano pronto a tracciare il suo progetto del cosmo. Si credeva anche che gli eventi celesti avessero un effetto diretto sulla vita umana. Matrimoni, decisioni diplomatiche e persino interventi chirurgici venivano eseguiti sulla base dell'allineamento della luna e delle stelle. Ciascuno dei dodici segni zodiacali era associato a una parte del corpo e si riteneva pericoloso operare in un determinato punto se la luna si trovava nel segno zodiacale associato. Per calcolare la posizione della luna rispetto al sole si potevano consultare strumenti come le volvelle lunari le quali, confrontate con l'uomo zodiacale – un'illustrazione del corpo di un uomo su cui erano segnate le parti anatomiche associate a ciascun segno zodiacale –, indicavano se i segni fossero di buon auspicio.[14] Se si aveva un'unghia incarnita e la volvella diceva che la luna era in Pesci (il segno associato ai piedi), sfortunatamente bisognava attendere un mese prima di poter rimuovere l'unghia.

Così come avveniva nell'antico Egitto, dove lo studio dell'orologeria e dell'astronomia era riservato in gran parte ai sacerdoti, così nell'Europa medievale i monaci erano tra i pochi fortunati che, in assenza di distrazioni mondane e senza doversi preoccupare di mantenere un tetto sopra la testa, potevano dedicare molto tempo all'approfondimento della conoscenza. Alcuni dei primi orologiai erano uomini di chiesa, tra cui il monaco e filosofo naturale Richard di Wallingford (1292 ca.-1336), che progettò un orologio astronomico negli anni Venti del Trecento, e l'ecclesiastico e astronomo Jean Fusoris (1365 ca.-1436), creatore di un monumentale orologio astrologico per la cattedrale di Bourges in Francia.

Gli astronomi portarono gli orologi verso una precisione sempre maggiore.[15] Per poter misurare un fenomeno osservato, come un'eclissi lunare o il passaggio di una cometa, avevano bisogno di un orologio in grado di considerare lassi di tempo perfettamente uguali. Gli antichi metodi di divisione utilizzavano spesso la separazione tra il giorno e la notte per segnalare il passaggio di ogni giornata, creando ore di lunghezza variabile a seconda del periodo dell'anno e dell'intervallo esistente tra alba e tramonto. Gli orologi meccanici, invece, si basavano su ingranaggi per controllare il movimento della lancetta, il che significa che (a condizione che l'orologio funzionasse correttamente e non si fermasse) non c'erano variazioni nel tempo impiegato da ciascuna lancetta per compiere una rotazione completa. La natura irreggimentata di un orologio meccanico rendeva possibile un'uniformità del tutto controllata.[16]

A Galileo, che si dice abbia affermato «misura ciò che è misurabile e rendi misurabile ciò che non lo è», si attribuisce anche una delle scoperte più significative in termini di precisione: l'isocronismo del pendolo (un pendolo, in assenza di variabili come il vento, oscilla a una velocità costante). Si racconta che, mentre assisteva alla messa nel duomo di Pisa, il diciannovenne Galileo alzò lo sguardo e notò l'oscillazione regolare e ripetuta di una lampada d'altare appesa al soffitto. In quel momento gli venne in mente che l'oscillazione poteva essere utilizzata per innescare il rilascio regolare di energia da un meccanismo. L'idea gli ronzò in testa per anni, finché nel 1637 progettò il primo orologio con regolazione a pendolo, che utilizzava un peso oscillante per attivare lo sblocco dello scappamento.[17] Galileo morì cinque anni dopo e non vide mai la sua ingegnosa intuizione diventare realtà. Ci vollero altri quindici anni prima che il fisico e matematico olandese Christiaan Huygens la trasformasse in un meccanismo di orologio funzionante.

Per effettuare osservazioni astronomiche in diversi luoghi, però, bisognava rendere portatili gli orologi. Il progresso più significativo per favorire questo processo fu l'introduzione di un oggetto definito molla motrice: una molla d'acciaio ben ar-

51

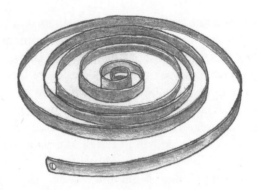

Una molla motrice tradizionale. Questo tipo è stato utilizzato dal suo avvento fino al XX secolo, quando la forma è stata perfezionata per generare un momento torcente più uniforme durante lo srotolamento.

rotolata che sostituiva i pesi come fonte di energia. Non si sa con certezza chi abbia inventato la molla, ma è molto probabile che anche questa tecnologia sia nata dalle attività dei fabbri del Nord Italia. Il più antico orologio a molla risale al 1430. Queste molle, lunghe ma molto sottili, un po' come il nastro che si annoda intorno a un pacchetto regalo, erano arrotolate in un tamburo o in un cilindro e avvolte intorno a un perno centrale mediante una manovella o una chiave. La molla si avvolge in una spirale stretta intorno al perno, poi, quando viene rilasciata, torna indietro perché la sua elasticità la costringe a srotolarsi, trascinando con sé un gancio esterno per generare l'importantissimo movimento rotatorio. Per evitare che la molla principale rilasci all'improvviso tutta la sua forza sulle ruote del treno, la velocità di questa rotazione è controllata nello stesso modo in cui in precedenza veniva controllata la caduta del peso, ossia tramite uno scappamento.

Le molle hanno permesso agli orologi di non dipendere più dalla gravità e di diventare abbastanza piccoli da poter essere portati addosso durante i viaggi. Se la religione aveva sostenuto la diffusione di orologi meccanici pubblici in tutta Europa e gli scienziati avevano reso i segnatempo più precisi e pratici, le persone abbienti trasformarono questi ingegnosi dispositivi in uno *status symbol*. Nel corso del XV secolo, gli orologi divennero una presenza comune nelle case degli aristocratici e dei ricchi mercanti, soprattutto se appassionati di astronomia.[18] Utilizzavano questi oggetti per esibire la loro conoscenza delle tecnologie più avanzate, proprio come noi oggi quando facciamo la fila per giorni davanti a un Apple Store per acquistare l'ultimo modello di iPhone. Il loro costo, e quindi l'esclusività, li rese oggetti di desiderio; presto materiali come l'ottone dorato e il rame sostituirono il ferro utilizzato nei primi meccanismi. Con il coinvolgimento di incisori e doratori, gli orologi divennero sempre più decorati. Il British Museum possiede un orologio straordinario, realizzato nel 1585 da un orologiaio di Augusta, Hans Schlottheim, forse per Rodolfo II, imperatore del Sacro romano impero. L'orologio, montato su un galeone in ottone dorato, era stato progettato per «navigare» al centro di una tavola da banchetto affollata e sparare fumanti palle di cannone in miniatura mentre statuette dalle sembianze umane si muovevano sul ponte. Lo scoccare dell'ora veniva segnalato da campanelle sospese sotto la coffa, mentre un meccanismo nello scafo suonava al ritmo di un tamburo. In questo spettacolo, il piccolo quadrante dell'orologio sul ponte della nave rischia di passare del tutto inosservato.

Nel XVI secolo, questi straordinari orologi non erano poi così straordinari: molti artigiani in tutta Europa realizzavano simili meraviglie meccaniche per soddisfare una domanda insaziabile da parte delle élite. C'era solo un problema: queste macchine elaborate potevano essere ammirate soltanto in contesti casalinghi. Si faceva affidamento sul fatto che amici, colleghi e clienti venissero a cena a casa. A questo punto le classi dirigenti europee erano pronte per oggetti che, pur essendo altrettanto complessi e curiosi, potessero essere portati a spasso per il mondo. Perché ciò diventasse realtà, l'orologio doveva diventare abbastanza piccolo da poter essere indossato.

È facile che gli oggetti piccoli scompaiano. Possono essere rubati, rotti o smarriti. Possono nascondersi nelle viscere di collezioni private o in fondo ai cassetti, nelle scatole di scarpe sotto al letto, persino sotto le assi del pavimento. Poi però, a volte, vengono ritrovati per caso.

Così è stato per l'orologio da polso più antico del mondo, trovato nel 1987 in una scatola di pezzi di orologi pagata 10 sterline in un mercatino delle pulci di Londra. A un occhio inesperto non sarebbe sembrato un orologio. Si trattava essenzialmente di una sfera, delle dimensioni e del peso di un uovo di gallina, formata da due emisferi di fogli di rame, battuti, o «sbalzati», per formare una sfera quasi perfetta. In cima alla sfera c'è un anello, attraverso il quale passava una catena, per poterla portare al collo. Al di sotto, tre piedini permettono di appoggiarla su un tavolo per non farla rotolare. L'involucro è decorato con un'incisione grezza: una scena ambientata in un villaggio e alcune foglie. Il segmento superiore riporta una serie di fori a forma di virgola attraverso cui è possibile intravedere appena il quadrante interno. Per leggere l'ora bisogna sganciare la parte superiore della sfera e aprirla; solo allora si rivelerà un'unica lancetta delle ore, che gira intorno a un cerchio di numeri romani su un quadrante inciso (i primi orologi non erano abbastanza precisi da giustificare una lancetta dei minuti, e i piccoli incrementi di tempo non erano così rilevanti come lo sono ora). L'orologio è contrassegnato dalle lettere MDVPHN, che ci offrono il primo indizio sulle origini di questo pezzo: MDV è la data in numeri romani, 1505; PH sta per Peter Henlein, orologiaio dell'epoca noto per la produzione di piccoli orologi meccanici; N sta per Norimberga, dove l'orologio è stato prodotto.

L'acquirente di questo insolito oggetto inizialmente dubitava della sua autenticità e lo vendette qualche anno dopo. Il proprietario successivo lo portò da un esperto e anche a lui fu detto che si trattava di un falso. Così l'orologio è stato venduto di nuovo, per una cifra non dichiarata ma presumibilmente bassa. Il terzo acquirente ha poi sottoposto l'orologio a dettagliate analisi scientifiche che hanno dimostrato, al di là di ogni ragionevole dubbio, che il pezzo era stato effettivamente fabbricato all'incirca nel 1505 e che probabilmente era autentico: si trattava quindi del più antico orologio portatile sopravvissuto. Il suo valore viene ora stimato tra i 45 e i 70 milioni di sterline.

Di tutti i fatti interessanti che riguardano questo piccolo oggetto, quello che forse è più degno di nota è che ne conosciamo il creatore. Sappiamo che Peter Henlein nacque a Norimberga nel 1485, figlio di un lavoratore dell'ottone, e fu apprendista fabbro, come molti dei primi orologiai. Sappiamo anche che la svolta decisiva della sua vita non avvenne in una bottega, ma in una taverna. Nel 1504, quando aveva diciannove anni, Henlein fu coinvolto in una rissa in cui un collega fabbro, Georg Glaser, rimase ucciso. Essendo uno degli accusati dell'omicidio, chiese asilo al monastero francescano di Norimberga e vi rimase dal 1504 al 1508.

Nel XV e XVI secolo Norimberga, nel Sud della Germania, era uno dei centri creativi e intellettuali più importanti d'Europa. Fulcro del rinascimento tedesco, era anche la città del celebre orafo Wenzel Jamnitzer (1508-1585) e di Albrecht Dürer, che vi aveva stabilito la propria attività nel 1495. Il monastero era un polo d'attrazione per accademici e artigiani, e senza dubbio fornì a Henlein l'accesso a nuovi strumenti e tecniche, nonché al lavoro di matematici e astronomi in visita. Henlein si era trovato, per caso, in un ambiente favorevole al suo talento.

Fu forse nel monastero che Henlein imparò a costruire il conoide in miniatura che aggiunse all'orologio. Il conoide, che si collega alla molla, potrebbe essere stato sviluppato per la prima volta come meccanismo per la balestra, apparso in un progetto di Leonardo del 1490. Quando l'orologio viene caricato, la molla si avvolge ben stretta immagazzinando energia e poi srotolandosi fa ruotare il cilindro che la contiene – come la ballerina rotante di un carillon o un timer meccanico. E proprio come le piroette di un ballerino diventano sempre più lente con il passare del tempo, la rotazione della molla dell'orologio inizia con forza e poi diminuisce man mano che si svolge. Il conoide a forma di spirale aiutava a regolare questo fenomeno, utilizzando un principio simile a quello degli ingranaggi di una bicicletta.

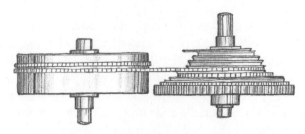

Il conoide collegato al cilindro della molla tramite una catena simile a quella di una bicicletta. La versione precedente, in budello, funzionava esattamente nello stesso modo.

Henlein si fece in fretta una reputazione per la realizzazione di orologi di straordinaria ingegnosità e impeccabile maestria. Ricevette commissioni dal concilio di Norimberga per la realizzazione di un dispositivo astronomico e realizzò un orologio pubblico per la torre del castello di Lichtenau. Ma la sua specialità, a quanto pare, era la creazione di piccoli orologi sferici decorati, proprio come quello di cui stavamo parlando, che pendevano da catene come gioielli o *chatelaine* attaccate agli abiti. Nel 1511 lo studioso Johannes Cockläus scrisse che Peter Henlein «con un po' di ferro [costruiva] orologi con numerose ruote che [potevano] essere caricati a piacere, non [avevano] pendolo, [duravano] quarantotto ore, [scoccavano] l'ora, e [potevano] essere portati sia in borsa sia in tasca».[19]

È più difficile decifrare il carattere dell'uomo che si cela dietro questi meravigliosi oggetti. Essendo uno dei pochi orologiai dell'epoca di cui conosciamo il nome, la sua figura è stata via via mitizzata. La sua fama moderna è dovuta all'opera teatrale di Walter Harlan *L'uovo di Norimberga* (1913), adattata poi in un film uscito nel 1939 nell'ambito della propaganda nazista per promuovere storie di supremazia tedesca. Il montaggio finale fu approvato da Joseph Goebbels. L'opera teatrale e il film descrivono Henlein come un marito amorevole e un artigiano dedito al lavoro, che muore a causa di un cuore debole. Ricerche successive, tuttavia, rivelano un lato più oscuro. L'analisi di questo primo meccanismo di orologio dimostra che le iniziali PH sono state microincise più e più volte sul metallo, illeggibili a occhio nudo, il che secondo un mio amico psicologo potrebbe indicare una personalità sociopatica e narcisistica. Sappiamo che Henlein era capace di violenza (l'accusa di omicidio a suo carico fu archiviata quando decise di pagare la famiglia della vittima, e non perché fosse stata dimostrata la sua innocenza) e che offrì pieno sostegno a suo fratello, Herman, decapitato per l'omicidio di una bambina mendicante di otto anni, in quello che presumibilmente fu un crimine a sfondo sessuale. Peter non mostrò alcuna compassione per la bambina uccisa e per la sua famiglia e tentò ripetutamente di ottenere la grazia per il fratello. In parole povere: Peter Henlein è uno dei pochi orologiai passati alla storia con cui non vorrei mai avere nulla a che fare.

L'orologio di Henlein, in un certo senso, è piuttosto semplice. I metalli sono grezzi – non c'è lucidatura né finitura avanzata che si avvicini anche solo minimamente all'orologeria di lusso moderna; i meccanismi sono in ferro – un materiale non ideale per un orologio perché, quando vengono colpiti, gli atomi di ferro tendono ad allinearsi al campo magnetico terrestre, trasformando il movimento in un magnete e mandando in tilt il meccanismo; inoltre l'incisione che adorna la superficie è grossolana e semplice. Eppure io, orologiaia del XXI secolo, sono affascinata dal lavoro che si cela dietro questo oggetto. L'orologio di Henlein è stato realizzato prima che fosse possibile ottenere ingrandimenti di alta qualità, prima degli strumenti di misura digitali, dei torni e dei trapani a motore. Ogni elemento di questo orologio – ogni dente di ogni ruota, ogni pignone e ogni minuscola vite – è stato realizzato e assemblato a mano. E, incredibilmente, cinque secoli dopo, orologi come questo funzionano ancora, anche se grazie alla cura e all'attenzione di restauratori come me.

Siamo arrivati al nostro primo straordinario orologio meccanico da indossare. Lo considero un culmine e un inizio: il culmine di decine di migliaia di anni di viaggio umano in direzione della privatizzazione, della meccanicizzazione e della portabilità del tempo, e l'inizio di una storia che corre molto più veloce, lunga poco più di cinque secoli, che racconta di uomini e di macchine.

«Il tempo ci è più utile della ricchezza o del destino
perché cambia quando è opportuno.
La vecchiaia è un male che nessuno può curare
e la giovinezza un bene che nessuno può conservare.
Non appena l'uomo nasce la sua morte è già certa
e chi sembra felice semplicemente lotta di più.»
Maria, regina di Scozia, 1580 circa

A un primo sguardo, i buchi scuri delle orbite, la cavità na-
sale aperta e il ghigno privo di pelle e muscoli possono sembrare macabri. Cerco però di mettere da parte queste impres-
sioni iniziali, di schiarirmi le idee e fare tabula rasa come su
una lavagnetta magica, per provare a immaginare quale significato rivestisse questo oggetto per il suo primo proprietario.
Ho davanti un orologio del XVI secolo, a forma di teschio, fa-
cente parte della collezione della Worshipful Company of
Clockmakers e che si ritiene sia appartenuto a Maria Stuart,
regina di Scozia.

L'orologio è d'argento, ha le dimensioni di un piccolo man-
darino satsuma ed è ricoperto da fini incisioni. Sulla fronte
del teschio, uno scheletro brandisce una falce e una clessidra,
con un piede davanti al portone di un palazzo e l'altro davanti
alla porta di una piccola abitazione, a ricordare che la Morte
è tormento dei prìncipi e dei poveri alla stessa stregua.[1] Sul
retro del cranio, la figura del Tempo – anch'essa con in mano
una falce – è affiancata da un serpente che si mangia la coda e
dalla classica frase di Ovidio: *Tempus edax rerum* («Il tempo
che tutto divora»). I lati del cranio sono attraversati da un'in-

tricata rete di fori. All'interno del teschio si trova una campana che viene colpita per suonare l'ora. Per leggere l'orario, basta far scattare all'indietro la mascella per rivelare un quadrante nascosto nella parte superiore della bocca. Il meccanismo dell'orologio si trova nel luogo in cui, nel cranio di un essere vivente, si troverebbe il cervello.

Questo orologio è un oggetto devozionale risalente a un'epoca in cui la vita era breve e la morte un fatto ineluttabile della realtà quotidiana. Bastava guardarlo per ricordarsi che qualsiasi momento era buono per andare al Creatore. È un pensiero che fa riflettere chiunque, soprattutto chi si sia mai avvicinato a una maggiore consapevolezza dei propri limiti mortali.

Un esempio di orologio-teschio in argento dell'inizio del XVII secolo.

Sono stata educata in un ateismo radicale. Vivevamo in un quartiere multiculturale insieme a sikh, induisti, musulmani, cattolici irlandesi ed ebrei polacchi, ma mio padre non voleva avere più nulla a che fare con la propria educazione cattolica. Papà, che prima di lasciare il lavoro per crescere me e mia sorella era addetto alla sicurezza nella vicina Handsworth, ci diceva sempre che dovevamo rispettare le religioni altrui evitando però di seguirne una. I nostri vicini di casa, originari dei Caraibi, erano buoni amici di famiglia e, pur non avendo mai parlato con noi del loro credo cristiano, conoscevano la nostra posizione. Ogni tanto mettevano con discrezione un volantino della loro chiesa nella nostra cassetta delle lettere, invitandoci a cercare la luce di Gesù. Ricordo di aver chiesto a mio padre perché lo facessero, visto che sapevano che non credevamo in Dio. Mi spiegò che ci volevano bene, si preoccupavano per noi e temevano che andassimo all'inferno. Era un gesto gentile, mi disse, e dovevamo essere grati, ma non convertirci.

Eppure, sono sempre stata affascinata dalle chiese e dalle cattedrali. È per la pace che permea le pareti dei luoghi di culto o per i colori intensi proiettati dalle vetrate? Comunque sia, è difficile non commuoversi quando si assiste all'esibizione di un coro o a un concerto d'organo in un luogo sacro. Ci perdiamo, nel tempo e nello spazio, memori della nostra insignificanza cosmica. La religione ci fa sentire piccoli e allo stesso tempo parte di qualcosa di più grande. Questo era ancora più vero nel XVI secolo. Il fatto di appartenere a un universo creato da un Dio influenzava ogni aspetto della vita delle persone, compreso l'atteggiamento nei confronti del tempo e quindi degli orologi.

Alla fine del XVIII secolo, alcuni antiquari londinesi si entusiasmarono trovando un orologio che credevano appartenesse a Robert de Brus, il re guerriero scozzese.[2] Si sarebbe trattato di un ritrovamento particolarmente importante se si considera che Robert morì nel 1329, più di 150 anni prima dell'invenzione dell'orologio.

Questa storia dimostra che spesso è difficile conoscere l'esatta provenienza di un orologio e che la ricerca è falsata dalla speranza. L'orologio a forma di teschio della regina Maria non fa eccezione. La leggenda narra che lo tenesse sempre con sé e che lo avesse consegnato solo a Mary Seton, la sua dama di compagnia preferita, poco prima della sua esecuzione.[1] Ma all'inizio degli anni Ottanta del secolo scorso Cedric Jagger, ex

---

[1] Mary Seton, una delle famose «Quattro Marie» che accompagnarono Maria, regina di Scozia, dalla Scozia alla Francia da bambina, non era con lei durante la sua ultima prigionia, quindi si presume che l'orologio sia stato lasciato ai suoi servitori insieme ad altri oggetti personali come gioielli, lettere e piccoli ritratti, con l'indicazione di distribuirli quando sarebbero stati svincolati.

custode della collezione della Clockmakers' Company, scoprì diversi orologi che erano stati attribuiti a Maria nel corso dei secoli, più una decina di copie.[3] Con ogni probabilità non sapremo mai se uno di quegli orologi a forma di teschio arrivati fino a oggi sia quello posseduto da Maria, e nemmeno se l'esemplare a lei appartenuto sia effettivamente sopravvissuto.

Ammettendo però che questo orologio sia davvero quello di Maria, cosa significò per lei? Aveva senz'altro un valore economico.[4] Per una regina, i gioielli erano un bene prezioso, una moneta che poteva essere utilizzata per finanziare guerre, comprare alleanze o mediare accordi. Forse aveva anche un valore sentimentale. Pare che l'orologio sia stato regalato a Maria dal suo primo marito, il re Francesco II di Francia. Maria e Francesco si sposarono nel 1558, quando avevano rispettivamente solo quindici e quattordici anni. Il loro matrimonio sembra essere stato eccezionalmente felice, anche se fanciullesco, dato che i due erano cresciuti insieme fin dall'infanzia. Ma Francesco, che aveva sempre sofferto di cattiva salute, morì tre anni dopo il matrimonio e a diciassette mesi dall'inizio del suo regno, a causa di un'infezione all'orecchio che gli provocò un ascesso cerebrale. Nello stesso anno Maria perse la madre, che amava molto. Affranta dal dolore, aveva pochi motivi per rimanere in Francia. Nel 1561 tornò in Scozia per reclamare il proprio trono, da devota cattolica francese, in un paese ormai protestante. Il suo orologio era forse un ricordo di tutto ciò che aveva perso.

Poteva avere però anche un significato religioso. Nel XVI e XVII secolo, i teschi comparivano con regolarità nelle nature morte e nei ritratti, spesso accompagnati da segnatempo: clessidre, pendoli e primi orologi. L'accostamento è appropriato. La morte e il tempo vanno naturalmente di pari passo: il tempo è il battito inarrestabile che conta le ore della nostra vita. Baudelaire lo descrisse come «il vigile nemico oscuro, il nemico che ci divora il cuore». Molti orologi a forma di teschio riportavano incisioni latine come *tempus fugit* (il tempo vola), *memento mori* (ricordati che devi morire), *carpe diem* (cogli l'attimo) o *incerta hora* (l'ora della morte è incerta) per ricordare ai proprietari che l'aldilà, per il quale l'esistenza mortale era solo una preparazione, li attendeva.

Per Maria, il teschio potrebbe anche aver rappresentato l'unico ambito su cui aveva il pieno controllo: la sua mente. Le donne all'epoca avevano pochissima libertà. Maria, che aveva solo sei giorni di vita quando succedette al trono di Scozia, era stata una pedina politica fin dalla nascita. A sei mesi fu promessa in sposa all'unico figlio di Enrico VIII, il principe protestante Edoardo (futuro Edoardo VI), ma il matrimonio fu osteggiato dai cattolici scozzesi. A cinque anni fu promessa a Francesco, allora Delfino di Francia, e mandata a crescere alla corte francese. Tornata in Scozia come regina dopo la morte di Francesco, regnò per soli cinque anni prima di essere costretta ad abdicare nel 1567. Anche mentre era agli arresti domiciliari fu coinvolta in molteplici complotti di cospiratori cattolici per usurpare il trono della regina Elisabetta I, finché alla fine Elisabetta firmò a malincuore la condanna a morte della cugina.

Imprigionata come fu per gli ultimi diciannove anni della sua vita, l'orologio a forma di teschio potrebbe essere stato per lei un promemoria del fatto che, nonostante tutto il tempo perso, dopo la morte sarebbe iniziata un'altra vita, migliore ed *eterna*. La salute della regina, un tempo vitale e splendente, ne risentì terribilmente nei suoi ultimi vent'anni. Fu tormentata da ripetuti malanni, tra cui un dolore lancinante al fianco destro che le impediva di dormire e un fastidio intermittente al braccio destro che le rendeva difficile persino scrivere. Le gambe le facevano così male che, al momento dell'esecuzione, era ormai del tutto zoppa. In seguito alla sua morte alcuni esperti di medicina hanno ipotizzato che soffrisse di una malattia epatica ereditaria, la porfiria (famosa perché uno dei suoi discendenti, Giorgio III, ne soffrì allo stesso modo), il che potrebbe anche spiegare le sue crisi emotive sistematiche, all'epoca attribuite a forme di isteria o di follia. Le sue lettere e le frasi formulate durante la prigionia ci chiariscono quanto fosse pronta a lasciare questa vita terrena, in cui una minaccia di esecuzione pendeva su di lei come una spada di Damocle, per rinascere in cielo.[5]

Maria fu decapitata per tradimento nel castello di Fothering-hay, nel Northamptonshire, in una fredda mattina di febbraio del 1587. Sapeva che in punto di morte sarebbe diventata un simbolo e sfruttò il momento per assicurarsi un'eredità per i secoli a venire. Mentre veniva condotta nel cortile, le sue dame di compagnia la aiutarono a spogliarsi dell'abito di raso nero, ricamato con velluto pure nero e impreziosito da bottoni di perle. Togliendosi gli indumenti, Maria rivelò una sottoveste color cremisi, un corpetto di raso rosso e un paio di maniche rosse: il colore del sangue e il colore cattolico del martirio.[6]

Spesso immagino Maria nelle sue gelide stanze la notte prima dell'esecuzione, inginocchiata davanti alla sua Bibbia alla luce delle candele e con l'orologio in mano. Il suo orologio lento (come tutti gli orologi del XVI secolo) emetteva un ticchettio simile al ritmo del battito del suo cuore. Mi piace pensare che, mentre si preparava alla morte, l'orologio le abbia dato un po' di conforto.

Com'era un orologio nel XVI secolo? La verità è che non era un granché come segnatempo. Gli orologi portatili con scappamento a verga erano imprecisi. Non avevano modo di compensare le variazioni di temperatura e non rispondevano bene agli urti o ai movimenti improvvisi. Questo li rendeva inclini a fermarsi e a perdere minuti o addirittura ore. L'orologio era più che altro una rarità, un oggetto esotico, accessibile soltanto ai più ricchi. All'epoca circolavano pochissimi orologi e per gran parte dei tre secoli che seguirono la loro comparsa furono eccezionalmente costosi. In un ritratto del re Enrico VIII eseguito da Hans Holbein il Giovane nel 1536, un curioso medaglione pende dal collo del monarca appeso a una catena d'oro e assomiglia molto a un orologio del XVI secolo.[7] Altri orologi sono elencati in un inventario dei guardaroba reali della regina Elisabetta I, tra cui un altro a forma di teschio e quello che potrebbe essere stato uno dei primi orologi da polso mai realizzati. L'elenco, redatto nel 1572, descrive un «braccialetto o fascia in oro, decorato finemente con rubini e diamanti, con un orologio sulla chiusura».[8] Purtroppo, questo manufatto dall'aspetto incredibile non è sopravvissuto. In genere lo stile dei primi orologi, che si portavano appesi a una catena, rientrava in due categorie. Un tipo era maggiormente sferico, come quello di Henlein, e si chiamava pomo d'ambra, come le sfere contenenti incenso profumato che venivano fatte oscillare in chiesa. L'altro era alloggiato in una custodia cilindrica appiattita, «il tamburo», dalla parola francese *tambour*, con coperture a cerniera sul fronte e sul retro.[9] A metà del XVI secolo, i progressi tecnici permisero agli orologiai di iniziare a esplorare forme diverse di casse, contenenti meccanismi più piccoli, e nuove tecniche per decorarle. Nacquero allora gli orologi di forma, così chiamati perché imitavano le forme di altri oggetti, come boccioli di fiori o animali. Spesso fungevano anche da oggetti devozionali, assumendo la forma di crocifissi, bibbie e, naturalmente, teschi.

Ogni volta che vedo orologi di forma nei musei o nelle case d'asta, non posso fare a meno di sorridere. Sono oggettini deliziosi, una perfetta combinazione tra artigianato, design e ingegneria. Se avessi la possibilità di creare quello che voglio e non dovessi preoccuparmi di pagare le bollette, mi dedicherei a oggetti così. Si tratta di *objets d'art* come gli orologi da polso, creati con la collaborazione di professionisti con competenze diverse. Sono spesso prodotti da smaltatori, incisori, cesellatori, orafi e lapidari (tagliatori di pietre preziose) che lavorano insieme agli orologiai e sono impreziositi da oro, argento, rubini, smeraldi e diamanti. In questi orologi, la funzione è abbastanza secondaria rispetto alla loro forma splendente, spudoratamente lussuosa. Non è difficile immaginare quanto preziosi e legati agli aspetti emotivi potessero essere per i loro proprietari e che potessero suscitare una risposta quasi spirituale a dispetto delle pietre e dei freddi metalli.

Nel 1912 alcuni operai stavano demolendo degli edifici fatiscenti all'angolo di Cheapside Street, a Londra, quando videro qualcosa scintillare sotto i loro piedi. Dopo aver rimosso con cura le assi del pavimento e il terreno, portarono alla luce 500 incredibili gioielli elisabettiani e giacobini, una scoperta che fu poi soprannominata «il tesoro di Cheapside».[10] Questa storia mi fa venire la pelle d'oca. Una delle tante proprietà magiche dell'oro è che non si ossida con l'età o in cattive condizioni di conservazione. È uno di quei materiali immediatamente identificabili: troppo luminoso, troppo ricco e caldo nei colori e troppo pesante per essere altro. Anche lo smalto vitreo delle decorazioni mantiene il colore come se fosse nuovo, così come la maggior parte delle pietre preziose. Quindi, nonostante avesse trascorso quasi tre secoli sotto terra, quel mucchio confuso di tesori brillava quasi come il giorno in cui fu sepolto.

In un primo momento gli operai decisero di non dichiarare il ritrovamento alla titolare della proprietà, che si dava il caso fosse la Worshipful Company of Goldsmiths:[II] portarono la collezione al gioielliere George Fabian Lawrence, meglio noto dai manovali di Londra come Stony Jack. Arrivarono con tasche, cappelli e fazzoletti pieni di gioielli. Gli articoli di giornale dell'epoca riportano che lasciarono «diversi grumi di terra incrostata» sul pavimento del gioielliere, e che uno di loro esclamò: «Mi sa che abbiamo beccato un negozio di giocattoli, capo!». Accorgendosi subito dell'importanza della collezione, Lawrence si adoperò per mettere al sicuro il tesoro per il London Museum.[III]

Uno degli oggetti più straordinari di questo tesoro era un orologio di forma, il cui meccanismo dorato era incastonato in

[II] La Goldsmiths' Company è una delle numerose e ricche corporazioni londinesi che ancora oggi possiedono proprietà in tutta la città.
[III] Nel 1976 il London Museum si è unito al Guildhall Museum per diventare il Museum of London, dove oggi è conservato il tesoro di Cheapside.

uno smeraldo colombiano delle dimensioni di un pomodoro ciliegino. Si tratta dell'unico orologio superstite realizzato con una cassa in smeraldo massiccio. Il prezioso minerale verde è stato tagliato in forma esagonale per assecondare l'aspetto prismatico del cristallo grezzo, in modo da esaltarne la rifrazione della luce e la brillantezza del colore. Il quadrante, visibile attraverso il coperchio traslucido in pietra, è in smalto verde smeraldo su uno sfondo dorato testurizzato, impreziosito da un anello di numeri romani. Purtroppo, l'interno dell'orologio non è sopravvissuto alla sua avventura sotterranea altrettanto bene della cassa. Secoli di ruggine hanno fuso il meccanismo all'interno della sua crosta di smeraldo, come fosse la sua tomba.

Il poco che sappiamo di questo orologio è stato decifrato grazie a radiografie stereografiche. Il meccanismo è quello tipico di un buon orologio dell'epoca, ma non è firmato, quindi non sappiamo chi fosse il costruttore né dove avesse sede. Sappiamo che lo smeraldo proveniva da Muzo, in Colombia, a testimonianza del commercio internazionale di beni di lusso dell'epoca, ma non sappiamo chi lo abbia intagliato. A Siviglia, Lisbona, Ginevra e forse anche a Londra esistevano attività collettive di intagliatori in grado di realizzare un contenitore come questo. Chiunque abbia costruito l'involucro possedeva un'abilità sorprendente. Ho fatto un breve apprendistato come classificatrice di diamanti e so che incidere una pietra preziosa come questa richiede un livello incredibile di esperienza e abilità. I lapidari devono avere una conoscenza enciclopedica delle proprietà delle diverse pietre. Ogni pietra esige di essere tagliata e rifinita in un modo diverso, dettato dalla sua struttura molecolare, e ognuna è come un'impronta digitale, con motivi di incastonature unici come fiocchi di neve. I lapidari leggono le pietre, studiando la loro struttura nei minimi dettagli, per intuire la forma del taglio finale. Lo smeraldo è particolarmente complicato. Fa parte della famiglia del berillo e la forma delle sue molecole lo fa crescere in bastoncini esagonali, come una mina HB. Non è duro come il rubino e lo zaffiro, ma si scheggia facilmente. Quanto più grande e preziosa è la gemma grezza, tanto maggiore è la pressione psicologica sul lapidario. Una mossa sbagliata potrebbe scheggiare un pezzo enorme della cassa o, peggio, spaccare in due l'oggetto, azzerandone il valore.

Possiamo essere quasi certi che questo orologio – a mio avviso uno dei più bei gioielli esistenti – non sia opera di una sola mano. Pochi orologi di forma lo erano: gli orologiai di quell'epoca si avvalevano delle competenze di una lunga catena di artigiani pensata per facilitare e velocizzare il lavoro sul meccanismo.

In parte, Craig e io lo facciamo ancora oggi. Sommando i miei e i suoi, abbiamo trascorso quasi quarant'anni a specializzarci in un mestiere, quindi siamo dolorosamente consapevoli di ciò che occorre per raggiungere una certa maestria. Non saremo mai in grado di incidere, smaltare o tagliare pietre preziose come un artigiano che ha dedicato la vita a perfezionare il proprio mestiere. Se si desidera che il risultato sia il migliore possibile, bisogna collaborare.

Lo smeraldo grezzo in natura prende la forma di cristalli esagonali.

Ogni volta che progettiamo un orologio, una delle prime cose che facciamo è mettere insieme un team di validi artigiani. Collaboriamo con alcune persone del posto: a volte sono talmente vicine che lavorano al piano sotto al nostro o a pochi isolati di distanza. Altre invece sono dislocate in tutta Europa, come gli orologiai del XVII secolo, anche se, a differenza dei nostri predecessori, alcuni dei nostri contatti li abbiamo conosciuti su Instagram. Ho realizzato un orologio con cassa in cristallo di rocca, procurandomi la pietra giusta da un commerciante di Londra con la consulenza di un lapidario di Birmingham che l'ha poi tagliata per me. Ho collaborato con uno smaltatore di quadranti di Glasgow (l'unico rimasto in attività nel Regno Unito), condividendo anni di ricerche per riuscire a ottenere una perfetta finitura liscia. Ho commissionato a un incisore di armi in Germania la decorazione dei nostri meccanismi con ornamenti, minuscole volute di foglie d'acanto e testi piccoli quanto un chicco di riso. La condivisione delle proprie idee con altri professionisti è un catalizzatore di innovazione e creatività. In un lavoro che può dimostrarsi anche molto solitario, è rinvigorente stare in mezzo ad altre persone che si dedicano al loro mestiere con la stessa passione che ci mettiamo noi.

Incisione di volute di foglie d'acanto su una piastra d'orologio, uno stile che è rimasto in voga per centinaia di anni. Questa è parte del progetto di un orologio che abbiamo realizzato di recente.

Nel XVI secolo molti tra i migliori smaltatori, incisori e orafi lavoravano nella cittadina francese di Blois.[IV] Il castello di Blois era residenza reale ufficiale e gli artigiani locali provvedevano alle esigenze di reali e nobili, che trattavano la città come una seconda casa. È qui che è stato creato il nostro orologio a teschio. Sebbene questi artigiani si siano indubbiamen-

---

[IV] Blois aveva forti legami con la famiglia de' Medici. Caterina de' Medici visse nel castello di Blois e vi morì nel 1589.

te guadagnati una reputazione internazionale grazie al loro lavoro, la loro fama è stata favorita anche dai loro spostamenti obbligati in tutta Europa in un'epoca di violente persecuzioni religiose. È davvero ironico pensare che l'orologio di Maria, potente simbolo religioso per una donna cattolica in un paese inospitale e protestante, molto probabilmente era stato realizzato da un artigiano protestante in una Francia cattolica a lui altrettanto ostile.

Molti artigiani francesi di eccezionale talento dell'epoca, dagli orafi e smaltatori come quelli di Blois agli orologiai di Parigi, erano ugonotti, definizione assegnata comunemente ai seguaci francesi di Giovanni Calvino, fondatore della Chiesa protestante calvinista. La Francia cattolica, sotto Caterina de' Medici e i suoi figli, era nemica giurata del protestantesimo. L'aristocrazia cattolica al potere nella nazione (molti erano parenti di Maria, regina di Scozia, per legami di sangue o acquisiti in seguito al matrimonio) fu responsabile di atrocità che oggi sarebbero considerate pulizia etnica e genocidio sebbene Maria stessa abbia sempre praticato e predicato la tolleranza tra le fedi cristiane.

I problemi per gli ugonotti iniziarono nel 1547, quando il suocero di Maria, il re Enrico II di Francia, decise di agire direttamente contro la minaccia protestante, condannando a morte per eresia oltre 500 seguaci calvinisti. Nel 1562, l'anno successivo all'arrivo di Maria in Scozia, suo zio Francesco, duca di Guisa, leader della fazione cattolica, inviò i propri soldati a disperdere un gruppo di ugonotti che teneva una funzione religiosa vietata nella città di Wassy. Nella sanguinosa resistenza che seguì, molti dei 1200 ugonotti della congregazione, tra cui donne e bambini, furono massacrati con spade e moschetti. Il massacro (la cui notizia non poteva certo mettere in buona luce Maria presso i suoi nuovi sudditi scozzesi protestanti) fece degenerare la persecuzione degli ugonotti in una vera e propria guerra religiosa. Nell'agosto del 1572 a Parigi un altro attacco guidato dai Guisa causò la morte di diverse migliaia di protestanti durante il massacro di San Bartolomeo. Ben 10.000 persone furono uccise in rivolte simili a Bordeaux, Lione e altre città francesi. Nei successivi vent'anni di persecuzione, migliaia di ugonotti si dispersero in tutta Europa.[11] Erano profughi, possedevano poco più dei vestiti che portavano addosso e delle conoscenze che avevano nella testa e nelle mani.

Il British Museum possiede un orologio realizzato dall'orologiaio francese David Bouguet, risalente al 1650 circa, che testimonia questo talento non autoctono. Si tratta di un classico orologio da taschino, con una piccola cassa arrotondata che misura poco più di 4,5 centimetri ed è ricoperta di smalto nero con un complesso disegno di fiori dai colori vivaci: rose rosso sangue, viole blu e gialle, tulipani variopinti e fritillarie con variegatura a scacchi bianca e rossa, collegate da spirali di viti color giallo oro e verde. Il fronte della cassa, che copre il quadrante, è ulteriormente impreziosito da novantadue diamanti incastonati in gruppi intorno ai fiori. Questi diamanti antichi, di forma leggermente irregolare, sono tagliati in uno stile noto come rosa olandese. Realizzati con un numero di facce molto inferiore rispetto ai diamanti moderni, le cui numerose sfaccettature concorrono a riflettere il più possibile la luce verso l'esterno della pietra, sono più opachi ma hanno un leggero bagliore grigio, come gocce d'acqua sul cofano di un'auto nera lucida.

All'interno dell'orologio troviamo altre meraviglie. Aprendo la cassa, il coperchio sopra il quadrante rivela una scena di campagna dipinta, con un uomo che cammina con un bastone in mano, tracciata in sottili linee nere su smalto celeste. I numeri romani del quadrante sono in nero su una ghiera bianca che circonda una miniatura a colori di due figure togate che conversano in un paradisiaco scenario lacustre, mentre uno stormo di uccelli vola sopra le loro teste. La decorazione del meccanismo vero e proprio dell'orologio è invece piuttosto sobria, anche se ben rifinita. È molto probabile che la cassa dell'orologio di Bouguet sia stata creata interamente dagli artigiani della città francese di Blois prima di essere esportata a Londra, dove Bouguet, orologiaio ugonotto appena arrivato dalla Francia, creò un meccanismo adatto.

71

La comunità dei rifugiati ugonotti era molto unita. I membri condividevano conoscenze, abilità e mestieri con i loro amici e li trasmettevano alle generazioni successive. La famiglia di David Bouguet ne è un esempio perfetto. Bouguet era arrivato in Inghilterra nel 1622 e nel 1628 fu ammesso alla London Blacksmiths' Company. Anche due dei suoi figli, David e Solomon, diventarono orologiai. Un altro dei suoi eredi, Hector, fece da apprendista a un tagliatore di diamanti ugonotto, Isaac Mebert/Maubert, che finì per sposare la figlia di Bouguet, Marie. Il fratello di Isaac, Nicholas, sposò l'altra figlia di Bouguet, Suzanne, e un'altra delle sue figlie, Marthe, sposò un gioielliere (Isaac Romieu). Non mi stupirei se i diamanti dell'orologio nero di Bouguet fossero stati tagliati nel laboratorio del genero.

I londinesi si riferivano spesso agli ugonotti come «liberti» o «stranieri» e non sempre li facevano sentire benvenuti. Nel 1622, gli orologiai inglesi erano così preoccupati per i nuovi arrivati che presentarono una petizione a Giacomo I per impedire loro di commerciare in città e per istituire una società di orologiai. La Worshipful Company of Clockmakers fu fondata nel 1631, anche se in realtà gli ugonotti non ne furono esclusi. Nel 1678 la Goldsmiths' Company, lamentando che gli ugonotti facevano concorrenza sleale ai lavoratori inglesi danneggiando il loro commercio, tentò di impedire agli artigiani stranieri protestanti di lavorare in determinati luoghi e di accedere all'apprendistato di sette anni che permetteva loro di diventare membri della compagnia. Si dà il caso che molti dei militanti antifrancesi impiegassero discendenti degli ugonotti e divenne comune per gli artigiani britannici mandare i propri figli a scuola da maestri ugonotti o assumere essi stessi un apprendista ugonotto. La vita di Bouguet deve essere stata un susseguirsi di alti e bassi: un attimo prima lavorava per ricchi mecenati che ammiravano, rispettavano e apprezzavano il suo lavoro, l'attimo dopo per strada veniva definito «cane francese» (o peggio ancora).

L'ascesa del protestantesimo riformato cambiò radicalmente la natura dell'orologio. I primi a sparire furono i simboli della ricchezza ostentata. Mentre gli orologiai cattolici glorificavano Dio con decorazioni elaborate, la visione del mondo riformata considerava le decorazioni una distrazione dalla sua vera gloria. Giovanni Calvino arrivò a vietare ai suoi seguaci persino di indossare gioielli. Questo, per ironia della sorte, spinse molti gioiellieri a dedicarsi all'orologeria, portando all'aumento dei lavori di oreficeria, smaltatura e incastonatura di pietre nelle casse degli orologi svizzeri.[V]

Nell'Inghilterra protestante, le guerre civili degli anni Quaranta del Seicento e il regno di Oliver Cromwell negli anni Cinquanta dello stesso secolo videro i puritani intenti a «purificare» la Chiesa d'Inghilterra da ogni minimo residuo di cattolicesimo romano, di cui ritenevano fosse rimasta fin troppa traccia sotto il governo di Carlo I. L'abbigliamento sgargiante fu criticato perché puzzava di «cartapecora e di diavolerie» ed era considerato un simbolo di superbia e un incitamento alla lussuria.[12] Tutto veniva giudicato, dall'arricciatura della barba ai profumi, fino alle gorgiere d'importazione, ai cosmetici, ai farsetti attillati, ai sospensori presuntuosamente grandi. Persino le parrucche incipriate che dettavano la moda sotto Carlo I furono eliminate.[13] I puritani si vestivano in modo castigato, con colori sobri, polsini e colletti di lino semplici (a volte di stoffa tessuta in casa senza decorazioni né bottoni) e portavano acconciature poco elaborate.[14]

Gli orologi però erano strumenti così preziosi che persino i

[V] Gli orologiai ginevrini che volevano realizzare pezzi più elaborati trovarono un sbocco per il loro lavoro all'estero. Il piccolo orologio d'argento a forma di leone tascabile realizzato da Jean-Baptiste Duboule intorno al 1635 era molto probabilmente destinato al mercato di Costantinopoli, nell'impero ottomano.

Un tipico orologio puritano d'argento, semplice e privo di decorazioni,
in totale contrasto con gli orologi di forma precedenti.

puritani più rigorosi non volevano rinunciarvi (sembra che lo stesso Cromwell ne possedesse uno). Furono però anch'essi semplificati in modo significativo. Gli orologi puritani erano relativamente piccoli, misuravano circa 3 centimetri di larghezza e fino a 5 di lunghezza, e spesso avevano forma ovale. Erano privi di decorazioni e abbellimenti, senza pietre preziose e senza fritillarie. Le casse erano in genere d'argento – l'oro sarebbe stato troppo appariscente[VI] – e completamente lisce, con una superficie non dissimile dalla delicata lucentezza di un ciottolo battuto dalle intemperie su una spiaggia. Anche i quadranti, nascosti all'interno del coperchio anteriore, erano semplici, a eccezione della minuteria puramente funzionale che indicava le ore del giorno con una sola lancetta.

In questa nuova forma essenziale, l'orologio proclamava una concezione del tempo molto diversa da quella dell'orologio a teschio di cui abbiamo parlato all'inizio di questo capitolo. I protestanti consideravano il tempo un dono di Dio; sprecarlo era un peccato. Credevano che per prosperare nella

---

[VI] Tuttavia, esistono esemplari eccezionalmente rari in oro.

vita ultraterrena fosse necessario utilizzare al meglio il tempo in questa.[15] I valori puritani enfatizzavano la responsabilità, l'autocontrollo, il duro lavoro e l'efficienza. All'epoca non esisteva il tempo libero, ma solo il tempo che doveva essere speso al servizio di Dio.[16] Si sosteneva addirittura che «trascorrere il tempo in attività di svago» fosse «una sorta di furto, una frode al padrone».[17]

Nel 1673 l'influente leader della Chiesa puritana Richard Baxter pubblicò un *Direttorio cristiano* per illustrare ai fedeli come gestire il tempo da buoni cristiani:

Poiché il tempo dà all'uomo l'opportunità di compiere tutte quelle opere per cui egli vive, e che il suo Creatore si aspetta da lui, e dalle quali dipende la sua vita eterna, riscattarlo o farne l'uso migliore possibile deve essere per lui di primaria importanza; questa è per san Paolo la differenza che separa il saggio dallo stolto.[18]

La gestione del tempo, a quanto pare, era una questione di devozione. «Uno dei più grandi peccati relativi alla perdita di tempo è l'ozio o l'accidia», scrive Baxter, denunciando:

Colui [che] spende il proprio tempo in desideri infruttuosi: si sdraia a letto, o siede in ozio, e vorrebbe che questo fosse un lavoro, si riempie di cibo e vorrebbe che questo fosse digiuno, segue i suoi svaghi e i suoi piaceri e vorrebbe che questo fosse preghiera e vita mortificata. Lascia che il suo cuore corra dietro alla lussuria, alla superbia o alla cupidigia, e vorrebbe che questo fosse un atteggiamento gradito al cielo.
[…] guardate di camminare con circospezione, dice l'Apostolo […] riscattando il tempo; conservando tutto il tempo possibile per gli scopi migliori; facendo incetta di ogni momento fugace dalle mani del peccato e di Satana, dalle mani dell'accidia, dell'agio, del piacere, degli affari mondani.

Ho passato gran parte della mia vita a sentirmi in colpa: per non aver lavorato abbastanza, per aver dormito troppo. Persino in vacanza faccio fatica a rilassarmi, per il senso di colpa derivante dal non aver lavorato. Dubito che i miei antenati, che vivevano nelle caverne incidendo mappe stellari, provas-

75

sero la stessa sensazione di vergogna quando si concedevano un momento di relax. Il senso di colpa relativo al tempo è radicato nel condizionamento sociale. Stare a letto la domenica mattina non cambierà di molto le cose. Rubare qualche prezioso momento in più per coccolare il proprio figlio o soffermarsi in giardino a godersi il sole sul viso non servirà forse a concludere un lavoro o a lavare tutti i piatti, ma il senso di colpa che molti di noi provano per queste attività è spesso del tutto sproporzionato rispetto al loro impatto.

Un aspetto della nostra storia culturale ci ha insegnato a sentirci in colpa quando non lavoriamo. Leggendo Baxter che ci mette in guardia sui pericoli mortali derivanti dal godersi un momento di piacere, non posso fare a meno di pensare che, proprio come alcuni riti cattolici continuano a turbarmi, così il puritanesimo del XVI secolo scorre nel mio sangue di non credente. Sebbene questa interpretazione estrema del cristianesimo sia rimasta ai margini per più di tre secoli, i suoi insegnamenti persistono nella nostra esperienza del tempo. Il puritanesimo ha segnato l'inizio della fine dell'equilibrio tra lavoro e vita privata.

Il Commonwealth puritano di Cromwell ebbe vita breve. Dopo la sua morte nel 1658 e il breve dominio del figlio Richard Davis, durato meno di un anno, sul trono inglese tornò a sedersi un re. Ne seguirono, com'era prevedibile, orologi di gusto decadentista. Carlo II era un grande ammiratore della maestria degli orologiai. Nella sua camera da letto aveva almeno sette orologi, i cui rintocchi mal sincronizzati distraevano i suoi assistenti, e un altro nell'anticamera, che registrava anche la direzione del vento. Con il progredire del regno e il fiorire dell'orologeria, volle spesso essere primo testimone delle ultime invenzioni.[19]

In Francia, l'editto di Nantes del 1598, firmato con l'ascesa di Enrico IV, concesse agli ugonotti alcuni anni di relativa pace. Negli anni Ottanta del Seicento, tuttavia, nonostante Luigi XIV si fosse impegnato a sostenere l'editto, in Francia era in corso una nuova campagna di epurazione del protestantesimo. Attraverso conversioni forzate, propaganda, separazione dei bambini ugonotti dalle loro famiglie e demolizione dei templi protestanti, la vita degli ugonotti tornò a essere sempre più difficile. Infine, nel 1685, l'editto «perpetuo e irrevocabile» crollò. Ne seguì un altro esodo ugonotto. Negli anni successivi alla revoca, tra i 200.000 e i 250.000 ugonotti fuggirono, mentre ben 700.000 rinunciarono alla propria fede e si convertirono al cattolicesimo.[20] Anche se la maggior parte dei rifugiati si diresse verso la Repubblica olandese, la seconda destinazione scelta fu la Gran Bretagna, dove secondo le stime furono accolti tra i 50.000 e i 60.000 rifugiati.[21] Anche la Svizzera ospitò un gran numero di coloni ugonotti. Questi immigrati svolsero un ruolo centrale nello sviluppo dell'industria orologiera sia nel Regno Unito sia in Svizzera, e il loro impatto si può notare ancora oggi.[22] Governata da un sovrano amante degli orologi e ora arricchita da un afflusso di nuovi talenti, Londra si avviava verso un'epoca d'oro dell'orologeria.

4. L'ETÀ DELL'ORO

«Dal taschino destro pendeva una pesante catena d'argento con appesa una macchina straordinaria. [...] L'ha definito il suo oracolo, dicendo che gli indicava il momento idoneo ad
ogni azione.»
Jonathan Swift, *I viaggi di Gulliver*, 1726
(tr. di Attilio Brilli, Garzanti,
Milano 2023[22], pp. 21-22)

Quando si è apprendisti orologiai, la prima cosa da fare è
crearsi i propri strumenti. È logico che, prima di potersi avvi-
cinare alla meccanica incredibilmente fragile del movimento
di un orologio, si cominci con qualcosa di più robusto che servirà a lungo termine. Il mio primo progetto, durante il corso
di studi triennale del British Horological Institute, è stato la
realizzazione di un «incisore/segnatoio». Si trattava di un'asti-
cella di acciaio a forma di matita con due funzioni diverse. Ho
dovuto rifinire un'estremità come un cacciavite a testa piatta,
ma affilato come un rasoio (il segnatoio), e dall'altra ho dovuto
far convergere tre lati in una punta (l'incisore). Con questo
strumento è possibile creare in una superficie metallica una
piccola rientranza che faccia da guida per la punta del trapano. Gli orologiai devono praticare molti fori.

Abbiamo poi utilizzato il nostro primo strumento per realizzare quello successivo: un morsetto fermacasse. Proprio come le morse più grandi, si usa per tenere fermo il meccanismo
dell'orologio mentre lo si lavora. Abbiamo dovuto limare a
mano il supporto seguendo con precisione un disegno tecnico

e il pezzo finito doveva rispettare le dimensioni fornite con uno scarto massimo di 3 decimi di millimetro. Questo minuscolo margine d'errore si definisce tolleranza. All'epoca ci sembrava incredibilmente severo, ma si trattava solo del primo passo nel microscopico mondo dell'orologeria. Oggi ci capita di lavorare con una tolleranza espressa in micron, millesimi di millimetro.

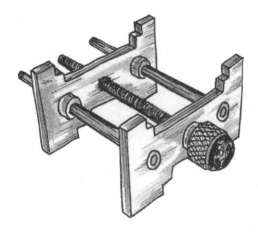

Un morsetto fermacasse in ottone progettato per mantenere fermo il meccanismo di un orologio mentre si lavora.

La nostra formazione è proseguita in questo modo e solo verso la fine del primo anno abbiamo messo per la prima volta le mani sul meccanismo di un orologio da taschino (su cui ho lavorato grazie al mio nuovo morsetto fermacasse). Giunti a quel punto, molti dei miei compagni di corso avevano già abbandonato, stufi di lavorare solo con lime e pezzi di metallo per buona parte dell'anno. Per me, realizzare il morsetto fermacasse aveva rappresentato una forma estremamente controllata di arte orafa, quindi mi era piaciuto molto. Ma anche in quel caso non avevo potuto fare a meno di aggiungere un tocco decorativo a quello strumento di base. L'avevo abbellito con una finitura spazzolata che avevo imparato da gioielliera (anziché satinata, che è il metodo standard dell'orologeria). L'avevo dorato e avevo commissionato al nostro lapidario locale il taglio di un lapislazzulo che avevo poi incastonato sul comando a corona che si fa ruotare per aprire e chiudere i morsetti. Era il mio secondo progetto e già facevo cose che non mi era stato detto di fare.

Al secondo anno iniziammo a costruire parti di orologi, all'inizio di dimensioni ingrandite, usando come riferimento i progetti del programma di studi, allo scopo di affinare le nostre capacità per poi lavorare al banco su componenti di orologi reali, sempre più piccoli e complicati. All'inizio costruimmo alcuni orologi da taschino, prima di passare pian piano ai meccanismi più piccoli degli orologi da uomo e infine a quelli ancora più piccoli degli orologi da donna. Imparammo a occuparci delle complicazioni più elementari, come la carica automatica, la data e il calendario, prima di passare gradualmente al mondo dei cronografi. Il programma prevedeva anche che dimostrassimo la nostra competenza con lo scappamento a verga, il cilindro e gli scappamenti ad àncora inglesi e svizzeri. Sebbene quasi tutti, tranne gli ultimi, siano superflui nell'orologeria moderna, per un restauratore non passeranno mai di moda. Dopo il corso base, ai diplomati si dava la possibilità di ottenere un posto in laboratorio; da lì ci sarebbero voluti diversi anni di duro lavoro e un po' di fortuna per diventare mastri orologiai. Ci si formava alla manualità, all'attenzione per i dettagli e, soprattutto, alla pazienza.[1]

Nel XVIII secolo non era più semplice. L'apprendistato in orologeria, requisito legale per esercitare la professione di orologiaio a Londra, durava sette anni con un'intensità quasi monastica (gli apprendisti non potevano nemmeno sposarsi durante la formazione). A questi sette anni ne seguivano due o tre di transizione per affinare le capacità, fino a quando la rea-

---

[1] Allora non sapevo che sarei stata una delle ultime a beneficiare di questo tipo di formazione. Qualche anno dopo il corso fu cancellato a favore di un corso di laurea triennale in Orologeria di stampo più teorico.

lizzazione di un «capolavoro», un orologio completo a partire da zero, non avrebbe permesso loro di ottenere il titolo di orologiaio.

Assai abili e dotati di inventiva, i migliori orologiai erano molto richiesti e avevano iniziato a godere di un certo status e di una notevole fama. Era l'epoca d'oro dell'orologeria inglese, momento in cui gli orologiai più capaci d'Europa si scambiavano idee e rivaleggiavano nel far progredire la precisione e la complessità degli orologi. Molti dei famosi orologiai dell'epoca si conoscevano tra loro grazie alla Worshipful Company of Clockmakers, la già citata corporazione fondata nel 1631. Nei documenti d'archivio dell'epoca, ho trovato i nomi dei grandi elencati tutti insieme come firmatari delle stesse lettere della compagnia, una sorta di appello dei nomi celebri dell'orologeria: Thomas Tompion, considerato il «padre dell'orologeria inglese», che collaborò con Robert Hooke alla creazione di alcuni dei primissimi orologi con bilanciere; George Graham, allievo e successore di Tompion (sposò la nipote di quest'ultimo, Elizabeth Tompion), che, quando non era impegnato a costruire strumenti scientifici per Edmond Halley, trovò il tempo di inventare il planetario meccanico e di apportare notevoli miglioramenti al design del pendolo; Daniel Quare, maestro dell'orologio a ripetizione; e Thomas Mudge, già apprendista di George Graham, orologiaio reale di Giorgio III, il cui scappamento ad àncora si dimostrò una piccola rivoluzione. Sono le celebrità del mondo dell'orologeria: un laboratorio che li impiegasse tutti sarebbe l'equivalente di una squadra di fantacalcio della Premier League. In un secolo che ha visto l'invenzione del pianoforte, del motore a vapore, della mongolfiera, della trottola e del piroscafo, l'orologio ha tenuto il passo, dimostrandosi fondamentale per risolvere alcuni dei quesiti scientifici più urgenti dell'epoca.

All'inizio del XVIII secolo i segnatempo erano fisicamente, anche se non sempre economicamente, accessibili e familiari a tutti. La stragrande maggioranza delle parrocchie inglesi contava ormai almeno un orologio sul campanile della chiesa e gli orologi avevano cominciato a comparire in locande, scuole, uffici postali e ospizi. Entro la fine del secolo, erano appesi in ogni locale e in ogni taverna delle isole britanniche. Camminando per le strade di città come Londra o Bristol, non capitava mai di non vedere o non sentire un orologio. Si trovavano sempre più spesso nelle case: anche la servitù, che non poteva ancora permettersi di possederne uno, era abituata a vederli. Per coloro che avevano un orologio in casa, il luogo prediletto era la cucina, una delle poche stanze che ogni abitazione possedeva, indipendentemente dalla ricchezza e dallo status della famiglia.

Il tempo non solo entrò nella coscienza pubblica, divenne anche oggetto di intenso dibattito filosofico. Mentre Isaac Newton credeva che fosse «assoluto, vero e matematico», altri, come David Hume e John Locke, sostenevano fosse relativo, che dipendesse essenzialmente dalla percezione che le persone avevano (queste idee sono state notoriamente approfondite nel XX secolo dalla teoria della relatività di Einstein). Nello stesso periodo, lo scrittore Laurence Sterne giocò allegramente con il tempo nel suo capolavoro *Vita e opinioni di Tristram Shandy, gentiluomo*, creando una narrazione in cui il tempo si contrae, si espande e va sia all'indietro sia in avanti.

Gli orologi, a partire dalla seconda metà del XVII secolo, avevano occupato un ruolo sempre più importante (anche se non particolarmente utile) nella vita dei ricchi. Samuel Pepys, ritirando il suo nuovo orologio da Briggs lo scrivano («un bellissimo orologio») nel maggio del 1665, ne rimase affascinato, distratto e rapito non meno di quanto lo saremmo noi oggi con un nuovo Smartphone. «A casa e in ritardo per il lavoro», scrisse, come faceva spesso prima di iniziare un discorso.

Oh, Signore, per farti capire quanto della mia vecchia follia e del mio essere infantile mi sono rimasti addosso, non ho potuto fare a meno di tenere l'orologio in mano in carrozza per tutto il pomeriggio, e di controllare cento volte che ore fossero; e mi è capitato di pensare tra me e me, come ho potuto stare così a lungo senza orologio?; anche se poi mi ricordo di averne avuto uno prima di questo, e avendolo considerato una seccatura, avevo deciso di non portarne più con me finché fossi vissuto.[1]

Due mesi dopo il suo orologio era già in riparazione. C'era ancora molto da lavorare sulla precisione.

Fortunatamente per Pepys, alla fine del Seicento si verificarono due notevoli balzi in avanti che diedero impulso a un secolo ossessionato dal tempo. Nel 1657 il matematico olandese Christiaan Huygens inventò l'orologio a pendolo, applicando con successo la teoria di Galileo del 1637 sull'isocronismo, la quale prevede che un pendolo impieghi sempre lo stesso tempo per oscillare, indipendentemente dall'entità dell'oscillazione. Questa costanza era responsabile della tenuta e del rilascio altrettanto costanti dello scappamento e apriva la strada all'orologio più preciso mai inventato fino ad allora. Questo meccanismo si prestava al design a cassa lunga degli orologi a pendolo, che divennero sempre più popolari nei decenni successivi. In seguito, nel 1675, lo scienziato Robert Hooke inventò la molla metallica, nota anche come spirale, rivoluzionaria per l'orologio da polso come lo era stato il pendolo per quello da torre. Si trattava di una spirale di filo d'acciaio piatto, molto sottile,[II] progettata secondo il principio della legge di Hooke sull'elasticità: *ut tensio, sic vis*, ovvero «come l'estensione, così la forza». La forza esercitata su una molla provoca un uguale ritorno di forza dalla stessa molla. Se stringo una molla a spirale, forzando la sua posizione di riposo, e poi la lascio andare, la molla si srotolerà di colpo e la forza del movimento le farà superare la sua posizione iniziale; a quel punto si riavvolgerà

[II] Le molle metalliche hanno sostituito le setole di maiale utilizzate in precedenza.

parzialmente per tornare alla spirale originaria. Questa azione fa sì che la molla si muova in una sorta di «respiro», espandendosi e riavvolgendosi a ritmo con l'oscillazione del bilanciere, innescando un movimento costante dei denti della ruota di scappamento. Le conseguenze di tale invenzione sulla precisione degli orologi furono straordinarie: finalmente valeva la pena aggiungere la lancetta dei minuti – una pietra miliare nella storia dell'orologeria meccanica. Le molle metalliche furono subito accolte con favore da un pubblico sempre più appassionato di orologi; non era raro che venissero montate in un secondo momento su orologi più vecchi, poco o per nulla regolati. Pepys si trovò presto a cronometrare al minuto le proprie passeggiate tra Woolwich e Greenwich.

In questo periodo, Londra era il cuore pulsante del mondo dell'orologeria. Nel 1665, la grande peste aveva devastato la popolazione della città (in diciotto mesi uccise quasi 100.000 persone, circa un quarto degli abitanti), ma i nostri artigiani ugonotti, in fuga dalla revoca dell'editto di Nantes nel 1685, avevano contribuito al ripopolamento. Già nel XVIII secolo, i laboratori di orologeria in Inghilterra erano diventati piccoli collettivi di artigiani e apprendisti, guidati da un maestro, aiutati dal lavoro di altri laboratori artigianali locali di orafi, incisori, catenacciari e fabbricanti di molle. Quando mi ritrovo a smontare un orologio di quell'epoca, riesco a contare fino a quattro o cinque, o anche più, marchi di fabbrica e firme nascosti nel meccanismo, all'interno e all'esterno; così ricostruisco la geografia di queste piccole roccaforti creative operanti nei centri dell'orologeria come Clerkenwell a Londra, vedo gli orologi e le loro parti muoversi da un laboratorio all'altro nel raggio di poche strade di distanza.[2] Studiando le vecchie mappe in cerca degli indirizzi dei costruttori, non posso fare a meno di notare una taverna o una locanda nel bel mezzo di questo traffico, così mi piace immaginare gli artigiani riuniti davanti a boccali di birra in una taverna fumosa per discutere di affari e condividere idee. Ci sono ancora tracce di questo processo nel Jewellery Quarter, a Birmingham, dove lavoro. Anche se chi vive qui non corre più per la strada fino all'ufficio di controllo con carriole cariche di gioielli d'oro da marchiare, noi artigiani teniamo ancora in debita considerazione le nostre rispettive attività. Conosciamo i progetti su cui stanno lavorando i colleghi e a volte ci incontriamo per una birra.

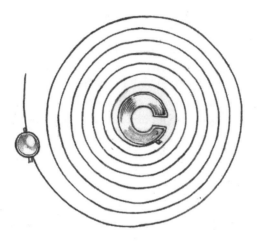

Le prime molle erano a forma di spirale piatta.
L'anello al centro serve a fissarla al bilanciere.

Gli strumenti, i singoli componenti e in seguito anche interi meccanismi (anche se non ancora incassati e pronti per la vendita al dettaglio) venivano spesso prodotti in alcuni laboratori del Lancashire, in particolare a Prescot, 12 chilometri a est di Liverpool, dove ampie forniture di carbone, una tradizione di lunga data nella lavorazione dei metalli e un buon collegamento con Londra avevano favorito l'industria artigianale dei fornitori, ma i rami più avanzati del commercio erano concentrati a Londra.

Al di fuori della capitale, di rado orologiai e attrezzisti facevano apprendistato, ma in città un sistema ben controllato creava preziose opportunità per gli apprendisti orologiai abbastanza fortunati da trovare un posto. I maestri e i loro apprendisti si spostavano di città in città, ampliando la loro rete di potenziali clienti. I prezzi degli orologi si basavano tanto sul loro status sociale quanto sulla qualità del loro lavoro, per cui chi proveniva da ambienti più ricchi era destinato ad avere maggior successo fin dall'inizio.[3] Si trattava di una sorta di versione orologiera della scuola pubblica: non contava soltanto l'educazione, ma anche chi si incontrava.

Nella primavera del 1730 Thomas Mudge, figlio di un preside del Devon, ancora quindicenne ebbe l'opportunità di fare apprendistato presso il noto orologiaio George Graham. Una volta ricevuto il via libera dalla Clockmakers' Company nel 1738, trascorse la prima parte della sua carriera nell'ombra, realizzando orologi eccezionalmente complicati su commissione, ossia per conto di altri orologiai, firmando le proprie opere con i loro nomi, pratica normale per l'epoca. Avrebbe potuto continuare così all'infinito se non fosse stato per un orologio che aveva realizzato per un celebre costruttore dell'epoca, John Ellicott. L'orologio, in grado di visualizzare l'equazione del tempo (la differenza tra il giorno solare vero e proprio, che cambia a seconda della posizione del sole, e il tempo solare medio simultaneo) e una serie di indicazioni aggiuntive sul calendario, fu venduto al re Ferdinando di Spagna. La leggenda narra che qualcuno alla corte reale fece cadere l'orologio sul pavimento, danneggiandolo a tal punto da doverlo rispedire a Ellicott, il quale però non riuscì a ripararlo. Egli fu costretto quindi a rimandarlo al suo vero creatore, Mudge, che effettuò le riparazioni necessarie. Quando re Ferdinando lo scoprì, insistette per commissionare direttamente a Mudge i lavori successivi. Il patrocinio del re tolse Mudge dall'anonimato, incoraggiandolo nel 1748 a fare il salto di qualità e a fondare il proprio laboratorio, il «Dial and One Crown» (il quadrante e una corona) in Fleet Street.

Mudge si rese celebre per l'innovazione meccanica dei suoi orologi. Re Ferdinando di Spagna gliene commissionò uno con Grande Sonnerie incastrato in cima al pomello di un bastone da passeggio. Le Grande Sonnerie sono considerate una delle complicazioni più raffinate, in quanto il loro meccanismo scandisce sia l'ora sia i quarti d'ora, ma può anche segnare il tempo su richiesta, se il proprietario vuole sentirlo tra un intervallo e l'altro. Mudge è noto anche perché è stato il primo orologiaio a integrare in un orologio un calendario perpetuo, così definito perché in grado di compensare le variazioni della durata dei mesi e degli anni e di indicare «perennemente» il giorno e la data corretti. Thomas Tompion e George Graham avevano applicato il calendario perpetuo a un orologio già nel 1695, ma il processo di riduzione del meccanismo a qualcosa di sufficientemente piccolo da poter essere inserito in un orologio portatile è attribuito a Mudge.[III] Proprio come un forte mecenatismo aveva sostenuto lo sviluppo dei primi orologi meccanici ai tempi di Su Song, così i progressi tecnici di questi orologi sempre più complessi furono finanziati dai desideri di persone benestanti. Potremmo considerarlo l'equivalente di un investimento in una start-up tecnologica che aiuta un'azienda a innovare; l'innovazione, a sua volta, fa aumentare il valore delle azioni. Solo che al posto delle azioni si riceveva un bellissimo orologio da indossare mentre (idealmente) aumentava di valore insieme alla fama del proprio creatore.

[III] I calendari perpetui sono forse una delle indicazioni più discrete e allo stesso tempo complesse che siano state mai inventate. Considerano un elemento che potremmo dare per scontato in un orologio moderno, il datario, e lo trasformano nella possibilità di visualizzare la data con precisione (quasi) per sempre. Per farlo, utilizzano una serie di ingranaggi in grado di contare non solo i giorni e i mesi, ma anche gli anni, compresi quelli bisestili. Memorizzano il numero di giorni di ogni mese nelle loro ruote dentate, la più lenta delle quali gira una volta ogni quattro anni. Osservando oggi uno dei calendari perpetui tascabili di Mudge, risalente al 1762 circa, è evidente la cura con cui fece in modo che il quadrante risultasse funzionale e di facile lettura. La data è evidenziata da un indicatore d'oro posto sopra le ore dodici, su un disco rotante che riporta i giorni sul bordo esterno. Al centro del quadrante, sono indicate le fasi lunari, sopra due mezzelune sui dischi che riportano il giorno e il mese. Febbraio ha il proprio contatore all'interno di un quadrante che indica se si tratta o meno di un anno bisestile. Eppure, nonostante l'alto numero di dettagli dell'orologio, la lettura risulta semplicissima.

La corrispondenza di Mudge con un altro dei suoi committenti, il conte von Brühl, uno statista polacco-sassone che si ritiene possedesse la più grande collezione di orologi d'Europa, ci dà un'idea dei reciproci vantaggi del rapporto mecenate-artigiano. I due rimanevano in contatto regolare durante tutto il processo di produzione. Nelle sue lettere a von Brühl, Mudge si addentra in un sorprendente livello di dettaglio, discutendo di principi ingegneristici e di materiali, coefficienti di temperatura e altre difficoltà tecniche. Per molti mecenati dell'orologeria, commissionare un orologio era qualcosa di più del semplice acquisto di un bell'oggetto; si trattava di un rapporto dinamico in cui il cliente investiva nel processo quanto nel prodotto finito. Spesso il mecenate mostrava il desiderio genuino di comprendere appieno il funzionamento dell'orologio e di sentirsi parte della creazione.

Nel nostro mestiere, il coinvolgimento di collezionisti e clienti è ancora un aspetto fondamentale del processo di creazione. Lavorare su misura non solo ci dà l'opportunità di soddisfare richieste specifiche, ma anche di apportare eventuali modifiche durante la realizzazione dell'orologio. Per esempio, ci è capitato di regolare e rivedere le dimensioni delle corone di carica per adattarle all'ergonomia dei polsi dei nostri clienti, le abbiamo sistemate quando il cliente soffriva di artrite e aveva difficoltà a caricare l'orologio, le abbiamo regolate a seconda che indossassero l'orologio a destra o a sinistra. Abbiamo modificato i colori e le proporzioni per migliorare la leggibilità, abbiamo modellato di volta in volta le casse in seguito ai feedback sulla comodità di altri orologi. Il coinvolgimento del cliente nelle tante minidecisioni concesse al processo creativo è immensamente utile, e fa sì che il committente diventi parte essenziale della procedura che porta al prodotto finito proprio come lo sono state le nostre mani.

Il mecenate o il collezionista che commissiona un orologio fornisce anche nuovi punti di vista a noi creatori. Una delle sfide dell'essere orologiaio è che di rado guadagniamo abbastanza da poterci permettere gli oggetti che realizziamo. Il risultato è che tendiamo a non possedere collezioni significative, di certo non al livello dei nostri clienti. È per questo che trovo tanto prezioso il contributo dei committenti: sono loro a cercare i pezzi nel mondo reale, sanno cosa vogliono e perché, com'è possedere certi pezzi e utilizzarli nel quotidiano. All'epoca di Mudge, un mecenate poteva anche mostrarsi desideroso di associare il proprio nome agli ultimi sviluppi scientifici. Il sodalizio di Mudge con von Brühl portò all'acquisto di un orologio da parte di re Giorgio III che nel 1770 ne commissionò uno per la moglie, la regina Carlotta, caratterizzato dal primo esempio noto della più rivoluzionaria invenzione di Mudge, lo scappamento ad àncora libero. Il re, come von Brühl, era molto interessato agli orologi e alle pendole che commissionava ed era egli stesso un orologiaio dilettante. Nella Royal Collection sono conservati manoscritti di suo pugno in cui descrive il processo di assemblaggio e smontaggio degli orologi. Anche la regina Carlotta era un'appassionata collezionista di orologi, affascinata dai gioielli. L'amica Caroline Lybbe Powys riportò di aver visto nel 1767 «venticinque orologi, tutti molto ricchi di gioielli» in una cassetta accanto al letto della regina a Buckingham Palace. Non posso fare a meno di notare che la regina Carlotta teneva la propria collezione vicina, in un luogo molto privato, ci si addormentava accanto ogni notte e vi si svegliava ogni mattina: certamente amava i suoi orologi.

L'«Orologio della regina», come Mudge ribattezzò il suo lavoro per la regina Carlotta, avrebbe di certo fatto guadagnare punti a re Giorgio. Mudge lo descrisse in seguito come «l'orologio portatile più perfetto che sia mai stato realizzato». Dal punto di vista di un orologiaio, il vero protagonista è lo scappamento ad àncora libero di Mudge.[IV]

Uno dei grandi nemici dell'accuratezza è l'attrito, perché altera la precisione dello scappamento. Nello scappamento a

---

[IV] Mudge aveva già creato lo scappamento ad àncora nel 1754, ma l'Orologio della regina fu il primo esemplare a contenerlo.

verga, il bilanciere oscillante entrava in contatto quasi costante con le ruote dentate, creando un attrito variabile. La grande innovazione di Mudge fu quella di uno scappamento libero dal bilanciere. La leva veniva spinta avanti e indietro da un perno fissato alla parte inferiore del bilanciere. In sostanza la ruota e il perno al di sotto oscillavano avanti e indietro spingendo un'estremità della leva facendole fare lo stesso movimento. All'altra estremità della leva, due palette mantenevano e rilasciavano un dente della ruota di scappamento a ogni *tic*. In questo modo, il bilanciere era esposto all'attrito solo per un brevissimo istante, quando la leva veniva attivata.

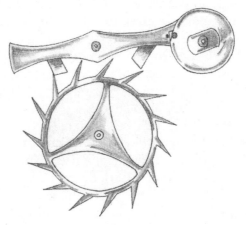

Lo scappamento ad àncora inglese, adattamento commerciale della leva libera di Thomas Mudge. Il progetto fu perfezionato nel XIX secolo per creare lo scappamento ad àncora svizzero (da notarsi la rivalità nazionale), ancora oggi utilizzato in quasi tutti gli orologi meccanici.

Lo stesso Mudge si dimostrò modesto riguardo al potenziale di questa invenzione, se non altro per la sua estrema complessità tecnica. In una lettera a von Brühl, a proposito dello scappamento ad àncora dichiarò:

richiede una delicatezza nell'esecuzione che pochi artisti sono in grado di raggiungere, e ancora meno sono quelli che si prendono la briga di farlo; il che diminuisce di molto i suoi meriti. Per quanto riguarda la paternità dell'invenzione, devo confessare di non esserne affatto preoccupato; chiunque voglia rubarsene il merito me ne farà onore.

Non mi sorprende che Mudge ne avesse abbastanza della sua invenzione. La realizzazione di scappamenti ad àncora richiede un alto livello di precisione ed è molto difficile persino ai nostri giorni, con le moderne attrezzature ingegneristiche di cui disponiamo. Eppure a Mudge facciamo tuttora onore, «rubando» la sua invenzione. Ancora oggi, praticamente tutti gli orologi meccanici prodotti nel mondo utilizzano la sua creazione.

Questa innovazione tecnica di alto livello fece sì che gli orologiai iniziassero a svolgere un ruolo cruciale nello sviluppo di altri settori industriali. L'orologiaio Samuel Watson aiutò il medico Sir John Floyer (1649-1734) a progettare, produrre e vendere i primi orologi da polso per assistere i medici nel contare le pulsazioni dei pazienti. Thomas Mudge creò per John Smeaton (1724-1792) un orologio con compensazione della temperatura, per uniformare l'espansione e la contrazione dei metalli nel passaggio da una temperatura calda a una fredda. Smeaton, il primo «ingegnere civile» autoproclamato del mondo, è noto per aver sviluppato nuovi tipi di calcestruzzo, che utilizzò per aiutare la Gran Bretagna a costruire fari migliori. Per il lavoro di rilevamento, utilizzava un orologio di Mudge. (Un dispositivo capace di compensare le variazioni di temperatura era del resto già presente nell'orologio che Mudge aveva realizzato per la regina Carlotta.) Nel 1777, l'orologiaio John Wyke realizzò le ruote, i pignoni e l'intelaiatura per un primo pedometro, progettato da Matthew Boulton, una sorta di Fitbit *ante litteram*, in grado di contare i passi di chi lo indossava.[4] Gli orologiai e i costruttori di orologi furono reclutati per il rinnovo e la manutenzione dei macchinari delle fabbriche. Secondo un resoconto del 1798 pervenuto da una manifattura di Carlisle, «le manifatture di cotone e di lana sono del tutto debitrici dello stato di perfezione in cui i macchinari utilizzati sono ora mantenuti dagli orologiai e dai costruttori di orologi, che in gran numero, da diversi anni a questa parte [...] sono stati impiegati nell'invenzione e nella costruzione, oltre che nella supervisione, di tali macchinari».[5] La sfida più complessa per il settore nel XVIII secolo, un'epoca in cui la Marina britannica si espandeva in modo esponenziale, era però rappresentata dalla «ricerca della longitudine», coordinata essenziale per la navigazione che fino a quel momento era stata affidata alle stelle, alle stime, alle clessidre e alle congetture.

Il segnale d'avvio di questa ricerca si palesò all'inizio del secolo, dopo uno dei peggiori disastri marittimi della storia della Marina britannica. In una notte di nebbia del 1707, quattro navi da guerra della Royal Navy al comando di Sir Cloudesley Shovell naufragarono sugli scogli al largo delle isole Scilly. Le navi da guerra, di ritorno da Gibilterra dopo aver assediato il porto di Tolone in Francia, affondarono e la maggior parte dell'equipaggio morì annegata: per giorni i corpi giunsero a riva sulle spiagge della vicina costa. Si contarono circa 2000 uomini dispersi. La causa della tragedia fu una combinazione fatale tra scarsa visibilità e un errore di rotta provocato da un'errata tracciatura della longitudine, il che significa che le navi erano del tutto ignare del pericolo in avvicinamento.

Avevano faticato a trovare la posizione «di navigazione» esatta. Sulla terraferma, il processo per stabilirla è relativamente semplice, dal momento che si hanno dei punti di riferimento. In mare i marinai erano più, be', in balia del mare. La latitudine, ovvero quanto ci si trovi a nord o a sud rispetto all'equatore, poteva essere determinata in base alla posizione del sole nel cielo. Ma per calcolare la posizione est-ovest, nota come longitudine (la distanza percorsa tra linee immaginarie che corrono da un polo all'altro), un marinaio doveva essere in grado di calcolare la velocità e la rotta da una data posizione in un dato momento (di solito il porto di origine e l'ora di partenza). Il vento, le correnti e le maree influivano sui calcoli, mentre il moto e la temperatura potevano influenzare la precisione dei segnatempo, con risultati potenzialmente fatali.

Le origini della determinazione della longitudine risalgono a migliaia di anni fa. Alcune delle stelle che ancora oggi utilizziamo come indicatori durante la navigazione sono citate nell'*Odissea* di Omero, in cui la dea Calipso spiega all'eroe Odisseo come guidare la propria nave su una rotta stabile in direzione di Scheria tenendosi le stelle dell'Orsa Maggiore sulla sinistra.[6] Tuttavia il merito di aver capito come calcolare la longitudine in mare va molto probabilmente ai polinesiani, che per migliaia di anni sono stati maestri nella navigazione oceanica. Tupaia, marinaio polinesiano tahitiano reclutato dal capitano Cook nel 1769 durante la sua spedizione a bordo della HMS *Endeavour* per la mappatura della Terra Australis Incognita, stupì l'equipaggio con una capacità quasi istintiva di sapere con precisione dove si trovassero, utilizzando le stelle e le stime per nodi. Fu anche in grado di disegnare a memoria una mappa, oggi ormai celebre, di vasti tratti del Pacifico – grande quasi quanto il continente europeo – includendo i nomi di 74 isole e fornendo resoconti dettagliati del complesso sistema di venti dell'oceano Pacifico.[7] Ciò che più mi colpisce è che i mezzi con cui i navigatori polinesiani come Tupaia si orientavano in mezzo al mare erano naturali, proprio come quelli che all'inizio usavamo per e misurare il tempo. Nel XVIII secolo, tuttavia, gli europei erano ormai talmente distanti dal mondo naturale che li circondava da aver bisogno di uno strumento.

La tragedia navale delle Scilly si rivelò un catalizzatore. Nel 1714 il Longitude Act prevedeva un premio di 20.000 sterline, circa 1,5 milioni di sterline in valuta moderna, a chi fosse riuscito a risolvere il problema della longitudine. La sfida era rivolta alle più grandi menti britanniche nei campi della scienza, dell'ingegneria e della matematica. La commissione chiese consiglio a Isaac Newton, ormai settantaduenne, e al suo amico Edmond Halley, le cui imprese nella mappatura delle stelle lo rendevano la scelta più ovvia. Quando Newton presentò alla commissione le proprie osservazioni, elencò i metodi esistenti, anche se «di difficile esecuzione». Uno di questi consisteva nel «tenere il tempo con un orologio. Ma, a causa del moto della nave, della variazione tra caldo e freddo, umido e asciutto, e della differenza di gravità alle diverse latitudini, un orologio adatto non è ancora stato inventato». Né, a suo avviso, era probabile che fosse mai inventato.[8]

Newton e i suoi contemporanei erano certi che la soluzione risiedesse nell'astronomia: forse nello studio delle eclissi dei satelliti di Giove, o nella previsione della scomparsa delle stelle dietro la luna, o nell'osservazione delle eclissi lunari e solari. Esisteva anche la possibilità di un metodo basato sulla distanza lunare, in cui la longitudine poteva essere calcolata misurando la distanza tra la luna e il sole durante il giorno o tra la luna e le stelle di notte. Il parere di Newton fu utilizzato per dettare i termini della gara, che assegnava un primo, un secondo e un terzo posto ad aspiranti candidati di qualsiasi disciplina scientifica o artistica per invenzioni giudicate esclusivamente in base al loro grado di accuratezza, dopo esser state testate «durante la navigazione dalla Gran Bretagna a qualsiasi porto delle Indie Occidentali scelto dai commissari» (in altre parole, la tratta Caraibi-Regno Unito nel triangolo atlantico della tratta degli schiavi). Chiamando in causa le più note menti dell'epoca, nessuno si aspettava che la risposta venisse da un orologiaio non professionista dello Yorkshire, né che arrivasse sotto forma di orologio.

A prima vista, l'H4 sembra un tipico orologio da taschino dell'epoca, anche se, avendo un diametro complessivo di 16,5 centimetri, sarebbe difficile trovare una tasca abbastanza grande dove conservarlo. Anche dal punto di vista estetico è simile, con una cassa semplice in argento lucido e un quadrante smaltato di bianco e contrassegnato da numeri neri delimitati da volute decorative di foglie d'acanto tracciate in nero. Ma non si trattava di un orologio comune. Con un peso di quasi 1,5 chilogrammi, contiene un meccanismo straordinario.

Completato nel 1759, l'H4 è il quarto dei cinque cronometri marini sperimentali di John Harrison, realizzati per soddisfare le esigenze del Board of Longitude, la commissione per la misurazione della longitudine in mare. I suoi predecessori, H1, 2 e 3, erano grandi e ingombranti, ma sufficientemente promettenti e interessanti dal punto di vista tecnico da giustificare il prezioso sostegno di George Graham, l'antico maestro di Mudge. Eppure, persino con l'appoggio di Graham, il lavoro di Harrison si rivelò una fatica solitaria, che richiedeva caparbietà. Molto autocritico, quando identificò un difetto nell'H2 non permise che venisse testato. Tra l'H2 e l'H3 passarono vent'anni, mentre Harrison continuava a lottare, assediato dalle difficoltà tecniche. Con l'H3, più leggero dei suoi predecessori e relativamente compatto con i suoi 60 centimetri circa di altezza e 30 centimetri di larghezza, sembrava aver portato le dimensioni di un orologio da navigazione al suo minimo. Pertanto, l'arrivo del relativamente piccolo H4, appena un anno dopo l'H3, sotto forma di orologio, fu una sorpresa.

Il meccanismo dell'H4 di Harrison richiedeva una meccanica senza precedenti. Pur utilizzando meccanismi già presenti negli orologi dell'epoca, come lo scappamento a verga, Harrison li perfezionò fino a un livello difficile da riscontrare persino oggi. Per ridurre l'attrito e migliorarne la durata, le bandierine d'acciaio che costituiscono le palette di entrata e di uscita della verga furono realizzate in diamante. Il bilanciere rotondo è enorme rispetto a un normale orologio del XVIII secolo, ma questo adattamento tecnico lo rende meno suscettibile alle variazioni di moto di una nave in movimento. Una molla più lunga permette all'H4 di avere un'autonomia di marcia di trenta ore a piena carica.

L'H4 fu messo alla prova per la prima volta nel 1761, quando la HMS *Deptford* salpò da Portsmouth diretta a Kingston, in Giamaica. Harrison inviò il suo cronometro a bordo della nave, insieme al figlio William perché se ne occupasse. L'H4 non tardò a farsi notare, aiutando a calcolare correttamente l'ora di arrivo al porto di Madeira durante il viaggio di andata, prima delle previsioni dell'equipaggio. Il capitano rimase così impressionato che a quanto pare si offrì di comprare su due piedi il successivo cronometro di Harrison. Nel corso del viaggio, durato 81 giorni e 5 ore, l'H4 perse appena 3 minuti e 36,5 secondi. Sottoposto a un secondo test, si ritenne che il cronometro avesse soddisfatto gli esigenti requisiti del Board of Longitude. Mentre Harrison lottava con la commissione per soddisfare condizioni che sembravano diventare sempre più rigide, l'H4 divenne un modello per il suo successore, l'H5.

Oggi i primi cronometri marini di Harrison si trovano all'Osservatorio di Greenwich. In quanto a decorazioni, l'H4 e l'H5 sono molto più semplici degli orologi portatili dell'epoca. L'H4 di Harrison reca ancora alcune delle caratteristiche incisioni con foglie d'acanto e abbellimenti traforati allora popolari, ma all'inizio del XIX secolo questi ornamenti erano ormai scomparsi dai cronometri.

A quanto pare, più erano precisi e funzionali, meno avevano bisogno di decorazioni per giustificare la propria esistenza. Ciononostante, questi primi orologi scientifici strumentali sono bellissimi, seppure in una diversa accezione. La loro bellezza sta nella loro funzionalità. Devo ricordare a me stessa che sono stati realizzati senza la tecnologia moderna cui ho accesso oggi, eppure sono più precisi di alcuni degli orologi meccanici comuni attualmente in commercio. Maneggiandoli, rimango stupita dalla cura con cui sono stati rifiniti. Mi capita spesso di riscontrare una tecnica un tempo nota come smussatura, ora comunemente definita *anglage* in svizzero-francese, metodo con cui gli angoli vivi vengono limati con cura a un angolo di 45 gradi sulle teste e sulle basi e persino sui piccoli raggi di ogni ruota perché appaiano più leggeri e raffinati. Questi smussi sono lucidati a specchio, in contrasto con la superficie piana granulosa o smerigliata che li affianca, in modo da scintillare alla luce quando il meccanismo si muove. Anche se ora possono essere realizzati perfettamente a macchina, è facile intuire che questi sono stati fatti a mano perché catturano la luce in modo diverso. Sono entusiasta di notare in alcuni di questi primi esemplari anche quella che noi orologiai definiamo lucidatura nera.

La lucidatura nera viene solitamente eseguita solo su metalli molto duri come l'acciaio. Quando la superficie è stata lucidata fino a raggiungere uno stato di perfezione, senza un solo graffio né un segno, in ombra appare nera come l'onice. La lucidatura nera veniva, e viene tuttora, eseguita a mano e richiede molto tempo. È utile per ridurre l'attrito, ma a questo livello è una dimostrazione di pura abilità da parte del costruttore. Anche se la precisione e la funzionalità erano diventate lo scopo principale di questi orologi, mi piace sapere che i loro creatori avevano trovato il modo di includere una propria personalità e identità nella finitura.

A mio parere i cronometri rimangono uno degli esempi più puri di come l'orologio sia molto più di un'apparecchiatura scientifica. È un'apparecchiatura scientifica realizzata da mani umane, a volte nel corso di svariati anni. La finitura è idiosincratica come una firma, un segno di orgoglio che rivela l'investimento personale del creatore nell'opera, che va oltre la pura funzione dell'orologio e lo rende un'opera d'arte.

Studiando come orologiaia, sono stata educata con la convinzione che John Harrison fosse un eroe dell'orologeria la cui invenzione aveva salvato moltissime vite in mare. Per molti versi era vero: Harrison era un inventore brillante e i suoi orologi hanno avuto un impatto incredibile sulla navigazione. Ma l'H4 non fu la soluzione definitiva di cui si favoleggia.

Nel 1831, durante il suo secondo viaggio, la HMS *Beagle* portò a bordo ventidue orologi e cronometri, oltre a un entusiasta giovane laureato di nome Charles Darwin, per studiare le zone meridionali del Sud America. Quando tornò a casa, nell'ottobre del 1836, solo la metà dei cronometri era ancora in buono stato di funzionamento.[9]

Uno dei problemi dei primi cronometri era l'imprecisione accumulata su distanze molto lunghe. Se l'imprecisione fosse stata costante, per esempio se il marinaio avesse saputo che il cronometro guadagnava con esattezza cinque secondi al giorno, sarebbe stato abbastanza facile calcolarla e compensarla, ma di rado le cose andavano così. Nel 1840, Henry Raper, tenente di vascello della Marina britannica e autorità in materia di navigazione, abituato in genere a sottolineare le virtù dei cronometri, osservò come fossero «più efficienti all'inizio del viaggio; molti diventano in seguito inutili per anomalie, alcuni falliscono del tutto. Sono anche suscettibili di cambiare all'improvviso la loro velocità, per poi riprendere dopo pochi giorni a funzionare come prima».[10]

Le difficoltà del mare aperto ponevano ulteriori sfide. In questi primi anni la maggior parte degli strumenti di navigazione, compresi i cronometri, soffriva infatti di una certa incostanza a causa dei drastici cambiamenti di temperatura,[V] dell'aria salata, dell'umidità e persino del magnetismo provocato dai numerosi oggetti di ferro presenti a bordo delle navi.[11]

Per proteggerli, i cronometri venivano conservati in casse di legno, soggette però a deformazioni. Ciò significava che quando arrivava il momento di caricare il cronometro era comicamente impossibile aprire la cassa. La carica e il controllo erano riservati a ufficiali di rango elevato e con esperienza, e le casse erano chiuse a chiave per evitare che mani curiose armeggias-

---

[V] Anche se, devo dire, Harrison ha lavorato duramente per adattarsi ai cambiamenti di temperatura e tra i suoi notevoli contributi alla storia dell'orologeria ci sono enormi progressi nella comprensione e nella compensazione delle variazioni di temperatura.

sero con i dispositivi. La serratura però creò le condizioni per la più intrinseca e fondamentale delle sviste umane: la perdita delle chiavi. L'astronomo William Bayly, che servì il capitano Cook a bordo dell'*Adventure* durante il suo secondo viaggio tra l'Antartico e il Pacifico, riferì di diverse occasioni in cui dovette salvare letteralmente il cronometro della nave dalla sua prigionia. Il primo incidente si verificò quando un ufficiale piegò in maniera accidentale uno dei fermi della serratura, che alla fine dovette essere segato e riparato. Poco dopo, una chiave si ruppe al suo interno. Un mese più tardi, Bayly dovette intervenire per la terza volta perché qualcuno era sceso dalla nave portandosi dietro la chiave.[12]

In più, nessun metodo per regolare la temperatura e nessuna chiave di riserva avrebbero potuto proteggere l'orologio dalla pericolosa minaccia del gatto della nave. Uno dei gatti più noti nella storia delle esplorazioni, Trim, era del capitano Matthew Flinders (anche se, in base alla mia esperienza di convivenza con i gatti, forse è più corretto dire che il capitano Flinders apparteneva a Trim) e lo accompagnò nella prima circumnavigazione del continente oggi noto come Australia. Flinders scrive:

> Trim si appassionò all'astronomia nautica. Quando un ufficiale faceva delle osservazioni lunari o di altro tipo, si metteva accanto al cronometro, osservava con molta attenzione il movimento delle lancette e, a quanto pare, gli utilizzi dello strumento; cercava di toccare la lancetta dei secondi, ascoltava il ticchettio e camminava intorno al pezzo per assicurarsi che non si trattasse di un animale vivente.[VI] [13]

[VI] Trim, a quanto pare, era un po' più sobrio del gatto a bordo della HMS *Discovery*, che sotto il comando di George Vancouver si accinse a mappare la costa occidentale del Nord America tra il 1791 e il 1795. L'esplorazione di Vancouver fu assistita da una serie di cronometri, da un orologio astronomico regolatore, da sestanti e da un orologio da taschino con lancetta dei secondi. Fu proprio questo orologio da taschino che, sfortunatamente, all'inizio del viaggio finì tra le grinfie di un gattino curioso. Per giustificare il gatto dispettoso per aver rotto uno dei modernissimi cronometri della nave, l'astronomo dell'esplorazione William Gooch scrisse che era «un gatto molto giovane e forse il ticchettio [aveva] attirato la sua attenzione».

Gatti a parte, il problema più importante riguardo alla diffusione dei primi cronometri era il costo.[VII] Anche se i prezzi si ridussero nel corso degli anni, alla fine del XVIII secolo i cronometri costavano ancora tra le 63 e le 105 sterline, un prezzo che, se paragonato al salario massimo annuale di un tenente della Marina (48 sterline), era decisamente fuori portata per la maggior parte dei marinai. E anche quando potevano permetterseli, continuavano a utilizzare i vecchi metodi per calcolare la posizione: un cronometro da solo non era abbastanza affidabile. Spesso veniva utilizzato insieme ai sestanti, strumenti portatili che sfruttano degli specchi per misurare la distanza angolare tra due oggetti. I sestanti aiutavano i marinai nelle osservazioni celesti, che rimanevano un mezzo di misurazione essenziale, soprattutto quando si navigava verso l'ignoto. Li usavano anche per controllare i cronometri, confrontandoli ai riferimenti astronomici ogni volta che l'equipaggio riusciva a sbarcare (e a trovare una superficie piana e ferma da cui effettuare misurazioni precise). Questo metodo divenne indispensabile per regolare il cronometro, quasi si trattasse di un ripristino delle impostazioni di fabbrica.

A mio parere, il più grande risultato di Harrison non è stata tanto la creazione dell'H4 o la vittoria del premio per la longitudine. (La commissione, discutendo fino all'ultimo sul rispetto dei termini del concorso, gli assegnò infine un ulteriore premio di 8.750 sterline.) Dimostrava, per la prima volta, che un cronometro meccanico – nientemeno che un orologio – poteva risolvere uno dei più grandi problemi dell'epoca.

Nonostante i suoi limiti, il cronometro era uno strumento prezioso che, in combinazione con altri metodi, rendeva possibile mappare il mondo. Non solo aiutò i marinai a orientarsi

---

[VII] Questi primi cronometri non erano economici. Nel 1769, l'orologiaio Larcum Kendall fu pagato 450 sterline per realizzare la prima replica dell'H4, chiamata K1. Gli ci vollero due anni per completarlo e ricevette un ulteriore bonus di 50 sterline quando fu terminato. Il totale di 500 sterline era poco meno di un quinto del valore dell'intera HMS *Endeavour*, che era stata acquistata dalla Marina per 2.800 sterline.

nei vasti oceani, ma quelle navigazioni permisero ai geografi di mappare la Terra con maggiore precisione. Immaginate quanto sarebbe stato pericoloso viaggiare, per esempio, da Portsmouth a New York senza conoscere esattamente la forma della costa degli Stati Uniti o senza sapere dove si trovasse il porto verso cui si era diretti. Il mondo come lo conosciamo oggi è stato creato grazie alle avventure e alle esplorazioni del XVIII e del XIX secolo, esplorazioni che, per molti versi, sono state rese possibili dai progressi nella misurazione del tempo. Eppure questa espansione dei nostri orizzonti ha avuto un lato oscuro. Di rado gli orologiai antiquari ammettono che alcune di queste invenzioni hanno avuto un ruolo in eventi decisamente negativi. Quando si legge della storia del Board of Longitude, di solito ci si concentra sulla salvaguardia delle vite dei marinai che intraprendevano pericolosi viaggi a lunga distanza e sui benefici che il cronometro ha apportato alla cartografia. Si parla poco dell'interesse che le nazioni occidentali avevano nel perfezionare il commercio transatlantico nel XVIII secolo e di come i miglioramenti nella navigazione abbiano favorito e perfezionato il sistema della schiavitù di milioni di africani e il loro successivo trasporto nelle Americhe. Di rado si riconosce l'impatto che la «scoperta» ha avuto sugli indigeni australiani, o il fatto che questi vantaggi navali abbiano contribuito alla colonizzazione dell'India o del Sud America. Sebbene il Board of Longitude esistesse per sostenere la Marina britannica, i cronometri erano così costosi che era assai più probabile che venissero utilizzati per imprese commerciali molto redditizie come la Compagnia delle Indie Orientali, basata sul lavoro degli schiavi e sul traffico di esseri umani dall'Africa orientale e occidentale.[14] Nel 1802, trent'anni dopo l'invenzione del cronometro, solo il 7 per cento delle navi della Marina era stato dotato di cronometri.[15]

La precisione raggiunta dal cronometro rese possibile un diverso tipo di orologio e una diversa concezione del tempo. Per questo, Harrison dovrebbe condividere la sua corona con Mudge. Sebbene la leggenda di Harrison abbia oscurato quasi tutti i suoi contemporanei dell'epoca d'oro, in realtà nessun costruttore ha lasciato un'impronta tanto duratura sul progresso del meccanismo dell'orologio da polso come Thomas Mudge. Gli orologi con scappamento ad àncora di Mudge si rivelarono più precisi e affidabili persino di quelli di Harrison, e Mudge stesso li incorporò in un cronometro proprio mentre Harrison vinceva il premio per la longitudine. Se Mudge fosse riuscito nell'impresa qualche anno prima, forse avrebbe battuto Harrison e si sarebbe aggiudicato il premio e una fama duratura. Tuttavia, la sua eredità vive ancora nell'orologio. È uno dei discendenti dello scappamento ad àncora di Mudge a ticchettare ancora al vostro polso.[16]

5. L'EPOCA DEI FALSI

«In fondo siamo un mondo di imitazioni; tutte
le Arti, cioè, imitano per quanto possono l'unica
grande verità che tutti sono in grado di scorge-
re. È questo l'eterno istinto della bestia umana,
cercare di riprodurre parte della maestosità.»
Virginia Woolf, lettera a un amico, 1899

Nel 2008 lavoravo come addetta alla catalogazione in una
casa d'aste di Birmingham. Dopo essermi laureata in Orologeria, ho intrapreso un percorso che mi ha portata a diventare
responsabile del reparto orologi. Il lavoro era sempre vario e
sorprendente. A volte avevo a che fare con pezzi di collezioni
private infinitamente preziosi che uscivano di rado dalla loro
cassetta di sicurezza, altre mi trovavo a rovistare tra scatole
di cianfrusaglie, cercando di identificare un qualsiasi pezzo
che potesse avere un potenziale valore. Una mattina, in una
scatola di antiche stoviglie d'argento, ho trovato un orologio
a doppia cassa d'argento datato 1783. La cassa interna ospi-
tava il meccanismo e aveva un foro sul retro per la carica. Sul
davanti, sotto un vetro bombato a occhio di bue, così definito
per la sagomatura simile a quella di un bulbo oculare, si in-
travedeva il quadrante. Una cassa esterna, più resistente, proteggeva il delicato meccanismo dagli agenti atmosferici. Ho
messo l'orologio sotto la luce della mia lampada Anglepoise
e l'ho osservato con il monocolo. Il quadrante consisteva in
una lastra d'argento decorata con incisioni, con numeri in-
tarsiati in cera nera, con una tecnica di smaltatura nota come

champlevé. Al centro era inciso un delicato disegno di foglie d'acanto, utile a rivelare il bagliore luminoso dello strato d'acciaio brunito sottostante. Appena sopra questo motivo, incorniciato in un cartiglio decorativo, si trovava il nome dell'orologiaio: John Wilter.

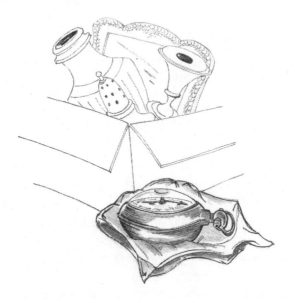

La scatola di cartone con l'argenteria portata alla casa d'aste
per una valutazione e la catalogazione.

Fino a quel momento, non avevo notato nulla che fosse davvero degno di nota. Ho rimosso la cassa esterna e ho aperto quella interna per osservare il meccanismo in ottone dorato, anch'esso decorato con minute incisioni. Era firmato a sua volta: «John Wilter, London». Ecco che aveva stuzzicato la mia curiosità. Il design era molto insolito per un orologio inglese del XVIII secolo. Il quadrante era arcato (il che significa che la minuteria, che normalmente si trova su un cerchio perfetto, presentava archi smerlati a circondare ciascuna delle cifre), motivo popolare negli orologi olandesi dell'epoca, ma quasi sconosciuto in Inghilterra. Anche i componenti del meccanismo erano realizzati in stile continentale ed erano di qualità inferiore a quella che ci si aspetterebbe di vedere in un lavoro londinese autentico. Ho preso dallo scaffale la mia bibbia – *Watchmakers and Clockmakers of the World*, di Brian Loomes – e ne ho sfogliate le pagine finché non ho trovato la voce che mi interessava: «Wilter, John – forse un nome fittizio».

Quadrante di orologio *champlevé* arcato, firmato «Wilter, London». La voluta d'acanto al centro è scheletrata per rivelare l'acciaio brunito sottostante.

Ho scoperto che si trattava di un tipo di orologio di cui non avevo mai sentito parlare: il cosiddetto falso olandese, un falso di bassa qualità che la maggior parte degli orologiai ignorava o stigmatizzava. In genere si spacciavano per orologi inglesi ma erano in stile olandese. Perché, mi chiesi, qualcuno avrebbe voluto falsificare un orologio inglese in stile olandese? E chi era John Wilter? Non trovavo alcuna prova che all'epoca esistesse un uomo, tanto meno un orologiaio, che corrispondesse a tale nome. Allora non lo sapevo, ma avrei trascorso altri dieci anni della mia vita alla ricerca di John Wilter.[1] Un percorso che mi avrebbe insegnato molto su come gli orologi siano divenuti accessibili a tutti.

Iniziai la mia esplorazione dalla Horological Study Room del British Museum, dove trascorsi innumerevoli ore come volontaria e facendo ricerca; per molti aspetti diventò la mia casa spirituale. Per arrivarci dovevo farmi strada tra la folla di turisti che passeggiavano per le gallerie e il ronzio ovattato delle voci straniere. Confesso che mi è sempre piaciuto intercettare lo sguardo di questi visitatori curiosi mentre superavo la barriera di sicurezza e aprivo le imponenti doppie porte di legno di quercia che conducevano all'esterno della galleria. È stranamente emozionante aprire una porta che ti supera di diversi metri.

Sul pavimento di marmo della Great Court del British Museum è incisa, con caratteri in pietra nera, una citazione di Tennyson: «And let thy feet millenniums hence be set in midst of knowledge» (Che i tuoi passi nei millenni a venire possano percorrere il cammino della conoscenza). Per una pensatrice ossessionata dagli oggetti come me, il British Museum è davvero un tempio dell'apprendimento. Per quante volte abbia aperto quelle porte, mi è sempre sembrato di aprire i cancelli di un mondo segreto, una rete enorme ricolma di tesori nascosti.

I grandi musei sono come iceberg: solo una piccola parte della loro vasta collezione è visibile al pubblico. Richiudendomi le porte alle spalle con un tonfo rassicurante, mi lasciavo dietro la punta dell'iceberg. L'acustica cambiava immediatamente. Percorrevo corridoi lunghi e silenziosi, fiancheggiati

[1] John Wilter e i falsi olandesi sono stati oggetto del mio dottorato di ricerca.

da vetrine piene di vecchi libri protetti da antichi vetri ondulati. Scendendo nel seminterrato, la temperatura si abbassava. Le pareti erano ora ricoperte di piastrelle bianche e luminose, con un'estetica a metà tra una stazione della metropolitana di Londra e un ospedale vittoriano. E qui, tra gli scaffali di ceramiche risalenti all'età del bronzo, raggiungevo la mia destinazione: una porta poco appariscente con un campanello. Venivo accolta dal curatore e accompagnata in una stanza alle cui pareti erano appesi diversi orologi a pendolo (o a cassa lunga, se vogliamo utilizzare la denominazione più corretta) e, in fondo, due lunghe file di armadi di mogano posizionati schiena contro schiena. Questi armadi ospitavano i 4500 orologi del museo, disposti in centinaia di cassetti. La collezione copre l'intera storia dell'orologio, dalla sua invenzione nel XVI secolo fino ai giorni nostri. Contiene il lavoro di quasi tutti i produttori più noti e pezzi realizzati da artigiani il cui nome si è perso nel tempo. E anche dozzine di falsi olandesi.

La collezione di orologi è l'unica del museo per la quale il lavoro di conservazione viene svolto dai curatori, poiché l'orologeria è una di quelle rare materie in cui i teorici devono essere anche pragmatici per prendersi cura degli oggetti dei loro studi. Ho trovato diversi spiriti affini tra questi curatori-conservatori. Quando ho iniziato a fare volontariato nel 2008, l'allora capo curatore David Thompson, che avrebbe poi supervisionato il mio dottorato, è diventato informalmente il mio mentore.

David aveva studiato alla vecchia scuola di orologeria dell'Hackney College, chiusa alla fine degli anni Novanta, e lavorato per trentatré anni sulla collezione del British Museum. È a lui che devo la mia passione per la ricerca sugli orologi. Il suo ufficio era una scrivania nascosta in fondo a un labirinto di librerie affollate, traboccanti di secoli di letteratura orologiera. Aveva una memoria da bibliotecario. Se si trovava di fronte a una domanda per cui non aveva una risposta immediata (anche se capitava di rado), era in grado di individuare subito le informazioni pertinenti dagli scaffali intorno a lui. Al momento di organizzare il mio studio, mi sono ispirata al suo ufficio.

Quando David andò in pensione, subentrò Paul Buck. Paul è, per me, una delle persone più affascinanti del pianeta. Ogni volta che gli parlo, mi racconta una storia che mi lascia a bocca aperta. Non è una cosa da poco in un settore popolato da persone che mio marito definisce «smanettoni che lavorano in un capanno per gli attrezzi, portano cappelli di lana, mangiano cannoncini alla crema e indossano i sandali coi calzini». Noi orologiai in genere non siamo molto *cool*. Siamo ingegneri di un'epoca passata, che trascorrono la maggior parte della giornata in casa a lavorare su oggetti talmente piccoli da affaticarci la vista e senza quasi alcun contatto umano. Ma Paul (*alias* Pablo Labritain, batterista del gruppo punk rock *999*) è un'eccezione. Il suo campo di specializzazione sono i vecchi orologi a cucù (propriamente detti orologi della Foresta Nera), ma per molti anni ha passato ogni pausa pranzo a esercitarsi alla batteria nella Radium Room del museo, dove all'interno di cappe aspiranti in acciaio per sostanze chimiche sono conservati in sicurezza tutti gli oggetti contenenti tracce radioattive. Non credo che possa esistere qualcosa di più punk che suonare la batteria in una stanza radioattiva.

Oltre alle sue capacità di batterista, Paul è un restauratore e un insegnante eccezionale. È stato lui a spiegarmi il minuzioso processo di riparazione delle minuscole trasmissioni fuso-catena. Mi ha mostrato come trasformare l'estremità di una lima ad ago rotonda in un utensile trilaterale per incidere il rivetto dei piccoli perni che mantengono ogni maglia al proprio posto. Mi ha insegnato come rimuovere i perni e le maglie danneggiate da entrambi i lati della rottura prima di ricollegare le due estremità. Mi ha suggerito di utilizzare l'acciaio di un ago da cucito, invece del moderno acciaio al carbonio, perché dopo molti anni al banco da lavoro ha imparato che questo materiale è in grado di riprodurre al meglio il metallo che gli antichi orologiai utilizzavano secoli fa.[II]

Paul e David mi diedero il permesso di smontare i falsi olandesi. Come uno scienziato forense, mi servii di un insieme di strumenti e tecniche come microscopi, scansione a raggi X e fluorescenza a raggi X per ricostruirne la storia. Erano tutti orologi con scappamento a verga, come quello di Wilter.[1]

Quando, da studentessa, mi ritrovai per la prima volta a restaurare un orologio con scappamento a verga, chiesi al mio tutor quale fosse il risultato migliore cui potevo mirare. «Già farlo funzionare sarebbe un trionfo», fu la sua risposta, poco incoraggiante. Molti riparatori oggi si rifiutano di lavorarci. Per prima cosa, capita di frequente che questi pezzi siano vittime di secoli di riparazioni sbagliate, che devono essere rimosse con cura prima di poter restaurare correttamente l'orologio. Una volta mi è capitato tra le mani un falso olandese con una cassa esterna fortemente usurata raffigurante il rapimento di Elena di Troia in *repoussé*.[III] Un precedente restauratore, tuttavia, aveva ridisegnato in modo impreciso i tratti mancanti di Elena, facendola assomigliare meno all'archetipo della bellezza femminile e più all'*Urlo* di Munch. I meccanismi, invece, sono spesso bloccati dalla ruggine, da polvere o pelucchi, che devono essere rimossi con pazienza. I cuscinetti sono quasi sempre in ottone, a differenza dei materiali più duri come il rubino utilizzati negli orologi più moderni e di qualità, quindi il meccanismo si consuma durante il funzionamento. Poiché un tempo

[II] Quando Paul è andato in pensione, anche se fa ancora tournée con i *999*, il dipartimento è passato a Oliver Cooke e Laura Turner, della cui pazienza e del cui sostegno continuo a essere debitrice.

[III] Disegno in rilievo effettuato su una sottile lastra di metallo martellata da dietro.

le parti non erano standardizzate, non sono disponibili pezzi di ricambio; non è nemmeno possibile recuperare un componente da un altro orologio della stessa epoca senza un laborioso adattamento. Tutto ciò che è rotto deve essere rifatto a mano. Eppure non posso fare a meno di amare questi orologi. Ognuno ha personalità. Ognuno ha le sue goffe idiosincrasie, come una vecchia auto o un paio di jeans adorati che cadono a pezzi ma a cui non si può rinunciare.

In ogni caso, è stato proprio questo elemento artigianale, all'inizio, a rendere gli orologi così costosi. La produzione era complicata e richiedeva molto tempo: trenta o più persone, con competenze diverse e interconnesse, erano coinvolte nel processo di fabbricazione di un singolo orologio. Di conseguenza, anche i più grandi laboratori britannici del XVIII secolo erano in grado di produrre solo poche migliaia di orologi all'anno.[2] Tuttavia, con l'avanzare del secolo, un nuovo tipo di orologio, maggiormente accessibile, cominciò ad apparire nelle vetrine dei banchi dei pegni e sulle bancarelle dei mercati. All'inizio se ne potevano trovare giusto un paio, ma alla fine del XVIII secolo superavano di gran lunga il numero di esemplari che l'industria orologiera britannica poteva produrre. Qualcuno, chissà dove, li stava realizzando in modo più rapido ed economico.

Il mondo dell'orologeria londinese era, come abbiamo visto, una sorta di club per soli uomini. Gli apprendistati lunghi e costosi richiesti dalla Clockmakers' Company facevano sì che formarsi nella capitale fosse un'opzione per pochi privilegiati, che a loro volta si contendevano l'esclusiva sulla produzione di orologi della città. Questo aspetto incoraggiò il ricorso a commercianti che operavano in luoghi più distanti per implementare la produzione. Per tenere il passo con la crescente domanda di orologi, infatti, i produttori si affidarono sempre più spesso all'acquisto di quelli che oggi definiamo *ébauches* (meccanismi grezzi già pronti che venivano rifiniti e marchiati da un altro orologiaio), realizzati in laboratori del Lancashire e poi a Coventry da artigiani che non avevano mai svolto un apprendistato. Secondo la testimonianza di un operaio delle regioni del Nord «solo coloro che intendevano diventare maestri» svolgevano un apprendistato formale, mentre «la massa degli operai non veniva mai messa a contratto ufficialmente».[3]

Tuttavia, alcuni resoconti di Prescot, nel Lancashire, dove venivano fabbricati alcuni dei più raffinati strumenti per l'orologeria, insieme ad alcuni componenti e a *ébauches* completi, descrivono l'incredibile livello di maestria raggiunto dagli artigiani non apprendisti. Un osservatore notò che questi artigiani creavano a occhio nudo minuscoli denti di ingranaggi a forma di «foglia di alloro», anche se poi «ti [avrebbero considerato] completamente matto a sentirti parlare di curva epicicloide».[4] Questa forma di orologeria si configurava spesso come un'attività secondaria. I contadini che possedevano terra sufficiente per sfamare sé stessi e le proprie famiglie, ma a cui rimaneva poco da vendere, si dedicavano ad altre attività come la filatura, la tessitura e, appunto, l'orologeria, per aumentare il proprio reddito. Alcuni produttori locali aprirono dei laboratori in piccole fattorie, portandoli avanti in contemporanea alla loro attività principale.[5] I pezzi derivati da tale industria, spesso di ottima fattura, venivano poi imballati e inviati agli orologiai di Londra e di tutta la Gran Bretagna, dove venivano rifiniti e trasformati in orologi.

La capacità dell'orologeria britannica di competere sui prezzi era limitata anche dall'esclusione delle donne dalla forza lavoro. La cultura artigianale era quasi esclusivamente appannaggio degli uomini. C'erano alcune donne nell'elenco dei maestri e degli apprendisti della Clockmakers' Company, ma per la maggior parte erano modiste (le modiste non avevano un proprio consorzio all'epoca, quindi erano rubricate sotto la voce *Altro*).[6] Il numero di donne che svolgevano un apprendistato formale era incredibilmente basso in tutti i mestieri: appena l'1-2 per cento.[7]

Uno studio ancora in corso ha contato per ora soltanto 1396 donne nel settore orologiero nel Regno Unito tra il XVII e il XX secolo:[8] potrebbe sembrare molto, ma se si considera che solo nel 1817 erano più di 20.000 le persone impiegate nell'orologeria soltanto a Londra, ci si rende conto che non è così.

In altre zone del mondo, per esempio in Svizzera e più tardi negli Stati Uniti, le donne venivano accolte a braccia aperte nei laboratori. Per quanto mi piacerebbe considerarlo un atto di uguaglianza sul lavoro, la verità è che venivano pagate meno, il che significava che gli orologi che producevano potevano essere venduti a un prezzo inferiore.

Ancora oggi non ci sono moltissime donne orologiaie. Io ero – e sono ancora – una rarità nel settore. È stata croce e delizia per una persona che soffre di ansia e di sindrome dell'impostore cronica. Quando si è diversi è più facile che si venga notati. Ed essere notati comporta vantaggi e svantaggi. Sono stata fortunata ad avere il sostegno di amici e mentori straordinari, senza i quali è improbabile che avrei portato a termine la mia formazione. Ma ho ricevuto anche molte critiche. Durante il mio primo workshop, mi è stato detto fuori dai denti che pensavano fossi stata ammessa al corso per un atto simbolico. Una volta un tutor ha chiesto a un datore di lavoro che mi aveva offerto un tirocinio estivo di ritirarlo e offrirlo a uno dei suoi studenti maschi. Ho sentito dire che non ha senso formare donne orologiaie, perché poi fanno figli e abbandonano la professione. In diverse occasioni mi è stato detto: «Non sei speciale, sai». Mi fa sempre riflettere: come si può pensare che mi ritenga speciale? Credo che non smetterò mai di sentirmi un'emarginata.

Una mattina, in macchina, mentre andavo in laboratorio, stavo ascoltando un'intervista su *Woman's Hour*. La studiosa di Cambridge Morgan Seag considerava le ragioni per cui il British Antarctic Survey avesse vietato alle donne di visitare l'Antartide fino al 1983. Si passavano in rassegna molte scuse prevedibili: era un'altra epoca; pensavano che le donne non sarebbero state interessate a causa della mancanza di servizi igienici, negozi e parrucchieri; erano preoccupati dell'impatto della presenza delle donne in una colonia maschile. Ma ciò che mi ha davvero colpito è stata la descrizione del ghiaccio come una sorta di banco di prova della mascolinità: gli uomini temevano che ammettere anche le donne avrebbe minato questa concezione. Esploratori e pionieri come Robert Scott ed Ernest Shackleton avevano creato la favola dell'eroe, storie di uomini coraggiosi che affrontavano crepacci terrificanti, condizioni climatiche estreme e fame, per lanciarsi con coraggio verso l'ignoto. La professoressa Liz Morris, prima donna a lavorare nel continente tra il 1987 e il 1988, ha raccontato che alcuni uomini si erano opposti alla sua partecipazione citando l'opinione di George J. Dufek, caposquadra del Programma Antartico degli Stati Uniti, secondo cui «se anche una donna di mezza età senza particolari abilità fisiche poteva farcela, allora come potevano loro [gli uomini] essere considerati degli eroi?».

All'improvviso mi sono resa conto che la stessa cosa accadeva nel mio settore. I giovani orologiai si erano formati leggendo le vicende di eroi come Huygens, Tompion, Graham, Mudge e Harrison, i geni dell'età dell'oro che avevano progettato straordinarie opere di ingegneria per risolvere alcuni dei più grandi problemi scientifici del loro tempo. Uomini – erano davvero tutti uomini – che socializzavano in ambienti aristocratici e stupivano il pubblico grazie al loro acume nella meccanica, creavano oggetti di metallo da minuscoli pezzi che si muovevano in modo indipendente, come per magia. Il meccanismo di un orologio era percepito dalla società come una cosa dotata di tale perfezione e complessità da essere utilizzata come argomento per rimandare all'esistenza di Dio (che di solito si presume sia anch'egli uomo). Quando nel 1631 venne fondata la Clockmakers' Company, lo statuto dichiarava che avrebbe supervisionato la «Fellowship of the Art and Mysterie of Clockmaking», la Compagnia di arti e misteri dell'orologeria. Ancora oggi, l'orologeria è vista come un'arte oscura che solo pochi specialisti possono comprendere. Eppure, eccomi qui: una donna introversa, tatuata, cresciuta in una famiglia della classe operaia, che non ha assolutamente nulla di speciale... e sono un'orologiaia. Se una persona come me può diventare un mastro orologiaio, chiunque può farlo.

Non c'è da stupirsi se ho trovato tanto attraente il torbido John Wilter: mi sentivo l'ultima ruota del carro ed ero attratta da qualcuno di molto simile a me.

Al British Museum ho trovato gli stessi marchi di fabbricanti di *ébauches* (definiti marchi dei fabbricanti di platine e nascosti sotto il quadrante) su movimenti firmati con una serie di nomi fittizi. Sembrava che un numero relativamente piccolo di laboratori producesse un numero enorme di orologi, su una scala mai vista in Inghilterra all'epoca. Nemmeno i laboratori più attivi del Nord del paese erano in grado di eguagliare questo ritmo. A prima vista, gli orologi sembravano olandesi: la smerlatura della minuteria e la forma del ponte del bilanciere, componente che assicurava il perno superiore del bilanciere, in quanto a stile erano olandesi piuttosto che inglesi. Eppure i numeri non avevano senso. Sebbene in quel periodo nella Repubblica olandese vi fossero alcuni orologiai di grande talento, l'industria olandese era microscopica rispetto a quella londinese, comunque non abbastanza grande da produrre l'enorme quantità di «falsi olandesi» che entravano nel mercato.

Studiando i marchi nascosti in questi orologi e confrontandoli con i documenti d'archivio, sono riuscita a comprendere

Ponte del bilanciere a doppio appoggio. Questo design è diverso rispetto a quello a un appoggio solo che si trova normalmente negli orologi inglesi del XVIII secolo, ma era popolare tra gli orologiai europei, della Repubblica olandese e della Svizzera.

cosa accadde. I mercanti olandesi li commissionavano sì nel loro stile ma, sapendo che i consumatori preferivano gli orologi di fabbricazione londinese come noi oggi preferiamo le automobili tedesche, le macchine fotografiche giapponesi o il cioccolato belga, li firmavano con nomi inglesi nella speranza di spuntare prezzi più alti. Curiosamente, però, questi falsi non venivano prodotti nella Repubblica olandese né in Inghilterra. I marchi di controllo, le firme nascoste, le dichiarazioni dei testimoni contemporanei, le cronache dei giornali e persino i resoconti ritrovati nei luoghi d'origine lo dimostrano in modo inequivocabile: questi orologi provenivano dalla Svizzera dove, fin dall'inizio del XVIII secolo, andava perfezionandosi un nuovo approccio alla produzione degli orologi. Si trattava del cosiddetto *établissage*.

Se l'orologeria tradizionale era basata su piccoli collettivi di artigiani specializzati che si passavano i pezzi in diversi laboratori, e il commercio non ufficiale di orologi in Gran Bretagna si affidava agli artigiani, l'*établissage* riuniva un numero maggiore di lavoratori sotto un unico tetto, in una struttura nota come manifattura. Nella manifattura, la manodopera era organizzata come una linea di produzione con addetti specializzati alle catene, alle molle, alle ruote e ai pignoni che lavoravano uno accanto all'altro. Sebbene le tecniche e le attrezzature fossero molto simili a quelle utilizzate nei metodi di produzione tradizionali, il sistema dell'*établissage* razionalizzava in maniera drastica la produzione sotto la gestione di un unico fornitore. Era un sistema altamente efficiente e, di conseguenza, le manifatture potevano realizzare un numero enorme di orologi. Mentre il più grande laboratorio britannico poteva produrre poche migliaia di orologi all'anno, una manifattura svizzera poteva produrne 40.000. Questo rivoluzionò completamente il settore. Come conseguenza dell'avvio dell'*établissage*, la produzione europea di orologi aumentò vertiginosamente nel corso del Settecento, e secondo le stime nell'ultimo quarto del secolo raggiunse le 400.000 unità all'anno, se non oltre.[9]

La posizione geografica della Svizzera la rendeva il fornitore perfetto. Il paese si trovava su una delle principali rotte commerciali europee: i mercanti olandesi, francesi e inglesi si muovevano d'abitudine tra il Reno e il Rodano, che fungeva da collegamento naturale tra il mar Baltico a nord e il Mediterraneo a sud.[IV] Il fatto che ci fossero molte manifatture di orologi

[IV] Ho letto diverse storie sugli orologi che partivano dalla Svizzera e facevano il giro del mondo. Il mercato di questi falsi prodotti in Svizzera era presidiato da un sottobosco criminale disposto a contrabbandarli fino alla loro destinazione finale. Gli orologi sono piccoli e quindi facili da trasportare in grandi quantità, nascosti nei bauli, sotto la biancheria, in botti di vino vuote o legati a cani feroci. Nel 1842 il direttore della dogana francese riferì che i suoi funzionari alla frontiera venivano assaliti da branchi di cani feroci, in stato alterato. A quanto pare, i cani erano stati portati oltre il confine montuoso tra la Svizzera e la Francia, privati del cibo e picchiati prima di essere abbandonati nella notte con gli orologi legati al corpo. Caricati fino a 12 chilogrammi di orologi ciascuno, i cani attraversavano il confine per arrivare direttamente a casa dei loro padroni, dove li attendevano cibo e un bel trattamento. Devo dire che sono un po' scettica sul fatto che ci si possa fidare di cani «sciolti» per collegare, dopo chilometri di strade montane, un padrone all'altro, come fossero piccioni viaggiatori masochisti. Il mio cane, Archie, un incrocio tra uno Staffordshire e un Bull Terrier, nonostante sia amichevole e moderatamente addestrato, non è in grado di andare da un capo all'altro del nostro laboratorio senza distrarsi. La maggior parte delle centinaia di migliaia di orologi che lasciavano la Svizzera ogni anno veniva sulla strada di collegamento tra i due fiumi è un forte indicatore di un'industria orientata al pubblico. I mercanti, sempre in viaggio attraverso l'Europa e oltre i suoi confini, erano molto più consapevoli dell'evoluzione delle mode e molto più in sintonia con le richieste del mercato, rispetto agli artigiani pieni di lavoro e bloccati nelle loro case di campagna. Questo portò a un cambiamento di paradigma nell'orologeria: i mercanti dicevano agli artigiani cosa fare, anziché limitarsi a vendere al dettaglio per conto loro.

Mentre frugavo nella collezione del British Museum, sempre alla ricerca di prove dell'origine fittizia dei falsi olandesi, ho trovato molti altri orologi firmati John Wilter. Curiosamente, alcuni di questi orologi erano di alta qualità e in stile inglese, ma la maggior parte era costituita da falsi olandesi di qualità inferiore. Sui movimenti c'erano anche svariati errori ortografici sospetti, come gli errori di battitura che si trovano nelle e-mail di spam. I famosi orologiai Joseph e Thomas Windmills, padre e figlio, venivano indicati come «Wintmills, London» su un orologio e «Jos Windemiels, London» su un altro.[10] Ho trovato anche «Vindmill», «Wintmill», «Windemill» e «Vindemill». Sono presenti pure un Jonh Wilter e un John Vilter, anche se, a differenza dei Windmill, l'identità del John Wilter che volevano imitare è rimasta per me un mistero. Tuttavia, dato che i mercanti di lingua olandese commissionavano orologi con nomi inglesi a manifatture svizzere di lingua francese, è chiaro che qualcosa si perdesse nella traduzione.

A ogni modo, i falsi olandesi erano estremamente importanti. Questi orologi, che spesso costavano meno della metà rispetto ai concorrenti londinesi autentici, sono i primi orologi prodotti in serie. Ecco che il tempo personale cessò di essere appannaggio degli ultraricchi. Si trattava di dispositivi che non puntavano sulla precisione o sull'affidabilità, né erano innovativi dal punto

dunque molto probabilmente trasportata con metodi più affidabili: per esempio su carri che percorrevano i passi di montagna poco battuti e con le navi, grazie ai mercanti che attraversavano la Svizzera tra il Rodano e il Reno.

di vista tecnico o estetico, ma erano economici – ed è questo a renderli interessanti. Per la prima volta dall'invenzione dell'orologio, era stato trovato un modo per trasformarlo in un oggetto accessibile. Alla fine del XVIII secolo, stava diventando un accessorio sempre più comune in gruppi sociali sempre più ampi.

Il mio orologio Wilter è la prova di uno degli sviluppi socioeconomici più significativi del XVIII secolo: l'imitazione. A partire dagli anni Sessanta del Settecento, la rivoluzione industriale aveva dato origine a una classe media emergente con aspirazioni superiori alle proprie possibilità economiche. I teatri, i parchi e la fondazione di musei e gallerie d'arte gratuiti crearono maggiori opportunità di scontro tra ricchi e aspiranti tali. Con il miglioramento del tasso di alfabetizzazione e l'aumento della produzione a stampa, i giornali offrivano a queste persone una finestra sulla vita e sulle possibilità delle classi superiori. Ciò alimentò il desiderio di possedere beni di lusso. E poiché questi beni materiali rimanevano fuori dalla portata economica della maggior parte della popolazione, la soluzione fu quella di falsificarli.

Dalle ceramiche dipinte di ispirazione orientale al metallo placcato, fino all'acciaio intagliato e lucidato per assomigliare al diamante, sorse un'intera industria che produceva oggetti di pseudolusso per un nuovo gruppo di persone in rapida espansione. La piastra Sheffield,[V] inventata intorno al 1742, divenne un bene molto popolare tra gli arrampicatori sociali. Alla fioca luce delle candele di una cena georgiana, e dopo

[V] Formata arrotolando e pressando una sottile lamina d'argento su una base di rame molto più economica, la piastra poteva essere utilizzata per creare qualsiasi cosa, dai candelabri e altri oggetti da tavola a servizi completi per la cena. Per aumentare l'illusione, i loghi e i marchi dei fabbricanti mostravano una sorprendente somiglianza con i marchi autentici.

qualche bicchiere di vino di troppo, era facile ingannare gli ospiti facendo loro pensare che la cena fosse servita su un servizio d'argento massiccio eccezionalmente costoso. Allo stesso modo, gli oggetti di bronzo o ottone dorato potevano convincere i visitatori che una casa fosse piena di *objets* in oro massiccio. Gli industriali dell'epoca georgiana fecero sì che quasi chiunque potesse stare al passo con i più ricchi, a patto di non guardare troppo da vicino.

Gli orologi olandesi contraffatti erano dunque solo una parte di questo processo più ampio. Nel XVIII secolo, gli orologi, che venivano indossati ostentandoli sulle *chatelaines*, un tipo di catena decorata che pendeva dalla cintura, erano simbolo di ricchezza e di status sociale. Tanto che nel 1797 il primo ministro e cancelliere dell'ex scacchiere britannico, William Pitt, introdusse una tassa sul possesso degli orologi. La giustificò dichiarando che possederne uno era segno di lusso e dimostrava che il proprietario poteva permettersi di sostenere un'imposta aggiuntiva.[11] (Inutile dire che tale tassa fu estremamente impopolare. La classe media si ribellò: alcuni arrivarono a rottamare le casse d'oro degli orologi e a farsene fabbricare di nuove in metalli più economici per evitare che fossero soggette a tassazione.)

Se appena un secolo prima la vita della maggior parte delle persone era regolata da un orologio collettivo, ora gli orologi personali erano ormai ovunque. Lo si evince anche dall'arte visiva. Per esempio, compaiono regolarmente nelle opere di William Hogarth, che li usava per seguire i progressi dei suoi personaggi nelle sue storie. La sua famosa serie *A Harlot's Progress* (La carriera di una prostituta) evidenzia la corruzione di un'innocente ragazza di campagna, Moll Hackabout. Più Moll si avvicina alla sua fine (incarcerazione e poi morte per malattia venerea), più gli orologi delle sue incisioni si avvicinano all'undicesima ora.[12] È interessante notare che Moll, una prostituta, sembra possedere un elegante orologio da tasca con ripetizione.

La proliferazione degli orologi è andata di pari passo con l'aumento dei borseggiatori e dei ladri.[13] Sono per esempio il bottino preferito dai borseggiatori in *The Beggar's Opera* (L'opera del mendicante) di John Gay (1728). Erano molto apprezzati dai rapinatori, comunemente merce di scambio per permettersi una prostituta o per pagare i debiti di gioco, come accade nella sesta tavola di *A Rake's Progress* (La carriera di un libertino) di Hogarth, pubblicato nel 1735.[14] I documenti dell'Old Bailey mostrano come le locande, le taverne e i rivenditori di gin fossero il terreno di caccia preferito dai borseggiatori, con un picco dei furti tra le 20 e le 23 (quando veniva sporta quasi la metà di tutte le denunce) e un calo dopo la mezzanotte, per poi risalire al mattino, verso le 7, quando le persone si svegliavano con un cerchio alla testa e scoprivano che il loro orologio era sparito.[15] Gli orologi rubati si muovevano con rapidità e facilità negli ambienti criminali di Londra, arrivando ai banchi dei pegni e ai negozi di seconda mano. Gioiellieri senza scrupoli li compravano immediatamente; c'erano persino orologiai disposti a modificarli cambiando nomi e marchi per evitare che venissero identificati dai proprietari. Nel romanzo di Daniel Defoe del 1722 l'incontenibile Moll Flanders, una delle più famose borseggiatrici della storia della letteratura, utilizza regolarmente un orologio che possiamo supporre sia stato sottratto a un'ignara vittima.

I documenti dell'Old Bailey non rivelano soltanto un aumento dei tassi di possesso e di furto degli orologi, ma anche un aumento della consapevolezza in merito al tempo. Nel corso del XVIII secolo, la registrazione dell'ora precisa di un evento divenne sempre più comune nelle testimonianze e nei rapporti sui crimini. Thomas Hillier, comparso in tribunale nel 1775 dopo il furto del suo orologio d'argento a due casse per mano di alcuni briganti tra Hampstead e Londra, dichiarò che l'evento si era verificato «circa alle nove e un quarto di sera» e che l'intera vicenda era durata intorno a «un minuto o un minuto e mezzo». Sebbene il resoconto di Hillier fosse insolitamente specifico, si trattava di una delle migliaia di testimonianze di londinesi che in quel periodo avevano iniziato a fornire orari, date e durate degli eventi. La consapevolezza del tempo stava pian piano crescendo in maniera inesorabile.[16]

La storia dell'orologeria del XVIII secolo presenta due facce molto diverse. Da un lato c'è l'affascinante età dell'oro dei progressi dell'orologeria, dei cronometri marini, degli orologi realizzati da alcuni degli scienziati più colti della società, dall'altro c'è il torbido sottobosco dei falsi e delle contraffazioni che, a mio avviso, non è meno interessante o importante. I falsi olandesi hanno spezzato il legame tra gli orologiai artigiani e i ricchi mecenati. Hanno permesso passi da gigante nella diffusione degli orologi, aprendo la strada ad aziende che in seguito li resero accessibili davvero a tutti. Per questo motivo, credo che nella storia dell'orologeria ricoprano un ruolo altrettanto importante dei cronometri di Harrison. In fin dei conti, come si può sostenere che un'innovazione sia davvero in grado di cambiare il mondo se soltanto una piccola élite è in grado di accedervi? Rendendo possibile a tutti un nuovo rapporto con lo scorrere dei minuti e delle ore, gli orologi economici hanno contribuito a colmare il divario tra ricchi e poveri, aristocrazia e masse. Hanno democratizzato il tempo.

Ma che dire di John Wilter? Anche lui era un'invenzione, un falso? Alcuni anni fa mi è capitato di sfogliare i verbali di un'udienza del 1817 alla Camera dei Comuni e finalmente ho trovato un riferimento dell'epoca, una persona che affermava di averlo effettivamente conosciuto. Ricordo che quando vidi quel nome sulla pagina – un nome che mi aveva perseguitato per anni – mi bloccai per un attimo. Distolsi lo sguardo, feci un respiro profondo e poi iniziai a leggere. Il testimone, un altro orologiaio di nome Henry Clarke, parlava con ammirazione di un uomo che, a suo dire, era ormai deceduto. Aveva costruito orologi su commissione per un mercante che gli aveva ordinato di

> introdurre la fabbricazione di orologi con il finto nome di «Wilters, London»; quegli orologi erano ben fatti e avrebbero reso onore al fabbricante, che avrebbe dovuto apporvi il proprio nome; altre persone imitavano rapidamente l'aspetto esteriore degli orologi… [ma] avevano finti giorni del mese, quadranti e lancette senza ingranaggi a muoverli, e anche finti gioielli nei fori dei perni… Gli ultimi esemplari che ho visto di questi orologi falsi mi sono stati offerti in vendita a 34 scellini l'uno, ma in realtà non erano buoni a niente; mentre per colui che per primo introdusse questi orologi, con quel nome fasullo, un prezzo di 8 ghinee a esemplare non sarebbe stato eccessivo.[17]

Wilter, come scoprii, era vero e falso allo stesso tempo. Il nome era stato inventato molto probabilmente da un mercante olandese in cerca di uno pseudonimo che suonasse inglese e che non potesse essere rintracciato. L'uomo a cui commissionò i lavori, però, era un vero orologiaio inglese di notevole abilità. «John Wilter» divenne una sorta di marchio. Il mercante si rese poi conto che avrebbe potuto incrementare i profitti facendo produrre a basso costo gli orologi Wilter nel continente. Ciò trovava un perfetto riscontro nelle prove recuperate al British Museum, dove avevo scovato alcuni orologi Wilter di alta qualità, oltre a diversi falsi, tipicamente olandesi. Un veloce collegamento ha colmato una lacuna che non ero ancora riuscita a spiegarmi. Questi orologi sono un ottimo esempio del perché non dovremmo disprezzare i falsi: il valore che aggiungono alla nostra comprensione del mondo, delle industrie e persino delle economie è immenso. Li ho studiati a fondo e ora sono riuscita anche a collezionarne alcuni, tra cui quelli che mi sono più cari, del mio famigerato John Wilter.

6. TEMPO DI RIVOLUZIONE

«A volte il cuore gioca brutti scherzi e ci delude. I prudenti hanno ragione. Perché Dio – il potente Breguet – ci ha dato la fede e, vedendola buona, l'ha perfezionata con uno sguardo attento.»

Victor Hugo, *Les Chansons*, 1865

Nell'agosto del 2006, Rachel Hasson, direttrice artistica dell'istituto d'arte islamica L.A. Mayer di Gerusalemme, ricevette una telefonata da Zion Yakubov, un orologiaio di Tel Aviv: era stato trovato un nascondiglio pieno di orologi antichi rubati e secondo lui Hasson doveva correre a dare un'occhiata. La direttrice aveva già ricevuto telefonate del genere; erano sempre uno scherzo. Questa, però, era diversa.

Venticinque anni prima, l'impareggiabile collezione di orologi dell'istituto era stata sottratta durante un colpo che aveva lasciato di stucco la polizia, i servizi segreti israeliani e persino Samuel Nahmias, il più abile detective del paese. La notte del 15 aprile 1983 erano spariti 106 orologi e pendole incredibili, con un prezzo al dettaglio valutato più di 30 milioni di dollari. Iniziò una ricerca ad ampio raggio, ma ogni linea d'indagine si perse in un nulla di fatto. Con il passare degli anni, sembrava che quegli oggetti fossero scomparsi dalla faccia della Terra.

Gli investigatori seguirono alcune piste addirittura fino a Mosca e in Svizzera, ma alla fine venne fuori che gli orologi si trovavano in un magazzino di Tel Aviv, a un'ora di distanza dal luogo in cui erano stati rubati. Hasson ed Eli Kahan, membro del consiglio di amministrazione dell'istituto, si recarono nell'ufficio di Hila Efron-Gabai, avvocato cui era stato chiesto di restituire gli orologi in forma anonima per conto del suo cliente. Identificarono gli orologi dai numeri di serie; alcuni erano intatti, altri danneggiati. Ma un esemplare fece venire le lacrime agli occhi a Hasson. Lì, avvolto in un giornale ingiallito, giaceva «la Monna Lisa dei segnatempo», un pezzo realizzato da Abraham-Louis Breguet per Maria Antonietta, l'orologio più complicato, bello e prezioso mai esistito.

La polizia riuscì a risalire al famigerato ladro israeliano, Na'aman Diller, che aveva confessato il crimine alla moglie sul letto di morte. Gli inquirenti rimasero delusi perché non avevano avuto la possibilità di interrogare Diller, che aveva uno «stile unico». (Nel 1967 – con una breve pausa per combattere nella guerra dei sei giorni – aveva scavato una galleria lunga circa 91 metri sul retro di una banca di Tel Aviv per far saltare il caveau.) Diller aveva sempre agito da solo. Questa volta aveva usato un martinetto idraulico per forzare le ringhiere del museo e una scala di corda e ganci per arrampicarsi per 3 metri fino a una finestrella alta appena 45 centimetri. Diller, «magro come un capretto», si era infilato nella stretta apertura per poi portare via la maggior parte dell'inestimabile collezione di orologi.

È uno dei capitoli più recenti della storia dell'«Orologio della regina», iniziata circa due secoli fa.[1] Nel 1783 – lo stesso anno in cui fu assemblato il mio umile falso di John Wilter – un anonimo ammiratore di Maria Antonietta si rivolse al più famoso orologiaio d'Europa per commissionargli un regalo molto speciale. Senza dubbio l'ammiratore sperava di guadagnarsi il favore della regina, che era già un'entusiasta sostenitrice del lavoro di Breguet. La commessa riguardava un orologio più complesso di tutti quelli che lo avevano preceduto. Doveva includere tutti i meccanismi più avanzati e complicati dell'epoca e non si doveva badare a spese: l'oro doveva sosti-

---

[1] L'orologio di Maria Antonietta, così come l'orologio di Thomas Mudge per la regina Carlotta, viene comunemente definito «Orologio della regina».

tuire gli altri metalli ovunque possibile, persino nel meccanismo. Doveva essere un orologio adatto ai suoi tempi, esemplificare il meglio e il peggio dell'*ancien régime*.

Il meglio: i gusti sfarzosi della corte di Luigi XVI non ponevano limiti alla creatività. Per realizzare questo orologio ineguagliabile, Breguet ebbe a disposizione un budget illimitato e tutto il tempo necessario. È difficile esprimere quanto sia entusiasmante, per un creatore, ricevere un libretto degli assegni *e* una data di scadenza *ad libitum*, con la possibilità di mettere alla prova le proprie capacità e il proprio ingegno fino al limite. Anche per un orologiaio di successo – e a quel tempo Breguet era stato nominato *Horloger du Roy* – il flusso di cassa è una delle cose più difficili da gestire. Un orologio ben fatto, artigianale, costa un'enormità sia se ne consideriamo l'acquisto sia se pensiamo alla produzione. Oggi potremmo aspettarci una cifra a sei zeri, ma dopo aver dedotto le spese generali, le tasse, i costi dei materiali, i costi dei lavoratori esterni e averli divisi per il numero di anni necessari alla produzione, a volte questa cifra potrebbe coprire a malapena il salario del suo creatore.

A Breguet il tempo e il budget illimitati permisero di riversare in un unico pezzo tutto ciò che aveva imparato nel corso della sua carriera. L'orologio aveva un totale di ventitré complicazioni, le funzioni che vanno oltre la semplice lettura dell'ora. Era a carica automatica e poteva segnare il tempo suonando le ore, i quarti d'ora e i minuti su gong finemente accordati fatti di filo metallico; inoltre mostrava l'equazione del tempo. Aveva l'indicazione della riserva di carica (poteva funzionare per quarantotto ore a piena carica), un cronografo, un termometro e un calendario perpetuo come quello di Mudge. In totale, l'orologio comprendeva 823 componenti compresi in un orologio da taschino di 6 centimetri di diametro ed è tuttora considerato uno dei cinque orologi più complicati al mondo. La sua meccanica era così spettacolare (e raffinata) che l'intero movimento veniva reso visibile attraverso il vetro del quadrante e della cassa per mostrare il meccanismo che lavorava all'interno.

La parte peggiore era invece che mentre Breguet lavorava a questo orologio infinitamente lussuoso e senza limiti di soldi, la gente moriva di fame. La Francia, ancora legata a un sistema feudale, tassava i contadini (il 96 per cento della popolazione, priva di qualsiasi potere politico o economico), mentre il clero e l'aristocrazia raccoglievano i frutti. Dal 1787 al 1789 la Francia affrontò raccolti terribili, siccità, malattie del bestiame e prezzi del pane alle stelle. Nel frattempo, il governo francese era in bancarotta: il costoso coinvolgimento nella guerra d'indipendenza americana e la stravagante corte di Luigi XVI erano stati letali per il bilancio nazionale. L'aumento delle tasse accese la miccia, l'indignazione dei cittadini di Parigi si scatenò e culminò nella rivoluzione francese del 1789. Maria Antonietta non vide mai il suo orologio. Il lavoro di Breguet fu interrotto dagli eventi mondiali e l'orologio fu completato soltanto nel 1827, trentaquattro anni dopo che la sua bella, anche se politicamente insensibile, destinataria aveva incontrato il proprio destino alla ghigliottina.

I veri maestri orologiai erano, e sono tuttora, creature rare. Nella voce dedicata all'orologeria nell'*Encyclopédie* di Diderot, il celebre orologiaio Ferdinand Berthoud (1727-1807) descrive i requisiti per svolgere il suo mestiere: «Per una padronanza completa dell'orologeria si richiedono conoscenza teorica scientifica, abilità nel lavoro manuale e talento nella progettazione, tre qualità che non si sviluppano facilmente in uno stesso individuo». Mi piace questa ammissione del fatto che sia difficile trovare queste tre qualità in un unico essere umano. Io e Craig abbiamo sempre saputo che singolarmente siamo dei bravi orologiai, ma insieme siamo un orologiaio incredibilmente capace. Abbiamo punti di forza complementari: Craig è l'illustratore, il progettista dell'estetica, mentre io ho una mente più matematica e posso trasformare le sue belle il-

126

lustrazioni a mano in disegni tecnici precisi su cui lavorare. Craig ha un'incredibile destrezza con le parti fini, per esempio per quanto riguarda la riparazione di danni alle molle, mentre a me piace rifinire, cioè creare a mano gli angolini lucidi, con minuscole lime, sui raggi delle ruote dentate, delle molle e delle piastre. Amo i lavori di taglio delle ruote; posizionare e tagliare a mano le centinaia di ruote dentate di un orologio. Mi piace il movimento ripetitivo, quasi ipnotico, con cui la fresa gira avanti e indietro, ancora e ancora, più e più volte. Craig lo trova monotono, ma non importa, perché ha molta più pazienza di me nel tornire a mano minuscoli bilancieri di pochi millimetri e nel lucidarli fino a ottenere una finitura a specchio duratura e brillante. In Breguet, però, tutte queste abilità e altre ancora si combinavano in modo peculiare.

In orologeria è un po' un *cliché* ammettere di prendere come riferimento Abraham-Louis Breguet: è una delle menti più celebri e importanti della storia del nostro settore. Iniziò il suo apprendistato a Parigi nel 1762 all'età di quindici anni e alla sua morte, nel 1823, aveva rivoluzionato il mestiere. Sir David Lionel Salomons, avvocato e appassionato di orologeria (e un tempo proprietario dell'«Orologio della regina» insieme a molti altri che erano stati rubati dall'istituto L.A. Meyer di Gerusalemme) ha dichiarato che «portare con sé un orologio Breguet significa avere in tasca il cervello di un genio».[1]

La straordinaria abilità tecnica e l'inventiva di Breguet sono entrate nella leggenda dell'orologeria. Nessun altro orologiaio ha creato tante invenzioni rimaste in funzione fino a oggi. È stato l'ideatore della *perpétuelle*, il primo meccanismo a carica automatica, che alimenta l'orologio grazie al movimento di chi lo indossa, utilizzando l'oscillazione di un peso all'interno dell'orologio per alimentare la molla. Nei suoi orologi a ripetizione inventò dei gong fatti di filo metallico che scandiscono le ore e i minuti, consentendo a questi orologi di essere molto più sottili rispetto alle campanelle utilizzate in passato. Sviluppò la cosiddetta curva terminale Breguet, che rappresentava un miglioramento tecnico rispetto al design a spirale piatta che l'aveva preceduta. Scoprì che alzare l'ultimo giro esterno della molla rispetto al resto migliorava in modo significativo l'isocronismo, ovvero la costanza della durata di ogni respiro, e di conseguenza la misurazione del tempo e la precisione. Come già dicevamo, sono tutti sviluppi ancora oggi presenti negli orologi; alcuni sono stati ulteriormente perfezionati, ma altri, come la spirale, sono rimasti in pratica invariati per oltre due secoli. Grazie alle sue innovazioni, i meccanismi degli orologi divennero più sottili. I vecchi orologi da taschino a doppia cassa a forma di ciottolo scomparvero. Gli orologi di Breguet erano abbastanza piccoli da poter essere inseriti nei taschini sartoriali che cominciavano ad andare di moda tra i gentiluomini.

Ironia della sorte, per un uomo che viveva in un'epoca di eccessi, Breguet adattò il suo lavoro su modelli precedenti. Il suo design era sobrio e puntava alla purezza del risultato finale. Le lancette dell'orologio che usava, minimaliste ed eleganti, sono ancora oggi definite lancette Breguet. Spesso in acciaio blu elettrico o in oro, sono deliziosamente lunghe e sottili, con un piccolo cerchio e una punta a forma di freccia per indicare con precisione le ore e i minuti sul quadrante. Prediligeva uno stile di incisione noto come fiorettatura meccanica. Invece di incidere a mano il metallo prezioso dei quadranti dei suoi orologi, utilizzava torni per *guillochage* e a linea retta azionati manualmente per creare intricati motivi geometrici. Queste macchine sono, a mio avviso, tra le più belle mai inventate. I torni per *guillochage* fanno ruotare lentamente una serie di dischi di forma diversa, traducendo questo movimento in un motivo che viene inciso sulla superficie del quadrante dell'orologio.[II] Si potrebbe paragonare il processo a una bicicletta con, per esempio, una ruota ottagonale. Mentre si pedala, il sellino si alza e si abbassa in base alla forma della ruota. In un tornio per *guillochage*, il sellino della bicicletta è il quadrante dell'orologio, che si muove contro una fresa ferma. Spostando più volte il

---

[II] Quelli a linea retta utilizzano un principio simile, ma si muovono verso l'alto e verso il basso anziché presentare un movimento circolare.

quadrante davanti alla fresa e modificando ogni volta leggermente la posizione di quest'ultima, si ottiene un disegno ordinato che si inscrive nel metallo. Sono straordinari e ipnotici da vedere in azione e possono produrre una vasta gamma di motivi, dall'intreccio a cestino, che assomiglia un po' a una piccola scacchiera, alle rosette, che si irradiano dal centro in forme diverse, come le increspature sulla superficie di uno specchio d'acqua quando vi viene gettata una pietra.[2] Possono incidere cerchi lavorati, utilizzati come fasce per delimitare i numeri sul quadrante, o abbellire la fascia principale della cassa con un motivo che ricorda un po' il bordo di una vecchia moneta da una sterlina. L'effetto, al tempo stesso dettagliato e discreto, conferisce al quadrante una leggera lucentezza, il massimo del lusso informale. Queste macchine sono ormai rare come mosche bianche. Occasionalmente mi è capitato di commissionare simili lavori a specialisti, ma anche se potessi avere questo tipo di macchinari, di rado utilizzerei questo stile. È talmente associato a Breguet che mi sembrerebbe quasi di sconfinare in qualcosa che non mi appartiene.

Gli orologi Breguet manifestavano un funzionamento meccanico magico. Invece delle classiche platine piene – due dischi di forma tonda che racchiudono (e nascondono) la maggior parte del movimento – Breguet sezionava le platine in una serie di «barre», un po' come uno scheletro, che consentivano di osservare il movimento, di veder girare le ruote (che riducono la potenza della molla principale) e ammirare lo scappamento in azione.[III] I movimenti di Breguet erano ancora rea-

[III] Vale la pena di notare che Breguet non è stato l'inventore di questo progetto, che si era già diffuso negli anni precedenti alla sua ascesa, né del resto se ne è mai preso il merito. Ma le sue innovazioni e la sua notorietà hanno fatto sì che questo tipo di meccanismo fosse attribuito a lui in maniera simbolica.

lizzati in ottone placcato in oro giallo, ma invece di abbellirli
con la tradizionale e delicata incisione di fiori e foglie, scelse
di satinare i movimenti con una finitura allo stesso tempo iri-
descente e opaca, a seconda di come cattura la luce. Si può ottenere in vari modi, applicando acidi o con un pennello a punta oppure, come fanno oggi gli orologiai, tramite sabbiatura al
silicio (la nostra macchina per la sabbiatura al silicio l'abbiamo
presa da un dentista, che la usava per pulire i residui dagli
stampi dei denti).[IV] Quando i falsari cominciarono a imitare i
disegni di Breguet, egli decise di incidere una minuscola firma
segreta sui quadranti, quasi impossibile da replicare. Per ve-
derla bene occorreva una lente d'ingrandimento.

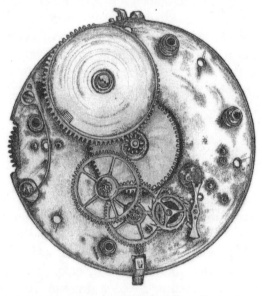

Ruote che girano tra il bariletto della molla, in alto,
e lo scappamento, in basso a destra.

[IV] Esiste una sovrapposizione tra odontoiatria e strumenti per l'orologeria.
In entrambi i casi si hanno molte pinze e si è abituati a lavorare in posti piccoli
e scomodi. In effetti, tra il XVII e il XIX secolo alcuni orologiai offrivano anche
servizi di odontoiatria, ma non Breguet, nonostante il suo talento.

Gli orologi di Breguet erano strumenti scientifici di precisione, ma molte delle particolarità del loro design non hanno alcuno scopo funzionale. Sono state pensate per puro diletto e per elevare felicemente l'ingegneria a opera d'arte meccanica.

Fu il patrigno di Breguet, Joseph Tattet, proveniente da una famiglia di orologiai di Parigi, a introdurlo per la prima volta alla professione.[3] Breguet, nato nel 1747 a Neuchâtel, in Svizzera, in una famiglia ugonotta, era il maggiore di cinque figli e l'unico maschio. Perse il padre a soli undici anni e lasciò la scuola due anni dopo.[4] La madre si risposò e nel 1762 il giovane Breguet, come tanti altri artigiani prima di lui, attraversò la «frontiera permeabile» del confine franco-svizzero per iniziare la propria formazione nella bottega della famiglia del patrigno a Parigi.

Breguet frequentò i corsi serali di matematica al Collège Mazarin e il suo tutore, l'*abbé* Joseph-François Marie, ne lodò a tal punto le doti negli ambienti di corte che la notizia del suo talento emergente arrivò fino al re e alla regina di Francia. Come Giorgio III d'oltremanica, re Luigi XVI di Francia era affascinato dalla meccanica dell'orologeria. All'età di quindici anni Breguet iniziò l'apprendistato presso un mastro orologiaio della reggia di Versailles.

A ventotto anni aprì il suo laboratorio al numero 39 di Quai de l'Horloge, il quartiere degli orologi e delle pendole della vivace Île de la Cité di Parigi. Ciò fu possibile, in larga misura, grazie a una dote ricevuta dalla ricca e rispettata famiglia parigina della sua futura moglie, la ventiduenne Cécile Marie-Louise L'Huillier. Gli orologiai spesso si sposavano tardi – in parte perché i legami di qualsiasi tipo con l'altro sesso erano severamente vietati dai contratti di apprendistato – e all'epoca non era raro che gli artigiani maschi di talento avviassero le loro prime imprese in proprio grazie a una dote. Quello stesso anno i due si sposarono e andarono a vivere insieme, lavorando nello stesso edificio.

La vita di Breguet è costellata di tragedie. In pochi anni, l'*abbé* Joseph-François Marie, suo ex precettore e ormai uno dei suoi più cari amici, morì in circostanze sospette. In rapida successione perse la madre Suzanne-Marguerite e il patrigno Joseph, che gli lasciò la responsabilità delle quattro sorelle minori. Lui e Cécile ebbero un figlio, Antoine, nel 1776, l'unico dei suoi figli ad arrivare all'età adulta. I due, però, rimasero insieme ancora per poco: Cécile morì nel 1780. Aveva ventotto anni. Lui non si risposò mai. Sappiamo poco, o nulla, della situazione psicologica di Breguet in quel periodo. Era un'epoca in cui la morte era più frequente – non era raro che bambini e adolescenti rimanessero orfani, o che le mogli perdessero la vita durante il parto –, ma è difficile credere che questa serie di lutti non abbia avuto un impatto su di lui e sul suo lavoro. Forse l'orologeria, il dedicarsi a un'attività, rappresentò una via di fuga, un modo per riprendersi. Io trovo che perdermi nel microscopico mondo dell'orologeria sia una strategia efficace per disconnettermi dalla realtà e chiudere ogni legame con il mondo esterno.

A ogni modo, il laboratorio di Breguet crebbe sempre di più. Maria Antonietta è colei che notoriamente «ha permesso il rapido successo e l'improvvisa popolarità di Breguet». Possedeva l'orologio numero 2,[V] il secondo orologio realizzato da Breguet come orologiaio indipendente, e lo raccomandò molto sia in patria sia all'estero. Nel 1785 Breguet divenne fornitore di orologi del re Luigi XVI. Maria Antonietta e la mecenate di Mudge, la regina Carlotta, erano amiche e si scambiarono molte lettere, anche se non si incontrarono mai di persona. Mi piace immaginare che le due abbiano discusso del loro amore per gli orologi e che la raccomandazione di Maria Antonietta abbia portato agli orologi che Breguet realizzò in seguito per la regina Carlotta e per il re Giorgio III. E naturalmente, con la sua tipica magnanimità, Maria Antonietta regalò orologi di Breguet alle persone a lei più care. Donò il suo Breguet n. 14 a Hans Axel von Fersen, amico intimo e conte di Svezia – fece aggiungere sulla cassa le iniziali AF in smalto blu – e commissionò per sé

[V] Viene descritto come un orologio a carica automatica, con indicazione del giorno, del mese e a ripetizione.

il Breguet n. 46, che, a giudicare dalla descrizione, sembra essere un orologio abbinato al primo, con le stesse iniziali – pensiero molto intimo. È possibile che fossero amanti, poiché la *pérpetuelle* dell'orologio simboleggia amore perpetuo. Alcuni suggeriscono che l'anonimo ammiratore che commissionò l'orologio di Maria Antonietta fosse proprio von Fersen.

Un ritratto di Breguet ci mostra un uomo dal viso fresco, con una stempiatura precoce e uno sguardo gentile e intelligente. È chiaro che non è mai stato amante delle parrucche, nonostante i suoi rapporti con la corte. I resoconti sottolineano una natura modesta e generosa. Apprezzo particolarmente il fatto che fosse cortese con i suoi dipendenti. Si dice abbia rassicurato i suoi apprendisti: «Non scoraggiatevi e non permettete che il fallimento vi avvilisca», un motto che si dovrebbe incorniciare e fissare sopra la porta di ogni laboratorio di orologeria. Lasciava regolarmente la mancia ai lavoranti, aggiungendo code agli zeri delle fatture che gli venivano presentate per trasformarle in nove. Se oggi la mancia è atto di cortesia comune, durante l'*ancien régime* l'idea di offrire denaro in contanti a un collaboratore in segno di rispetto era quasi inaudita.

In certe occasioni si rivelò un uomo di spettacolo. Intorno al 1790 inventò il primo dispositivo antiurto in un orologio. Si trattava di una regolazione a molla che serviva a proteggere i delicati perni del

Il *pare-chute* di Breguet: l'inventore era certo al corrente delle continue prove di Jean-Pierre Blanchard, che si lanciava da una mongolfiera e utilizzava un paracadute per attutire la caduta. Come nel caso dell'omonimo oggetto, la molla curva a sinistra del bilanciere permette all'asta di rimbalzare leggermente quando l'orologio subisce un urto o viene fatto cadere, attutendo il colpo e proteggendo i perni da eventuali danni.

bilanciere da urti e colpi, che spesso ne causavano la rottura con conseguenti lunghe riparazioni. Lo chiamò *pare-chute* (paracadute). La leggenda narra che, per dimostrare l'efficacia della sua nuova invenzione, la mise alla prova davanti a una folla di stimati ospiti durante una festa a casa di Charles Maurice de Talleyrand-Périgord, vescovo di Autun e futuro primo principe di Benevento.

Un testimone descrisse il modo in cui Breguet lanciò «l'orologio a terra, senza che sembrasse danneggiarsi minimamente. "Quel diavolo di Breguet!" esclamò il principe. "Cerca sempre di superarsi"».[5] Quando recuperò l'orologio dal pavimento, gli ospiti rimasero stupiti nel vedere che era ancora perfettamente funzionante.

Breguet «aveva il potere di rendere schiavi della moda persino i re».[6] Con l'approssimarsi della fine del secolo, tuttavia, questa associazione divenne problematica. Nel 1792, con grandi spargimenti di sangue, nacque la Prima repubblica francese. Nei mesi successivi, il Terrore attanagliò la Francia.[7] I membri dell'aristocrazia, del clero e tutti coloro che si riteneva incarnassero o avessero un legame con l'élite dominante della vecchia Francia vennero catturati e imprigionati. Nel 1794, una serie di massacri ed esecuzioni di massa causò la morte di migliaia di uomini, donne e bambini. Anche se le cifre ufficiali parlano di circa 17.000 esecuzioni formali, gli storici successivi hanno stimato che il numero di morti totale, compresi coloro che morirono in prigione o in fuga senza essere stati processati, potrebbe arrivare a 50.000.

Sebbene il metodo di esecuzione più noto fosse la ghigliottina,[8] lugubre simbolo del Terrore, la maggior parte delle vittime perì a causa di una spada, un fucile, una pistola o una baionetta. Molte altre morirono di fame o di malattia nelle carceri francesi, sovraffollate e sporche. Maria Antonietta fu detenuta inizialmente nella prigione del Tempio, dove chiese, e le fu concesso, «un semplice orologio Breguet». In seguito fu trasferita alla Conciergerie in vista del processo. Implorò che non la facessero «soffrire a lungo», ma in realtà trascorse più di due mesi in una cella umida e isolata prima del processo e dell'esecuzione per tradimento, avvenuta il 16 ottobre 1793. I racconti dei sopravvissuti al Terrore sono terribili.[9] Una testimonianza riporta di una giovane donna costretta a bere il sangue di una vittima appena giustiziata in cambio della liberazione del padre. Altri resoconti si concentrano sul sangue fresco che scorreva nei cortili tra i ciottoli, o su come i condannati fossero costretti a camminare sui corpi smembrati dei compagni di prigionia per andare incontro al proprio destino. Le esecuzioni erano uno spettacolo quotidiano, che attirava un pubblico enorme in strade e piazze come place de la Revolution (oggi place de la Concorde). Le macabre testimonianze giungevano, tramite i sopravvissuti in fuga, nei tribunali e nelle case dei signori dei paesi vicini che offrivano loro rifugio. Le classi dirigenti europee rimasero a guardare con orrore. Il timore che la rivoluzione francese si diffondesse oltre i suoi confini era vivo in tutto il continente.

Chiunque fosse legato al re rischiava di perdere la vita, e Breguet non faceva eccezione. Una conseguenza del carattere affascinante di Breguet, però, è che aveva amici dappertutto. Nonostante il suo stretto rapporto con Versailles, era molto vicino anche a Jean-Paul Marat, teorico politico, scienziato e leader della rivoluzione. Con l'intensificarsi dei disordini e dell'instabilità in Francia, perfino Marat, che era stato uno dei più feroci critici dell'*ancien régime*, perse il favore dell'opinione pubblica dopo aver pubblicato un attacco al ministro delle Finanze del re. Nell'aprile del 1793, quando una folla inferocita si radunò davanti a casa sua per trascinarlo al suo destino, fu Breguet a escogitare un piano per favorire la fuga dell'amico. Marat non era esteticamente dotato (soffriva di una dermatite debilitante) e i due decisero in un attimo di sfruttare il suo volto avvizzito a loro vantaggio. Usando scialli e un abito, Breguet lo vestì da anziana e lo fece uscire di casa a braccetto, attraversando la folla urlante per poi mettersi in salvo.[10] Due mesi dopo, quando Marat scoprì che lo stesso Breguet era stato destinato alla ghigliottina, ricambiò il favore avvertendolo in anticipo e favorendo la sua fuga in Svizzera, sfruttando conoscenze nelle alte sfere per consentire un salvacondotto sia a lui sia a ciò che restava della sua famiglia: il figlio superstite Antoine, salvato così dall'arruolamento nell'esercito rivoluzionario, e la sorella della defunta moglie, con il pretesto del suo annuale viaggio di lavoro in Svizzera.[11] Breguet non rivedrà mai più Marat. Il 13 luglio 1793 Jean-Paul fu pugnalato nella sua vasca da bagno da Charlotte Corday, una giovane girondina.[VI]

Breguet fu tra le migliaia di persone che in quel periodo fuggirono dalla Francia per raggiungere i paesi vicini. Perfino per lui la vita in esilio non fu facile. Cibo e materie prime scarseggiavano e i rifugiati spesso non erano i benvenuti. Aveva dovuto abbandonare la maggior parte dei suoi strumenti, fatto immensamente doloroso per qualsiasi orologiaio, le cui collezioni possono contare decine di migliaia di esemplari e sono spesso personali come le impronte digitali. Breguet aprì un modesto laboratorio, con pochi dipendenti, a Le Locle, non lontano dalla sua città natale, Neuchâtel. Possiamo solo immaginare cosa dovettero pensare i commercianti locali quando il più famoso orologiaio del mondo si ritrovò ad aprire un laboratorio concorrente davanti alla loro porta di casa. In seguito si recò a Londra, dove per un breve periodo lavorò per Giorgio III. È interessante notare che fu proprio durante l'esilio che Breguet realizzò alcune delle sue più grandi conquiste tecniche. A corto di strumenti, ma ancora ossessionato dalla materia, concentrò l'attenzione sull'invenzione di nuove soluzioni meccaniche, tra cui un dispositivo noto come *tourbillon*. Breguet concepì il *tourbillon* per ovviare al cosiddetto errore di posizione. Si tratta dell'errore causato dagli effetti della gravità sul meccanismo che si sposta con i movimenti dell'orologio, un errore percepito soprattutto dal delicato bilanciere, che è anche il componente di precisione più importante. La soluzione adottata da Breguet fu alloggiare l'intero bilanciere

---

[VI] I girondini erano una fazione più moderata dei rivoluzionari, che finirono vittime di esecuzioni di massa durante il regime del Terrore.

e lo scappamento in una gabbia in continua rotazione, in modo da compensare l'impatto dell'attrazione gravitazionale e migliorare la precisione di marcia. Questa nuova invenzione fu così importante da essere riportata sul quadrante di uno dei suoi primi esemplari, venduto al re Giorgio IV di Gran Bretagna. La parola *tourbillon* fu tradotta in inglese per il re con la bellissima definizione di *whirling-about regulator*, regolatore vorticante.[12]

Nella decostruzione dell'*ancien régime* non fu risparmiato nulla, nemmeno il tempo. Il tempo è un costrutto pesante, ricco di associazioni, siano esse sociali, politiche, religiose o culturali. Ora la Repubblica si ribellava alle associazioni autoritarie del calendario gregoriano (quello che usiamo ancora oggi), visto come un'estensione simbolica dell'establishment. Il tempo, sotto l'*ancien régime*, era diventato un simbolo di potere e di controllo – presieduto da ricchi e benestanti a spese dei meno fortunati – per cui ora si faceva spazio a una nuova era, ridefinendo la misurazione del tempo stesso. La nuova Repubblica avrebbe avuto un nuovo calendario, con nuovi mesi, settimane, giorni, ore e persino minuti.

È una convenzione che oggi potrebbe sembrare del tutto inutile: dopotutto, che in un giorno ci siano dieci o ventiquattro ore non fa alcuna differenza quando si tratta di considerare le ore che vivremo, ma per i rivoluzionari era un atto simbolico, per ricominciare da zero. Questo tentativo di modificare il tempo per sottolineare una completa rinascita politica è stato messo in atto altre volte: in Cambogia, i Khmer rossi dichiararono l'anno della loro presa di potere «anno zero», anche se per il resto del mondo era il 1975. Come ha affermato il filosofo giamaicano Charles Wade Mills, l'azzeramento del andamento storico nel calendario repubblicano francese rifletteva «il trionfo della ragione, della luce e dell'uguaglianza sulle irrazionalità e le ingiustizie dell'*ancien régime*».[13]

Il tempo decimale, com'era conosciuto, fece letteralmente ripartire l'orologio con la rivoluzione, scegliendo il settembre 1792 come inizio dell'«anno I della Repubblica».[14] Il nuovo calendario era ancora suddiviso in dodici mesi, ma ogni mese aveva una durata uguale di trenta giorni; i cinque giorni rimanenti erano riservati a una serie di feste che segnavano la fine dell'anno.[15] Ciascuno di questi mesi di trenta giorni era a sua volta suddiviso in una serie di tre settimane di dieci giorni. I giorni della settimana furono rinominati, così come i mesi, affinché riflettessero meglio le stagioni. In autunno, il *Brumaire* (dal francese *brume* che significa foschia o nebbia) iniziava a ottobre e a novembre era seguito dal *Frimaire*, da *frimas* o gelata. I mesi invernali erano *Nivôse*, *Pluviôse* e *Ventôse*, che derivavano rispettivamente dalle parole francesi per nevoso, piovoso e ventoso. La primavera iniziava a marzo, o *Germinal*, il mese della germinazione, poi c'erano *Floréal* (floreale) e *Prairial* (da prato). Quando ci si avvicinava all'estate, *Messidor*, dal termine latino che indicava il raccolto, iniziava alla fine di giugno, seguito da *Thermidor* (caldo) e *Fructidor* (frutta) prima di tornare nuovamente verso l'autunno con *Vendémiaire*, vendemmia, nel periodo che noi identifichiamo come fine settembre.

Legando le stagioni a qualcosa di tangibile, i rivoluzionari liberavano il tempo da quella che consideravano l'oppressione della religione e della superstizione. Nel calendario precedente c'erano molti nomi legati a divinità romane (per esempio, marzo faceva riferimento al dio della guerra, Marte, giugno alla dea Giunone, moglie di Giove), mentre il nuovo sistema sradicava ogni legame con gli dèi di un tempo. Era un calendario basato sulla ragione, che restituiva il tempo al popolo, al mondo naturale e in particolare all'agricoltura. Se vi suona vagamente familiare, è perché presenta notevoli analogie con il calcolo del tempo basato sugli eventi naturali, anche se con una maggiore enfasi sulla divisione numerica strutturata dei giorni.

Il cambiamento dell'ora modificò anche l'aspetto degli orologi. Il nuovo sistema decimale aveva ulteriormente suddiviso il giorno in sole dieci ore della durata di cento minuti, ogni minuto composto da cento secondi, rendendo il secondo decimale più veloce del tempo standard che utilizziamo oggi, di 0,86 secondi per ogni decimale. I nuovi orologi e le nuove pendole dovevano aderire a questo nuovo orario e alcuni esempi di orologi decimali realizzati durante questo breve periodo sopravvivono ancora oggi, tra cui alcuni prodotti da Breguet. Sono oggetti dall'aspetto curioso e surreale. Ci vuole un attimo per capire che l'aspetto strano dei quadranti è dovuto al fatto che sono divisi in dieci anziché in dodici parti.

Uno degli orologi decimali di Breguet, ora conservato nella Frick Collection di New York, non solo è all'altezza della sfida della suddivisione del tempo decimale, ma riflette anche la volontà della Francia repubblicana di liberarsi del mito. Le lancette dei nostri orologi a dodici ore ruotano in senso orario, replicando le prime osservazioni sul movimento del Sole intorno alla Terra nell'emisfero settentrionale – un movimento che, fin dai tempi di Copernico (1473-1543), si sa essere basato su un'idea sbagliata. Per Breguet, un orologio del tutto metrico avrebbe dovuto abbracciare razionalità e fattualità, così progettò un quadrante con due anelli: uno che indicava le dieci ore, l'altro i cento minuti. Mentre la lancetta dell'orologio si muove in senso orario, ogni dieci minuti decimali l'anello delle ore scatta in senso antiorario per riflettere in forma meccanica la rotazione eliocentrica della Terra in questo stesso senso.

Alla fine, l'abitudine si rivelò più forte dell'ideologia e la vita dell'orologio decimale fu breve: venne abbandonato in meno di un anno. Dalla sua introduzione nel 1792, il calendario decimale durò quattordici anni, fino alla sua destituzione nel 1806 e alla riadozione del calendario gregoriano.[VII] Anche Breguet rimase in esilio soltanto per un breve periodo. La scu-

VII Anche se le unità di misura del litro e del metro hanno resistito fino a oggi, così come il franco francese fino a poco tempo fa, quando è stato sostituito con l'euro il 1° gennaio 2002.

sa di aver lasciato Parigi per motivi di lavoro non poteva reggere ancora per molto, soprattutto dopo che l'Esercito richiamò suo figlio per il servizio di leva.[16] Quando il suo passaporto per i viaggi d'affari scadette senza che lui fosse tornato in Francia, Breguet fu dichiarato un traditore e un monarchico, e il suo laboratorio di Quai de l'Horloge venne confiscato e messo in vendita. Breguet tornò a Parigi nell'aprile del 1795, quando la situazione si era ormai stabilizzata. Gli orologi erano molto richiesti nell'equipaggiamento dell'Esercito e della Marina francesi, oltre che dagli scienziati, ma il commercio in città si era quasi fermato. Le carte ponevano a favore di Breguet. Era un uomo modesto, però conosceva il proprio valore, e così si mise a negoziare non solo la restituzione del suo laboratorio e della sua casa a Quai de l'Horloge, ma chiese anche che lo Stato risarcisse i danni subiti dalla sua attività. Sorprendentemente, con un piccolo aiuto da parte di amici benestanti, il nuovo governo gli restituì la casa e ristrutturò i suoi laboratori a spese dello Stato. Un risultato quasi incredibile. L'unica condizione era che si rendesse operativo nel giro di tre mesi. Breguet accettò, a patto che i suoi lavoratori venissero esentati dal servizio militare.[17] L'accordo era siglato.

Breguet fece affari in tutta Europa. Una delle sue idee geniali furono gli orologi in *souscription*, in abbonamento. Con un anticipo del 25 per cento, i clienti potevano commissionargli un orologio affidabile, da portare tutti i giorni, senza fronzoli; era ancora un lusso che pochi potevano permettersi, ma certo più economico di un orologio su misura. Il pagamento anticipato permetteva a Breguet di raccogliere capitali anzitempo e di creare svariati orologi simili con costi inferiori e in serie, rendendo i suoi prodotti accessibili a una più ampia fascia di clienti. La scala produttiva non era neanche lontanamente paragonabile a quella dei nostri falsi olandesi, ma si trattava comunque di un passo significativo. Non è capitato di frequente nel corso della storia che mastri orologiai, una volta raggiunto un livello così elevato di celebrità, abbiano avviato una produzione di orologi a basso costo, invece di alzare i prezzi. Era però un modello commerciale di grande successo: Breguet produsse e vendette circa 700 orologi in *souscription* prima del volgere del secolo.

La sua clientela principale rimasero le élite, ma élite nuove. Mentre era in esilio aveva lavorato per Giorgio III, ora produceva orologi per i banchieri e i funzionari della nuova Repubblica, oltre che per i reali di tutta Europa, tra cui Alessandro I, zar di Russia. Breguet aveva un certo seguito anche tra l'aristocrazia russa e viene persino citato nell'*Evgenij Onegin* di Aleksandr Puškin:

> Un dandy sui boulevard –
> Passeggia a tempo perso,
> finché il suo Breguet, sempre vigile
> gli ricorda che è mezzogiorno.

Breguet era un diplomatico brillante oltre che un orologiaio, creava pezzi per amici, amanti e nemici giurati. Così come era riuscito a destreggiarsi tra l'essere *Horloger du Roy* e amico di Marat, ora realizzava orologi sia per Napoleone sia per il duca di Wellington. Napoleone era talmente affascinato dal suo lavoro che visitò più volte la sua fabbrica sotto mentite spoglie. Arthur Wellesley, primo duca di Wellington, possedeva diversi orologi Breguet, tra cui almeno un *montre à tact*, che gli consentiva di sapere l'ora soltanto toccando la cassa all'interno della tasca. È quindi possibile che Abraham-Louis Breguet abbia contribuito a tenere il tempo durante la battaglia di Waterloo.

Pur frequentando i più alti esponenti della società, condusse una vita umile e tranquilla. Anche in età avanzata è stato descritto come uno «spirito giovane». Negli ultimi anni di vita rimase quasi completamente sordo, ma non perse l'allegria. Attenzione.[18] Il suo ultimo progetto, l'orologio per Maria Antonietta, rimase sempre al centro del suo interesse. Una nota scritta nell'agosto del 1832 conferma che l'Orologio della regina era ancora sul suo banco da lavoro un mese prima della sua morte, avvenuta all'età di settantasei anni. Aveva continuato a lavorarci fino alla fine. L'opera fu infine completata dal figlio ed erede Antoine-Louis.

Così come è impossibile pensare al XVIII secolo senza considerare la rivoluzione francese, sommossa politica che ha sconvolto l'Europa, non si può pensare alla storia dell'orologio senza considerare Breguet. Il suo talento naturale e la sua abilità politica lo salvarono in un'epoca di continui cambiamenti. Nei secoli successivi, la sua reputazione e i suoi orologi ineguagliabili sono rimasti inalterati e il suo nome è apparso in letteratura a definire gusto, stile e opulenza dei personaggi. Viene citato due volte nel *Conte di Montecristo* di Alexander Dumas, oltre che da Jules Verne e da Thackeray nella *Fiera delle vanità*. Stendhal dichiarò che gli orologi di Breguet erano macchine persino più raffinate del corpo umano: «Breguet crea orologi che non si guastano neanche una volta in vent'anni, mentre questa misera macchina, il corpo in cui viviamo, si guasta e sopporta dolori e acciacchi almeno una volta alla settimana»;[19] Victor Hugo si spinse persino oltre, riferendosi, nel suo libro di poesie del 1865 *Les Chansons des rues et des bois* (Le Canzoni delle strade e dei boschi), a «Dio – il potente Breguet». Fare di lui una divinità è forse un'esagerazione, ma i suoi orologi erano di certo sinonimo di precisione, utilità e bellezza divina.

7. LAVORARE ALL'OROLOGIO

> «...una stanza severa, con un inesorabile oro-
> logio statistico che scandiva ogni secondo con
> un colpo secco che pareva una martellata su
> una cassa da morto...»
> Charles Dickens, *Tempi difficili*, 1854
> (tr. di Gianna Lonza, Garzanti,
> Milano 2008[20], p. 98)

Quando io e Craig abbiamo avviato il nostro laboratorio nel Jewellery Quarter, accanto a noi c'era una fabbrica. In seguito è stata abbattuta da imprenditori edili che l'hanno trasformata in unità residenziali e commerciali, ma un tempo occupava uno spazio enorme, formato da vecchi edifici vittoriani in mattoni rossi sistemati maldestramente nel corso degli anni, con blocchi di uffici risalenti agli anni Settanta e più moderni magazzini in lamiera ondulata simili a hangar per aerei. In quella fabbrica si faceva di tutto, dalla produzione di sedili per autobus allo stampaggio e alla formatura di metalli su larga scala, fino alle lavorazioni meccaniche di precisione. Era rumorosa, assordante, e il ronzio dei motori faceva vibrare il nostro laboratorio, avvolto in un costante rumore bianco. Era diventato talmente parte dell'atmosfera che smettevamo di notarlo, almeno fino alla fine della giornata, quando tutte le macchine venivano spente simultaneamente e rimanevamo per un attimo storditi dal silenzio.

Una sirena annunciava l'inizio della giornata lavorativa, l'inizio e la fine del pranzo e la conclusione dell'orario di lavoro. Di prima mattina, la sentivamo risuonare negli edifici come il fischio di una locomotiva a vapore, seguita dal profondo e lento frullo dei motori e dei macchinari pesanti. Le sirene avevano cominciato a scandire il tempo nelle fabbriche durante la rivoluzione industriale e furono utilizzate anche in seguito, poiché non c'era molto altro che potesse sovrastare il rumore delle macchine. Oggi sembra quasi pittoresca l'idea di guardare l'orologio in attesa del segnale, condividendo l'esperienza di lasciare gli strumenti e uscire tutti insieme dai cancelli mentre tutto si ferma. Adesso che abbiamo i telefoni cellulari, l'accesso alle e-mail da remoto, i social media, i turni, le riunioni online e l'orario flessibile, non esistono quasi più rituali di questo tipo. Ma l'avvento dell'orologio nella vita lavorativa fu un terremoto per gli operai dell'era industriale, proprio come lo è stato lo smart working per noi impiegati del tardocapitalismo postpandemico. Ha cambiato la nostra concezione del trascorrere del tempo.

Le fabbriche dominavano il panorama delle città industrializzate.

Prima dell'industrializzazione, per scandire la giornata lavorativa e le attività nel Regno Unito ci si affidava in gran parte ai ritmi del mondo naturale.[1] Si lavorava la terra e ci si muoveva in mare con obiettivi mirati, influenzati dalle stagioni. Capitava di lavorare più a lungo con l'estensione oraria della luce diurna dei mesi estivi, per compensare le ore perse a cau-

Risalente a circa 44.000 anni fa, l'Osso di Lebombo, intagliato da un pezzo di fibula di babbuino grande quanto un dito, è ritenuto il primo potenziale segnatempo a oggi rinvenuto. I 30 spazi, divisi da 29 tacche, fanno in media un mese lunare. Trovato nella Border Cave, in Sudafrica, è una chiara testimonianza di calcolo e i segni di usura indicano che quest'oggetto veniva usato regolarmente.
(Per gentile concessione del Museo McGregor, Kimberley, Sudafrica. Bone photograph © F. D'Errico e L. Backwell/Museo McGregor/Andy Pilsbury. Digital editor: Jen O'Shaughnessy.)

A sinistra. Il meccanismo di un piccolo orologio a forma di tamburo realizzato in Germania tra il 1525 e il 1550. L'identità di chi l'ha costruito è sconosciuta: ai tempi era comune che gli orologiai non firmassero le proprie opere. Costruito in ferro, probabilmente da un fabbro o un armaiolo, visto che le competenze necessarie erano simili a quelle di un orologiaio. Questi piccoli orologi da tavolo sono i segnatempo di transizione che diedero il via ai primi orologi portatili, essendo piccoli quanto bastava. *A destra.* Il meccanismo è alloggiato in un contenitore a forma di tamburo, dorato e inciso, di appena 7 centimetri di diametro e meno di 5 di altezza. Le perline in rilievo che segnano le ore erano usate perché si potesse leggere l'ora al buio, toccandole. Ha un'unica lancetta, il che è dovuto in parte al fatto che gli orologi dell'epoca non erano precisi al punto da giustificarne una che misurasse i minuti o i secondi, e anche al fatto che una divisione del tempo più dettagliata non doveva essere così importante.
(Per gentile concessione del Museo Clockmakers, Museo della Scienza, Londra, UK.)

Gli orologi di forma, così chiamati perché letteralmente costruiti a forma di qualcosa, erano comuni a metà del XVII secolo. Questo esempio, un minuscolo leone d'argento che può stare nel palmo di una mano, fu costruito a Ginevra dall'orologiaio Jean Baptiste Duboule nel 1635 ca. Perché si possa leggere l'ora, la base del leone si apre e mostra il quadrante. Dato che all'epoca Ginevra era calvinista e proibiva tali oggetti decorativi, probabilmente l'orologio era stato pensato per l'esportazione, forse verso l'impero ottomano.
(Per gentile concessione dell'Ashmolean Museum, Oxford, UK.)

Il meccanismo dell'orologio si trova all'interno del corpo principale del leone e può essere tirato fuori una volta che il coperchio è sollevato. Le piastre sono fatte di ottone dorato e inciso. Parte dell'acciaio era stato azzurrato (il procedimento di cambiare il colore esterno dell'acciaio tramite ossidazione causata da calore), procedimento decorativo ancora oggi in uso.
(Per gentile concessione dell'Ashmolean Museum, Oxford, UK.)

Un meccanismo d'orologio risalente al 1770 ca., costruito, a quanto pare, a Londra, sotto lo pseudonimo di «John Wilter». Wilter diventò un'ossessione per me dopo che trovai uno dei suoi orologi in una casa d'aste. Non vi sono prove che sia mai esistito un orologiaio con questo nome e lo stile non è tipico degli orologi costruiti a Londra. I cosiddetti «falsi olandesi» avrebbero cambiato per sempre la dinamica dell'industria orologiera e furono il primo passo del viaggio verso la produzione di orologi a un prezzo accessibile a tutti.

Casse d'orologio *repoussé* come questa erano molto comuni nella seconda metà del XVIII secolo. Venivano punzonate o martellate per creare un rilievo tridimensionale che veniva poi inciso, di solito con scene classiche o bibliche. La tecnica si prestava alle casse esterne degli orologi a doppia cassa: quella interna alloggiava il movimento e quella esterna proteggeva la prima.

«Tarts, London» è il nome di un altro famoso orologiaio fittizio che si poteva incontrare nei falsi del XVIII secolo. Questo è il davanti della cassa dell'immagine precedente. Il quadrante è ad arcata, il che significa che la minuteria è smerlata tra i numeri delle ore, stile comune tra gli orologiai olandesi. L'orologio è montato su una *chatelaine* che permetteva di indossarlo sul fianco, appeso alla cintura.

Un esempio di uno dei primi orologi *perpetuelle* o ad autoricarica di Abraham-Louis Breguet, costruito a Parigi nel 1783. Breguet è considerato uno dei più grandi orologiai di tutti i tempi e numerose sue invenzioni sono usate ancora oggi. Il suo *perpetuelle* fu il primo orologio automatico in grado di ricaricarsi con il movimento di chi lo portava. La lancetta e la scala retrograda in alto a sinistra mostrano quante ore di carica ha immagazzinato il meccanismo.

(Per gentile concessione del Museo Clockmakers, Museo della Scienza, Londra, UK.)

Il peso a forma di scudo oscilla avanti e indietro con il movimento del portatore, spingendo una serie di ruote a caricare la molla e, di conseguenza, l'orologio. Breguet aveva montato in quest'orologio un'altra delle sue invenzioni: fili d'acciaio, accordati con cura, come corde di pianoforte, che corrono lungo la parte esterna del meccanismo e vengono colpiti da martelli per rintoccare ore e quarti d'ora. I gong di fili di Breguet sostituirono le campane situate dentro la cassa, il che permise di rendere gli orologi a ripetizione molto più sottili, com'era la moda dell'epoca.

(Per gentile concessione del Museo Clockmakers, Museo della Scienza, Londra, UK.)

Questo orologio da taschino con sveglia apparteneva al capitano ed esploratore Robert Falcon Scott, conosciuto come «Scott dell'Antartico». Lo accompagnò nella sua sfortunata spedizione al Polo Sud, la *Terra Nova* (1910-1913), e fu rinvenuto sul suo corpo, quando una squadra di soccorso recuperò il suo cadavere e quelli dei suoi compagni Edward Adrian Wilson e Henry Robertson Bowers, otto mesi dopo la loro morte causata dalle intemperie. L'orologio, insieme ai diari e ad altri effetti personali, fu riportato nel Regno Unito.
(Per gentile concessione del Museum of Timekeeping, Newark, UK.)

Il Rolex Rebberg, uno dei primi meccanismi costruiti nella manifattura Rebberg per la compagnia Rolex Watch, nel 1920 ca. Veniva usato prima che Rolex iniziasse a produrre i propri movimenti ed è uno dei nostri orologi d'epoca preferiti da restaurare. Anche se la maggior parte dei componenti era costruita a macchina, veniva poi finito a mano, il che produceva lievi variazioni, a differenza degli orologi di oggi, completamente prodotti in serie dalle macchine.
(Su autorizzazione di James Dowling.)

Uno dei nostri preferiti e dei più rari primi Rolex Rebbers che abbiamo visto era anche uno dei primi brevetti di Wilsdorf: il progetto di un orologio da taschino ad aletta unica, cosa che rendeva possibile appenderlo a un nastro o a una fascia sull'uniforme di un'infermiera. Costruito nel 1924 ca., i congegni su entrambi i lati sono «strumenti vibranti», che adoperiamo per misurare la molla che controlla la velocità a cui marcia un orologio meccanico.
(Su autorizzazione di James Dowling.)

Un'impronta digitale del 1780 ca., trovata impressa nella controsmaltatura del quadrante di un orologio. La controsmaltatura, sul retro del pezzo, viene usata per prevenire la deformazione del quadrante quando lo smalto decorativo visibile è applicato sul davanti. Questo non era pensato per essere visto ed è improbabile che la persona che lasciò l'impronta fosse consapevole di quanto unica e speciale sarebbe stata per noi oggi. Fu, quasi sicuramente, accidentale. La smaltatura del quadrante è un'arte separata dall'orologeria. Questo quadrante fu commissionato da James Wilson, un orologiaio di King Street, a Londra, il cui nome è segnato sul retro del quadrante allo stesso modo in cui un sarto potrebbe mettere il nome del cliente in un completo su misura per identificarlo sull'appendiabiti.

(Su autorizzazione di Kevin Carter; @kccarter1952.)

sa delle albe tardive e dei tramonti anticipati dell'inverno. D'estate i contadini lavoravano duramente al raccolto fino a tarda sera, mentre durante i mesi freddi, con giornate più corte, si concentravano sull'allevamento degli animali, fino a quando la temperatura non si riscaldava abbastanza da poter di nuovo seminare la terra. In Gran Bretagna i *crofters* – lavoratori che affittavano appezzamenti di terra (*crofts*) – si dedicavano alla costruzione di fabbricati e alla posa di tetti di paglia e, quando le intemperie li costringevano al chiuso, costruivano culle o addirittura bare (letteralmente, si prendevano cura delle loro comunità dalla nascita alla tomba). I pescatori riparavano le reti e le barche quando il tempo non permetteva di pescare. La vita era dura e spietata; ma, occupandosi di ciò che era necessario in un dato momento, queste modalità di lavoro definivano naturalmente stagioni intense e stagioni che concedevano maggior tempo per il relax e per i piaceri, anche se con una definizione meno precisa della giornata lavorativa. Nelle comunità agricole odierne, in misura maggiore o minore, questo approccio sopravvive anche oggi.

L'avvento del mondo prevedibile e meccanizzato della fabbrica ha rappresentato una netta linea di demarcazione e, dal 1760 circa fino all'età vittoriana, ha reso l'Inghilterra avamposto della rivoluzione industriale. Il cambiamento non riguardava tanto il passaggio al lavoro salariato – anche in epoca feudale i «lavoratori a giornata» erano assunti dietro compenso – quanto piuttosto una nuova severità nei confronti del lavoro a tempo.[2] La giornata lavorativa non era più definita dall'alba e dal tramonto. Con lo sviluppo dei processi di fabbrica e la specializzazione dei lavori, la precisione dei tempi diventava fondamentale per la sincronizzazione. I dipendenti erano una sorta di ingranaggio in più, assunti per un periodo di tempo determinato e valutati in termini di produttività. La puntualità diventava profitto.

Provate a immaginare una figura autorevole vissuta a cavallo tra il XIX e il XX secolo. Potrebbe trattarsi di un industriale (quasi di certo sarà un «lui»), il proprietario di una fabbrica; forse è il direttore di un'officina; oppure un politico o un leader sindacale. È vestito in modo elegante, con un abito scuro e la camicia bianca abbottonata fino al colletto. Forse ha un cappello a cilindro, una bombetta o un berretto piatto. Potrebbe avere barba, baffi o essere ben sbarbato. Quasi di certo indosserà un gilet. Se è più ricco, magari sarà di seta, decorato, o più pesante, di lana, più pratico e meno appariscente.[1] Forse state immaginando un uomo come Winston Churchill o Keir Hardie. Forse il principe Alberto, Abraham Lincoln o un personaggio di fantasia come il dottor John Watson di Arthur Conan Doyle o Atticus Finch di Harper Lee. Indipendentemente dal fatto che siano ricchi da generazioni o nuovi ricchi, dalla loro estrazione sociale, dalla loro collocazione politica a destra o a sinistra, c'è qualcosa che in genere accomuna lo stile di questi uomini. La prossima volta che vedrete le loro fotografie o ne leggerete una descrizione, prestate attenzione alla catenella dell'orologio da taschino appuntata all'occhiello del panciotto (il principe Alberto era talmente appassionato a questo modo di portare l'orologio che la catenella oggi è nota come catena Albert). In quell'epoca di espansione industriale, l'orologio divenne un simbolo non solo dell'agiatezza e dell'istruzione del proprietario, ma anche della sua serietà nei confronti del lavoro.

Sebbene il puritanesimo in Europa all'epoca della rivoluzione industriale non fosse più dominante, anche gli industriali predicavano la redenzione attraverso il duro lavoro – per evitare che il diavolo impiegasse in altro modo gli uomini pigri. Ora, però, il vero obiettivo era la produttività e non la redenzione, anche se spesso le due cose erano strategicamente sovrapposte. A coloro che erano abituati a lavorare a tempo, gli operai di provincia apparivano pigri e disorganizzati, sempre più associati all'immoralità e alla sciatteria. «Risparmiare tempo» fu invece promosso come una virtù e persino come fonte di salute. Nel 1757, lo statista irlandese Edmund Burke

---

[1] La diffusione dei gilet, anche tra gli uomini che svolgono lavori manuali impegnativi in soffocanti laboratori di gioielleria, mi stupisce sempre.

Un orologio da taschino in argento montato su una catena Albert,
per indossarlo con il panciotto.

sostenne che erano «l'eccessivo riposo e la rilassatezza [a] essere fatali, creando malinconia, sconforto, disperazione e portando al suicidio», mentre il duro lavoro era «necessario alla
salute del corpo e della mente».[3]

Lo storico E.P. Thompson, nel suo famoso saggio *Time,
Work-Discipline, and Industrial Capitalism* (Tempo, disciplina
del lavoro, e capitalismo industriale), descriveva poeticamente
il ruolo dell'orologio nella Gran Bretagna del XVIII secolo come quel «piccolo strumento che ora regola i ritmi della vita
industriale». È una descrizione che, da orologiaia, mi piace
particolarmente, dato che spesso «regolo» gli orologi su cui
lavoro – adeguando la lunghezza della molla per far funzionare l'orologio al giusto ritmo – in modo che possano regolarci
nella vita quotidiana. Quando si trattava di classi dirigenti,
tuttavia, gli orologi non dettavano soltanto la vita dei proprietari, ma anche quella dei loro dipendenti.

Nel 1850 James Myles, operaio di Dundee, scrisse un racconto dettagliato della sua vita lavorativa in una filanda. James
aveva vissuto in campagna prima di trasferirsi a Dundee con
la madre e i fratelli dopo che il padre era stato condannato a
sette anni di confinamento nelle colonie per omicidio. Aveva

147

solo sette anni quando riuscì a ottenere un lavoro in fabbrica, con grande sollievo della madre, visto che la famiglia stava già morendo di fame. Myles scrive di essere entrato «nella polvere, nel frastuono, nel lavoro, nel sibilo e nelle urla tra le persone».[4] In un mulino della zona la giornata lavorativa durava dalle diciassette alle diciannove ore e il momento dei pasti era quasi abolito per ottenere il massimo della produttività dagli operai: «Le donne erano impiegate a bollire le patate e le portavano dentro a delle ceste in diversi locali; i bambini dovevano buttarne giù una in fretta... Con questi pasti, cucinati e consumati come descritto, dovevano resistere fino alle nove e mezza, spesso fino alle dieci di sera». Per far arrivare gli operai in fabbrica in tempo, i capisquadra mandavano degli uomini a svegliarli. Myles scrive che «il sonno mite aveva a malapena chiuso loro le palpebre da monelli e immerso le loro anime infantili in una beata dimenticanza, quando il battito del bastone dei guardiani sulla porta li destava dal riposo e le parole "Alzati, sono le quattro" ricordavano loro che erano bambini di fabbrica, vittime non protette di una monotona schiavitù».

Le sveglie umane, in inglese *knocker-upper*, divennero una presenza comune nelle città industriali.[II] Se non si possedeva un orologio con sveglia (complicazione costosa per l'epoca), si poteva pagare un piccolo compenso al *knocker-upper* di quartiere perché all'ora concordata battesse sulle finestre delle camere da letto con un lungo bastone, o persino con una cerbottana. I bussatori cercavano di concentrare il maggior numero di clienti nel raggio di pochi passi, ma stavano anche attenti a non bussare troppo forte per non svegliare gratis i vicini. Il loro servizio divenne più necessario quando le fabbriche si affidarono in misura maggiore ai turni, prevedendo orari irregolari.[5]

Una volta in fabbrica, la conoscenza dell'ora era spesso intenzionalmente limitata e poteva essere manipolata dal datore di lavoro. Eliminando tutti gli orologi visibili che non fossero

---

[II] In alcune città del Nord continuarono a operare fino agli anni Settanta del Novecento.

quelli controllati dall'azienda, l'unica persona che sapeva a che ora gli operai avessero iniziato e per quanto tempo avessero lavorato era il padrone. Era perciò facile ridurre il tempo del pranzo e delle pause designate e prolungare la giornata lavorativa, aggiungendo qualche minuto qua e là. Quando gli orologi cominciarono a diventare più accessibili, coloro che potevano permetterseli iniziarono a essere visti come una presenza sgradita che sfidava l'autorità.

Il racconto di un operaio di un cotonificio della metà del XIX secolo riporta: «D'estate lavoravamo finché riuscivamo a vedere, e non saprei dire a che ora smettevamo. Solo il padrone e il figlio del padrone avevano un orologio e noi non sapevamo che ora fosse. C'era un uomo che aveva un orologio... Gli fu tolto e fu dato in custodia al padrone perché aveva detto agli altri che ora fosse...».[6]

James Myles racconta una storia simile: «In realtà non c'erano orari regolari: padroni e dirigenti facevano di noi quello che volevano. Gli orologi delle fabbriche venivano spesso portati avanti la mattina e indietro la sera, e invece di essere strumenti per la misurazione del tempo, venivano utilizzati come scusa per imbrogliare e opprimere. Nonostante tutti lo sapessero, avevano paura di parlare, e un operaio a quei tempi non osava portare l'orologio, poiché non di rado capitava che venisse licenziato chi dimostrava di saperne troppo sulla scienza dell'orologeria».

Il tempo era una forma di controllo sociale. Far iniziare la giornata di lavoro alle prime luci dell'alba, o anche prima, era considerato un modo efficace per prevenire i disordini generati dalla classe operaia e aiutarla a diventare membro produttivo della società. Come spiegò un industriale, «la necessità di alzarsi presto ridurrebbe i poveri alla necessità di andare a letto prima, impedendo così il pericolo dei bagordi di mezzanotte».[7] E non era mai abbastanza presto per abituare i meno abbienti al controllo temporale. Anche l'anarchia dei bambini doveva essere domata e adattata agli orari. Nel 1770, l'ecclesiastico inglese William Temple aveva sostenuto che tutti i bambini poveri dovessero essere mandati dall'età di quattro anni nelle case di lavoro, dove avrebbero ricevuto anche due ore di educazione al giorno. Egli riteneva che ci fosse

un'utilità considerevole [nel fatto] che siano, in un modo o nell'altro, costantemente impiegati per almeno dodici ore al giorno, sia che [questi bambini di quattro anni] si guadagnino da vivere sia che non lo facciano; perché con questi mezzi speriamo che la generazione nascente sia così abituata al lavoro costante che alla fine si rivelerà per loro persino piacevole e divertente...[8]

Perché sappiamo tutti che la maggior parte dei bambini di quattro anni troverebbe divertenti dieci ore di duro lavoro seguite da altre due di scuola. Nel 1772, in un saggio distribuito sotto forma di pamphlet intitolato *A View of Real Grievances*, un autore anonimo aggiungeva che questo addestramento all'«abitudine alla laboriosità» avrebbe fatto sì che, all'età di sei o sette anni, i bambini fossero «abituati, per non dire naturalizzati, al lavoro e alla fatica».[9] Ai lettori con figli piccoli in cerca di ulteriori suggerimenti, l'autore offre esempi dei lavori più adatti ai bambini sulla base «della loro età e forza», per esempio in agricoltura o per mare. Tra i compiti più adatti c'erano lo scavo, l'aratura, la potatura, il taglio della legna e il trasporto di oggetti pesanti. Cosa c'è di male nel dare a un bambino di sei anni un'ascia o nel mandarlo in Marina?

L'industria orologiera aveva la propria branca di sfruttamento del lavoro minorile nota con il bizzarro nome di «la gang delle trasmissioni fuso-catena di Christchurch».[10] Quando le guerre napoleoniche causarono problemi di approvvigionamento di trasmissioni fuso-catena, la maggior parte delle quali proveniva dalla Svizzera, Robert Harvey Cox, un orologiaio della cittadina di Christchurch, sulla costa meridionale dell'Inghilterra, vi colse un'opportunità. La produzione di trasmissioni fuso-catena non è complicata, ma è estremamente laboriosa. Le catene, simili a quelle delle biciclette, non sono molto più spesse di un crine di cavallo e sono composte da maglie che vengono stampate a mano e poi rivettate insieme. Per realizzare una sezione di catena lunga quanto un polpastrello occorrono 75 o più maglie singole e rivetti; una catena completa può essere lunga quanto una mano. Un libro sull'orologeria lo definisce «il peggior lavoro del mondo». Cox, tuttavia, lo considerava un lavoro perfetto per le piccole mani dei bambini e seppe come procurarselo quando, nel 1764, aprì la Christchurch and Bournemouth Union Workhouse, che dava alloggio agli indigenti della città. Al suo apice, la fabbrica di Cox impiegava circa quaranta o cinquanta bambini, alcuni di nove anni, con il pretesto di evitare che fossero un peso per la società. Il loro salario, a volte inferiore a uno scellino alla settimana (corrispondente a circa 3 sterline odierne), veniva versato direttamente alla casa di lavoro. Le giornate erano lunghe e, anche se sembra che avessero a disposizione uno strumento di ingrandimento, il lavoro poteva causare mal di testa e danni permanenti alla vista. Alla fabbrica di Cox ne seguirono altre e Christchurch, una cittadina mercantile altrimenti ignota, sarebbe diventata la principale produttrice britannica di catene fino al 1914, con lo scoppio della prima guerra mondiale.

L'approccio delle industrie nei confronti del tempo provocava danni importanti alle comunità lavorative più povere; la combinazione tra lunghe ore di duro lavoro, in ambienti spesso pericolosi e fortemente inquinati, con le malattie e la malnutrizione causate dalla povertà assoluta era letale. In Gran Bretagna l'aspettativa di vita in alcune delle aree manifatturiere a sfruttamento più intensivo era incredibilmente bassa. Un censimento del 1841 della parrocchia di Dudley, nella contea di West Midlands, rilevò che la media era di soli sedici anni e sette mesi.

Molte persone abituate come me alla malinconia della domenica sera possono testimoniare che il ritmo della settimana lavorativa influenza la nostra percezione del tempo, anche quando non stiamo lavorando. Nel 1937, uno studio innovativo sulla vita nella città di Bolton, nel Lancashire, denominato Worktown Project, ha osservato che i lavoratori «aspettavano con ansia» la fine delle ferie, tanto quanto la fine della settimana lavorativa. «Attendevano sempre con apprensione la conclusione di un determinato periodo», si legge nello studio, e non potevano «sfuggire... al tempo» nemmeno durante le ferie estive.[III]

Nel 1954 Philip Larkin protestava: «Perché dovrei lasciare che il rospo chiamato *lavoro* / si accovacci sulla mia vita?». Come Larkin, non sono mai stata felice come impiegata. A differenza di alcuni operai, ho avuto la possibilità di seguire i miei entusiasmi e nel corso della mia carriera sono stata sostenuta da persone intelligenti e generose. Ma ci sono stati anche momenti difficili. La verità è che ho sempre trovato stressante lavorare per gli altri. Anche quando non si trattava di un lavoro faticoso o ripetitivo, ho lottato con i codici e i compromessi incomprensibili sul posto di lavoro, sia che si trattasse dell'obbligo di esibirsi come oggetto decorativo e intrattenere i collezionisti di una casa d'aste di alto profilo, sia che si trattasse di negoziare le regole sociali implicite delle persone più ricche del mondo. Ma soprattutto, era la sensazione di lavorare *sotto* qualcuno, la sensazione del potere di quel qualcuno sul mio tempo, anche quando non ne era consapevole. Una cattiva gestione e obiettivi sempre diversi facevano sì che il lavoro e le preoccupazioni del lavoro monopolizzassero anche la mia vita extralavorativa. Mi sembrava di non avere sotto controllo il mio tempo e ciò mi ha portato a un punto di rottura.

Nel 2012, una mattina mi sono svegliata e sono scoppiata a piangere. Tremavo, non riuscivo a respirare, a parlare, a muovermi. Mi sembrava che qualcuno stringesse il mio cuore in un

---

[III] Gran parte della ricerca è stata condotta nei pub, dove si è notato che i lavoratori bevevano più in fretta il venerdì e il sabato – una caratteristica che è stata attribuita non solo al fatto che il venerdì fosse giorno di paga, ma anche al desiderio di sfruttare al massimo il tempo libero.

pugno. È stato il mio primo attacco d'ansia. Sapevo di non poter andare avanti. Ero un'anomalia nel mondo dell'orologeria, un ancoraggio squadrato che non si adattava, e lo sforzo mi distruggeva. Mi hanno sospeso per stress. Craig, che odiava vedermi in quello stato, mi disse che era ora di smettere. Ma non voleva che buttassi al vento la mia carriera. Aveva un'altra idea. Era già stato un lavoratore autonomo in passato, quindi forse non era così azzardato per lui che provassimo a ottenere un prestito e metterci in proprio. Essere i capi di noi stessi. L'attrattiva fu immediata e consisteva nel fatto di non dover più affidare le mie giornate a qualcun altro, di poter operare secondo la mia «logica del bisogno», per dirla con E.P. Thompson.

Avviare l'attività è stato il mio modo di combinare la vita lavorativa con quella domestica: non è sempre facile, lo ammetto. Tutte le piccole imprese sono un'estensione dei proprietari, il che rende la separazione del lavoro dalla propria vita personale difficile, se non impossibile, soprattutto quando si collabora con il proprio partner. È stata una delle scelte più ardue che abbia mai fatto e in diverse occasioni ci è costata quasi tutto. Ma niente ha danneggiato la mia salute come sottomettermi ai capricci degli altri. Ho imparato che, alla resa dei conti, ho bisogno che il mio tempo mi appartenga.

Il controllo del tempo ha avuto un ruolo fondamentale nella costruzione degli imperi. Anche oggi viviamo seguendo il calendario cristiano, non importa se siamo religiosi o atei. L'anno in cui state leggendo questo libro è stato calcolato a partire dalla nascita di Gesù Cristo e definito d.C. (che sta per dopo Cristo).[11] I colonialisti hanno imposto questa concezione cristiana del tempo ai popoli che hanno conquistato, cercando di regolare la loro giornata proprio come i primi ordini religiosi richiamavano la gente alla preghiera grazie ai rintocchi dell'orologio della torre campanaria.

L'antropologo Edward T. Hall, alla fine degli anni Cinquanta del secolo scorso, ha coniato il termine «cronemica» per indicare la disciplina che studia la percezione del tempo nelle diverse culture. Secondo Hall, le nazioni occidentali, in particolare gli Stati Uniti e il Nord Europa, sono in gran parte società «monocroniche», caratterizzate cioè dall'abitudine di concentrarsi su singoli compiti e da processi lineari. Apprezzano la puntualità e il rispetto delle scadenze, sono orientate al futuro e aborrono l'attesa. Sono individualiste. Le culture «policroniche», invece, come quelle dell'Asia, dell'America Latina, dell'Africa subsahariana o del Medio Oriente, tendono maggiormente al multitasking, sono incentrate più sulle relazioni che sui compiti, orientate al presente o addirittura al passato (per esempio, India, Cina o Egitto). Potrebbero persino non avere (come nella lingua Sioux) una parola per indicare l'attesa. Quando una società monocronica incontra una società policronica, il risultato è spesso uno scontro culturale. Queste disparità sono presenti persino nel modo in cui ci salutiamo: mentre una persona occidentale potrebbe semplicemente dire «Ciao, come stai?», un abitante della Mongolia potrebbe passare dieci minuti a chiederti come hai dormito la notte precedente e a informarsi sulla salute della tua famiglia. Di recente la globalizzazione ha attenuato le differenze nei comportamenti nazionali; gli Smartphone ci hanno abituati al multitasking, e a parlare e digitare in fretta. Ma non c'è dubbio che nei secoli passati queste distinzioni abbiano alimentato stereotipi e pregiudizi razziali.

Negli Stati Uniti, i colonizzatori consideravano i nativi americani dei «selvaggi». Una delle ragioni principali di questa valutazione era che il loro modo di lavorare era ancora strettamente legato al mondo naturale e sembravano non voler o non poter abbracciare il sistema temporale occidentale. Erano «radicati nella loro violazione dell'imperativo divino di appropriarsi del mondo, poiché coniugavano il loro lavoro con la natura».[12] Questo accadeva in tutto il mondo. Nell'Ottocento gli occidentali consideravano i minatori messicani «indolenti e infantili» e notavano la loro «mancanza di iniziativa, l'incapacità di risparmiare, le assenze per via delle troppe festività, la disponibilità a lavorare solo tre o quattro giorni alla settimana se questo bastava a coprire le necessità, l'insaziabile desiderio di alcol – tutto ciò veniva considerato prova di una naturale inferiorità».[13] A parte il desiderio di alcol, in un'epoca in cui molti hanno perso completamente l'equilibrio tra lavoro e vita privata, si potrebbe sostenere che fosse il minatore messicano del XIX secolo a essere nel giusto. Racconti simili riguardano persone provenienti dall'Africa, dal Medio Oriente e da nazioni cattoliche a dominanza protestante, come l'Irlanda del Nord.

Esisteva un tempo bianco, maschile, europeo, pensato per favorire quanti avevano i mezzi per gestirlo a scapito di chi finiva sotto il loro controllo. Il fatto che la cultura europea del tempo sia stata considerata essenziale per l'evoluzione sociale ha portato alla deduzione che tutti gli «altri» fossero «indietro» nello sviluppo. Gli studiosi descrivono questo fenomeno come alterità temporale. Utilizzando le parole dell'esperto di relazioni internazionali Andrew Hom, significava che la percezione del tempo anglo-europea era «matura, adulta e orientata al futuro, mentre le altre culture erano viste come immature, infantili e arretrate». Questo tipo di stereotipi ha contribuito a sostenere il colonialismo occidentale nel suo tentativo di riformare il mondo a propria immagine e somiglianza.[14]

Coloro che facevano parte della classe dominante della nuova era industriale reagivano a qualsiasi ribellione da parte della forza lavoro licenziando, nel migliore dei casi, e, nel peggiore, ricorrendo alla violenza. Il messaggio prevalente era che chi non era in grado di adeguarsi a giornate lavorative di dodici ore, sei giorni alla settimana, fin dall'età di quattro anni, in condizioni spesso estremamente pericolose e sgradevoli fino all'inimmaginabile, dimostrava la propria «naturale inferiorità». Inutile dire che i padroni benestanti e gli imprenditori industriali, amanti del tempo libero, non erano disposti a lavorare alle stesse condizioni.[15]

Il tempo è una merce: è qualcosa che possediamo e che possiamo vendere. Ogni lavoro che svolgiamo è una transazione: stiamo vendendo (o forse affittando) una parte del nostro tempo a un datore di lavoro. Se quest'ultimo cerca di utilizzare il nostro tempo senza pagarci, ci sentiamo giustamente truffati. Nei casi limite, l'accordo può diventare una schiavitù, privandoci del diritto umano fondamentale della libertà.

In Gran Bretagna i sindacati, legalizzati nel 1824, avevano capito che il tempo era un concetto cruciale quando si trattava dei diritti dei lavoratori. I primi frutti della lotta si ebbero con il Factories Act del 1847, quando l'orario di lavoro per donne e bambini fu limitato a dieci ore al giorno, cedendo alle richieste delle «tre otto»: otto ore di lavoro, otto ore di tempo libero, otto ore di riposo (una descrizione che mi fa pensare all'orologio a candela di re Alfredo).[IV] Un altro successo del movimento sindacale fu il Factory Act del 1850, che raccomandava (l'ultima parola spettava ancora al proprietario) che il lavoro si fermasse alle 14 del sabato, inaugurando così l'idea moderna del fine settimana.

Tradizionalmente, i lavoratori si concedevano le ferie, prendendosi il lunedì santo, un giorno di riposo non ufficiale per smaltire gli eccessi del sabato e della domenica sera. Conseguenza dell'epoca in cui gli artigiani lavoravano sei giorni a settimana, dal lunedì al sabato, il lunedì santo persistette fino agli anni Settanta e Ottanta dell'Ottocento, nonostante fosse molto sgradito ai datori di lavoro. Nel 1842 la Early Closing Association (Associazione per la chiusura anticipata), sostenuta dai movimenti per la temperanza, convinse i datori di lavoro che avrebbero ridotto l'assenteismo e aumentato la produttività se avessero permesso ai lavoratori di finire in anticipo il sabato. La misura fu promossa definendo un pomeriggio de-

[IV] La legge relativa alle ferie retribuite del 1938 ha segnato il momento in cui i britannici hanno potuto andare in vacanza senza dover chiedere permessi non retribuiti. Solo nel 1998 è stato sancito per legge il diritto alla settimana di quarantotto ore.

dicato ai piaceri salutari e allo «svago razionale» – una passeggiata in campagna, il giardinaggio o qualsiasi altra attività che richiedesse la luce del giorno – e diede impulso a una fiorente industria del tempo libero. I teatri e i music-hall, che un tempo si rivolgevano al pubblico del lunedì, cominciarono ad aprire il sabato e le squadre di calcio, fondate in principio dalle chiese per evitare che i lavoratori andassero troppo presto in birreria, iniziarono a giocare le partite il sabato pomeriggio.[V]

La diffusione delle ferrovie portò a un'esplosione della popolarità delle gite fuori porta. Con l'avvento della locomotiva a vapore, che riduceva i tempi di percorrenza in maniera radicale, si poteva arrivare più lontano e più in fretta, dando spazio alle avventure all'aria aperta, dai picnic alle escursioni, fino ai giri in barca e alle visite al circo. Le vacanze sulla costa per motivi di salute erano già popolari da quando, un secolo prima, i medici georgiani avevano iniziato a promuovere i benefici olistici delle acque salmastre e dell'aria fresca e salata del mare e ora c'era un picco di gite in spiaggia. Alla fine del XIX secolo i lungomare noti di città come Brighton e Blackpool erano affollati di turisti provenienti dai ceti sociali più disparati.

Per le donne della classe operaia, il «tempo libero» sembrava non arrivare mai. La classica giornata lavorativa di dieci-dodici ore era soltanto l'inizio per madri e mogli, da cui ci si

---

[V] L'epoca vittoriana vide la nascita degli sport organizzati. Le regole del rugby furono pubblicate nel 1845, quelle del calcio nel 1863. I viaggi in treno permisero alle squadre locali di cricket, rugby o calcio di spostarsi per le partite in trasferta, consentendo la nascita di grandi competizioni nazionali, come la FA Cup (1871). E non erano solo le squadre a poter viaggiare, ma anche gli spettatori. Gli impianti sportivi più vecchi, come quello di Epsom, registrarono un boom di visitatori, in quanto le persone potevano ora attraversare il paese per assistere alle gare.

aspettava che continuassero a lavorare quando tornavano a casa la sera per prendersi cura della famiglia. Già nel 1739 Mary Collier, lavandaia dell'Hampshire, lamentava:

> ...quando torniamo a casa, ahimè!
> scopriamo che il nostro lavoro è appena iniziato;
> tante cose richiedono la nostra attenzione,
> se avessimo dieci mani, potremmo farle tutte.
> Mettiamo a letto i nostri figli con la massima cura
> prepariamo tutto per il vostro ritorno a casa:
> voi mangiate e andate a letto senza indugio,
> e riposate fino al giorno successivo;
> mentre noi, ahimè, non possiamo dormire,
> perché i nostri figli ostinati piangono e si lamentano...
> In ogni lavoro facciamo la nostra parte;
> e dal momento in cui inizia la mietitura
> fino a quando il grano viene tagliato e portato dentro,
> la fatica e il lavoro del quotidiano sono per noi così estremi,
> che non abbiamo quasi mai il tempo di sognare.[16]

Un'analoga ballata scozzese del XVIII secolo, intitolata *Answer to Nae Luck about the House*, racconta la storia di un uomo di nome John che si fa carico delle faccende domestiche della moglie pensando che siano più semplici del suo lavoro, per scoprire quanto in realtà siano molto più dure. Egli esprime grande sollievo quando la moglie torna finalmente a casa.[17]

Non si trattava soltanto del fatto che le donne avessero più mansioni da svolgere, spesso in aggiunta alla giornata di lavoro salariato (molte donne della classe operaia vittoriana erano costrette a tornare al lavoro appena dopo aver partorito), ma anche del fatto che il loro impegno in casa non aderiva al modello lineare orientato al risultato che c'era sul posto di lavoro. Come la maggior parte di noi sa bene, le faccende domestiche – lavare, cucinare, pulire – sono fatiche di Sisifo che non si esauriscono mai. Dopo aver cucinato un pasto, averlo consumato e poi riordinato la stanza, si era già pronti per cucinarne un altro.

Anche oggi il lavoro di educazione dei figli ostacola la nostra nozione capitalistica di produttività. I nuovi genitori che lavorano in casa devono adattarsi a essere, come afferma la psicoterapeuta Naomi Stadlen, «interrompibili in ogni istante», per cui l'obiettivo di finire qualcosa, qualsiasi cosa, è inevitabilmente ostacolato dalle rumorose richieste della prole.[18] Nel frattempo, il compito di crescere un bambino si svolge in maniera quasi impercettibile, in una serie di pasti, nanne e coccole (e, in seguito, di litigi per il tempo trascorso davanti allo schermo). Le ore passano lente quando aspettiamo un bambino che si ferma a ogni passo per guardare le formiche che si ammassano su un muro a lato del marciapiede, e poi corrono veloci, quando alziamo lo sguardo per scoprire che all'improvviso davanti a noi c'è un adolescente peloso.

Perché il tempo sembra accelerare con l'età? Sebbene chi è genitore sia testimone degli enormi cambiamenti dei figli, da piccoli questi restano relativamente stabili.[VI] Tendiamo a ricordare le novità in maniera più definita, a viverle come più lente. Inoltre, istintivamente, più un ricordo è nitido più pensiamo sia recente. Nel 1987, lo psicologo Norman Bradbury ha definito questa ipotesi «chiarezza della memoria». Se un ricordo non è chiaro, pensiamo sia accaduto più indietro nel tempo, mentre i ricordi unici, capaci di cambiarci la vita, come l'arrivo di un bambino nella nostra esistenza, ci sembrerà sempre che siano accaduti da poco.[19]

Con il progredire dell'era industriale, il settore orologiero era però in declino. Dopo le vette vertiginose dell'età dell'oro,

[VI] Un recente studio condotto dai ricercatori dell'Istituto per le aree di frontiera della psicologia e della salute mentale di Friburgo, in Germania, e dell'Università di Ginevra ha scoperto che i genitori percepiscono il tempo più velocemente rispetto ai non-genitori.

l'orologeria in Gran Bretagna divenne uno dei pochissimi rami a mancare clamorosamente il processo di industrializzazione. I problemi economici erano iniziati presto, nel XIX secolo, quando la rivoluzione francese e le successive guerre napoleoniche (1803-1815), unite alla concorrenza dei falsi olandesi e all'incapacità degli orologiai britannici di modernizzare i metodi di produzione, avevano inflitto un colpo devastante al settore. L'attività orologiera britannica passò dall'essere il centro del mondo nel XVIII secolo all'orlo della rovina nel 1817. Migliaia di orologiai erano ormai disoccupati e rischiavano una vita di stenti.[20] Nel 1817 uno degli organizzatori del fondo di soccorso della Worshipful Company of Clockmakers raccontò di essere stato in visita presso un ex orologiaio londinese e di aver trovato la famiglia in condizioni terribili

uno straccio a coprirli e i bambini senza scarpe né calze, e senza pane [...] aveva una moglie e cinque figli. Lei e i bambini erano in una stanza priva di camino, ed era gennaio. In un angolo della stanza c'era una sorta di letto sul pavimento; credo fosse soltanto un po' di paglia coperta da un panno senza lenzuola, con una sottile copertura di cotone; era tutto ciò che loro sette avevano per dormire.[21]

Il commercio di beni di lusso soffre sempre in tempi di guerra e recessione. Un orologio di lusso, come ebbe modo di dire un commerciante al parlamento nel 1817, è «il primo articolo che viene messo da parte in tempi di angoscia, e l'ultimo a essere ripreso quando l'angoscia se ne va». Un rapporto degli anni Trenta dell'Ottocento della Clockmakers' Company lamentava che gli orologi economici e dinamici prodotti sul continente, come i falsi olandesi, si trovavano ormai in gioiellerie, mercerie, modisterie, sartorie, profumerie, «negozi di giocattoli francesi» o semplicemente «venduti per la strada».

La concorrenza portò alla diminuzione dei salari degli orologiai. Verso la metà del XIX secolo, la vita degli apprendisti che lavoravano a Prescot, nel Lancashire, era «per lo più un inferno» e gli artigiani intagliatori erano conosciuti con il poco lusinghiero appellativo di «poveracci».[22] A differenza degli orologiai svizzeri e francesi, quelli britannici erano stati molto testardi nel non voler incrementare la produzione di orologi a prezzi più accessibili. I mastri artigiani orgogliosi, abituati a produrre oggetti di qualità tanto elevata da essere considerati tra i migliori creatori di utensili al mondo, si erano dimostrati riluttanti a iniziare a tagliare i costi per produrre esemplari di qualità inferiore. Si erano opposti alle manifatture e persino all'assunzione di donne.

Non venne espressa la stessa riluttanza negli Stati Uniti, dove l'orologeria, dopo un inizio lento, accelerò in seguito all'adozione di una versione meccanizzata delle tecniche svizzere di *établissage*. Aziende come la Waltham Watch Company, fondata nel 1850 dal pioniere americano Aaron Lufkin Dennison, furono in grado di perfezionare *ébauches* standard, costruiti a macchina in grandi quantità. Per il mondo dell'orologeria erano l'equivalente di un impasto pronto per una torta, predisposto all'uso, che richiedeva poche aggiunte finali prima di essere messo in forno.

Storicamente, anche gli orologi prodotti con la tecnica dell'*établissage* erano per natura molto diversi tra loro, perché venivano assemblati a mano. Nel XIX secolo, però, l'orologeria americana si specializzò nella produzione di massa e nella standardizzazione attraverso l'uso di macchine. Ciò significa che nella seconda metà del secolo i componenti, i quadranti e le casse degli orologi potevano essere prodotti in luoghi diversi, consentendo ai proprietari delle aziende di sfruttare al meglio le competenze regionali e persino le differenze internazionali quando si trattava del costo dei metalli. Per la prima volta, inoltre, si potevano ordinare i pezzi: invece di costruire un nuovo bilanciere per sostituire quello vecchio, era possibile sceglierlo da un catalogo, il che rendeva più economici il montaggio, l'acquisto e la manutenzione.

Nel 1896, un'azienda di vendita per corrispondenza di New York, la Ingersoll Watch Company, mise in commercio l'orologio da taschino più economico in assoluto, chiamato Yankee, al prezzo irrisorio di un dollaro, l'equivalente di una giornata di lavoro per un americano medio.[VII] All'improvviso, persone di tutti i ceti sociali, dai domestici agli operai delle fabbriche e delle ferrovie, fino ai contadini, ai cowboy, agli ambulanti e persino i loro figli, potevano conoscere l'ora precisa ogni volta che lo desideravano. Nei vent'anni successivi al lancio, la Ingersoll vendette 40 milioni di orologi da taschino Yankee, sufficienti a rifornire ben oltre la metà della popolazione degli Stati Uniti dell'epoca. Il loro slogan era: «L'orologio che ha reso famoso il dollaro!».[VIII]

Gli orologi della Ingersoll tecnicamente non hanno nulla di speciale, ma sono comunque incredibili. Sono senza fronzoli, con casse economiche placcate in nichel che imitano l'argento, quadranti fatti di carta stampata e pressata a imitare lo smalto bianco. I movimenti sono ingombranti e privi di eleganza. Alcuni componenti venivano stampati per velocizzarne la produzione, lasciando gli spigoli grezzi e arrotondati. Sembrava che funzionassero a malapena, però funzionavano, e con grande successo. La Ingersoll commercializzò il suo Yankee con una garanzia di un anno, promettendo di riparare o sostituire gratuitamente qualsiasi orologio che non avesse mantenuto un «tempo perfetto». Ho avuto per le mani alcuni di questi orologi e, con mia sorpresa, sono ancora oggi ripristinabili. Possono essere smontati e puliti; si possono riparare le parti usurate o danneggiate. I prodotti economici odierni sono progettati per essere buttati nel cestino quando smettono di funzionare. Eppure, questo orologio costato appena un dollaro poteva e può essere riparato come qualsiasi altro orologio meccanico della sua epoca.

Se i falsi olandesi avevano lasciato l'industria britannica a piedi, l'ampia portata e l'organizzazione impeccabile della

VII Gli orologi inglesi più economici, non più precisi degli Yankee, si aggiravano all'epoca intorno ai 12,50 dollari.

VIII Durante un viaggio in Africa nel 1910, l'allora presidente degli Stati Uniti d'America, Theodore Roosevelt, si descrisse con orgoglio come «l'uomo del paese in cui si producono gli Ingersoll».

produzione di massa americana le diedero il colpo di grazia. Nel 1878 un «importante orologiaio londinese» anonimo prevedeva «che gli americani avrebbero fabbricato orologi per milioni di persone, lasciando ai britannici il compito di fabbricare orologi aristocratici per poche centinaia».[23] Una previsione che si rivelò fin troppo azzeccata, pur senza riuscire a indovinare tutti i problemi che avrebbe dovuto affrontare ciò che restava dell'ormai paralizzata industria britannica. Negli anni Settanta e Ottanta del XIX secolo, il Regno Unito si fece spedire in massa dagli Stati Uniti i macchinari per la creazione di movimenti orologieri standardizzati, nell'estremo tentativo di recuperare il tempo perduto, ma era già troppo tardi. Alla fine del secolo, la comunità di orologiai britannici, una volta fiorente, si riduceva ormai a pochi laboratori. L'ultimo produttore a creare orologi su scala commerciale in Gran Bretagna fu Smiths, che fondò la sua divisione orologiera nel 1851 e cessò definitivamente la produzione nel 1980. Oggi nel Regno Unito sono rimaste solo poche decine di artigiani con conoscenze e capacità adeguate per produrre orologi partendo da zero e utilizzando i metodi tradizionali. Io e Craig siamo tra questi. Tutti insieme, noi orologiai britannici produciamo ormai molto meno di cento orologi all'anno.

8. OROLOGI DA AVVENTURA

Alcune persone odiano sentirsi dire che una determinata cosa non si può fare. Io sono una di queste. Sono stata la prima del corso di orologeria a cimentarsi con un orologio con scappamento a verga, proprio perché il mio tutor pensava fosse troppo difficile per me. All'ultimo anno, invece del classico orologio, decisi di realizzare un orologio a pendente a forma di libellula. Nel 2011 incontrai George Daniels, l'orologiaio ancora in vita più famoso al mondo. Volle sapere perché lavorassi in una casa d'aste invece di creare orologi. Bella domanda, pensai. Mi chiese se mi sarebbe piaciuto un giorno produrre orologi miei; risposi di sì. Rise forte e mi disse che non vedeva l'ora di vederli. Ci sono voluti più di dieci anni per vincere la sfida di George. Purtroppo, se ne è andato e non può più vedere a cosa mi sto dedicando.

Questa mia caratteristica risale a molto tempo fa. La prima volta che ho letto un romanzo l'ho fatto in risposta a una sfida simile, dal momento che un insegnante poco gentile (uno di quelli che ti chiudono nell'armadio o strappano il tuo lavoro davanti alla classe per un errore di ortografia) mi disse che non avrei mai potuto leggere *Il giro del mondo in ottanta giorni* di Jules Verne perché era troppo lungo e difficile per me. Avevo otto anni e fino a quel momento avevo preferito i libri di scienze ai romanzi, ma quella storia, piena di audacia e avventura, suscitò il mio interesse. È ironico che *Il giro del mondo*, pubblicato nel 1872, sia esso stesso la storia di una scommessa: l'idea incredibile (per l'epoca) che fosse possibile circumnavigare il globo in ottanta giorni. Phileas Fogg era pronto a scommettere (e a spendere) una fortuna per sfidare chi dubitava di lui, viaggiando intorno al mondo in barca, treno, cammello e slitta, accompagnato dal suo fidato servitore Passepartout (che cercava disperatamente di rispettare la tabella di marcia con l'aiuto dell'orologio del bisnonno) e seguito dal dubbioso detective Fix.

La scommessa di Phileas Fogg non era poi così stravagante. Il mondo di fine Ottocento era, per certi aspetti, molto più piccolo di quello di inizio secolo. Da quando Richard Trevithick aveva inventato la prima locomotiva a vapore nel 1804, la febbre delle ferrovie si era diffusa in tutte le nazioni occidentali, per trasportare persone e merci da un luogo all'altro con una velocità mai vista prima. Le ferrovie avevano persino rimpicciolito la vasta nazione americana, almeno temporalmente.[1] All'inizio del secolo, per far arrivare una lettera da New York a New Orleans ci volevano addirittura tre mesi, e poi altri tre mesi per ricevere una risposta. Negli anni Cinquanta dell'Ottocento, grazie alla ferrovia, lo scambio richiedeva soltanto due settimane.[2] I miglioramenti apportati alle navi a vapore e l'apertura di rotte e canali accorciarono la durata dei viaggi in mare: all'inizio del XX secolo un viaggio dall'Inghilterra all'Australia durava da trentacinque a quaranta giorni invece dei precedenti quattro mesi. Nel frattempo, l'arrivo del telegrafo (inventato da Samuel Morse nel 1844) e del telefono (inventato da Antonio Meucci nel 1854 o da Alexander Graham Bell nel 1873, in base a ciò che si vuole credere, dato che le prove suggeriscono che Bell abbia plagiato parti del progetto di Meucci) permise alle persone di comunicare con amici e parenti in tutto il mondo non a distanza di mesi o settimane, ma in pochi minuti.

I sorprendenti progressi nell'aviazione grazie ai fratelli Wright, i quali si alzarono in volo per la prima volta nel 1903, resero i viaggi ancora più veloci. Nel 1909 Louis Blériot attraversò la Manica (un'altra scommessa, con una ricompensa di 1.000 sterline pagata dal «Daily Mail») in soli trentasei minuti e trenta secondi. Era un periodo di incredibili possibilità. Per qualunque avventuriero (e sembra che all'epoca ce ne fossero molti), spedizioni un tempo impossibili sembravano ora assolutamente realizzabili. Uomini e donne si spinsero fino ai confini più remoti della Terra, attratti dal mistero dell'ignoto, dal desiderio di arrivare per primi e dal brivido di raggiungere l'impossibile. Nessuno, però, avrebbe potuto realizzare queste imprese straordinarie senza gli orologi.

Quando ancora ci si spostava a piedi e a cavallo, il fatto che l'ora cambiasse a seconda che si andasse verso est o verso ovest non rappresentava un grosso problema. Ma quando i treni a vapore resero possibile attraversare un intero paese in una mattinata, le complicazioni diventarono fin troppo evidenti, anche su un'isola piccola come la Gran Bretagna. Immaginate di aver deciso di prendere il treno e di incontrare vostro cugino, una persona puntuale, alla stazione di Bristol giovedì alle due del pomeriggio. Mentre vi preparate a prendere il treno a Londra, verificate che il vostro orologio sia sincronizzato rispetto a quello del municipio. Arrivati a Bristol, lo ripescate dalla tasca. L'orologio tiene bene il tempo: sono le due in punto. Ma non c'è traccia di vostro cugino. Quando si presenta dieci minuti dopo, non è agitato e non si scusa. Solo dopo aver visto l'orologio del Bristol Corn Exchange capite: Bristol è in realtà undici minuti indietro rispetto a Londra.[3]

Questo perché fino alla metà del XIX secolo il tempo era regolato dalla posizione del sole nel cielo a mezzogiorno, quando l'astro era al suo massimo splendore.

Man mano che i viaggi si facevano più rapidi, ci si rendeva conto che queste piccole differenze di orario avevano conseguenze importanti e potenzialmente pericolose. Molti treni viaggiavano ancora su binari singoli, quindi le discrepanze di orario potevano portare i treni diretti in direzioni opposte a scontrarsi. Per risolvere il problema, il 1º dicembre 1847 per le ferrovie britanniche fu introdotta l'ora nazionale standard, poi divenuta legge nel 1880.

Quanto più grande è il paese, tanto più estreme erano le sfide poste dai diversi orari locali. In una nazione vasta come gli Stati Uniti, l'ora locale, calcolata in base alla posizione del sole, poteva variare di diverse ore. Prima dell'adozione dell'ora ferroviaria nel 1883, il paese contava oltre 300 fusi orari locali. Sebbene il nuovo orario standard si diffondesse rapidamente nelle città, quelle che avrebbero dovuto fare un salto maggiore dall'ora locale a quella nazionale erano riluttanti al cambiamento: alcune regioni ribelli si rifiutarono di adottare l'ora nazionale per molti anni. Negli Stati Uniti fino al 1918 era comune ricorrere a un doppio sistema di calcolo dell'ora; soltanto nel 1967 si è messo fine ufficialmente all'«opzione locale» del sistema orario.[4]

Entrata in servizio nel 1938, la Mallard batté nello stesso anno il record mondiale di velocità per le locomotive a vapore, raggiungendo ben 126 miglia orarie (circa 203 chilometri orari) – un record che resiste ancora oggi.

Il passo successivo era unificare il mondo definendo un sistema orario standard. Il 22 novembre 1884, in occasione di una conferenza internazionale tenutasi a Washington, venne concordato il sistema dell'ora media di Greenwich, noto come GMT, che divide il globo in ventiquattro zone, ognuna delle quali comprende 15 gradi di longitudine e un'ora del giorno. La scelta di Greenwich, a Londra, come meridiano di riferimento è dovuta a diversi motivi. Era, ed è tuttora, la sede dell'Osservatorio reale, uno dei luoghi più importanti al mondo per lo studio dell'astronomia e del tempo. Fu scelta anche perché permetteva alla linea di data, che si trovava dalla parte opposta del mondo rispetto al meridiano, di passare nell'oceano Pacifico – l'unica parte del globo che potesse essere divisa senza che i residenti di uno stesso paese si trovassero a vivere in due giorni diversi. I viaggiatori dovevano quindi iniziare a fare quello che a noi viene naturale: regolare l'orologio sul fuso orario di un altro paese. È questo concetto a rendere possibile il finale del *Giro del mondo in ottanta giorni*. Nel corso del viaggio Passepartout si rifiuta di regolare l'orologio del suo bisnonno, che rimane sempre impostato sull'ora di Londra, insistendo che la luna e le stelle non sono indicatori affidabili. Si dimostra molto contento – e si sente nel giusto – quando per due volte durante il viaggio il suo orologio segna l'ora esatta. Poi, quando tornano a Londra, Fogg e Passepartout scoprono con rammarico che il loro viaggio è durato ottantuno giorni. Ma poi si rendono conto di aver viaggiato verso est, e capiscono che grazie al GMT hanno guadagnato un giorno, vincendo così la scommessa.

La storia di Jules Verne è verosimile anche sotto un altro aspetto: alla fine del XIX secolo, non era più necessario che per fare un buon lavoro gli orologi per i viaggiatori fossero tanto costosi quanto lo erano stati gli intricati cronometri del XVIII secolo. Nel 1895, appena un anno prima che Ingersoll introducesse il suo famoso Yankee, Joshua Slocum partì per un viaggio che lo avrebbe reso la prima persona a circumnavigare il mondo in solitaria. Aveva scelto di lasciare a casa il suo primo orologio, che doveva essere riparato; gli era stato proposto un preventivo di 15 dollari e riteneva che non ne valesse la pena. Da sempre avventuriero parsimonioso, acquistò a Yarmouth, in Nuova Scozia, un orologio a basso costo per il viaggio. Lo descrisse come «il famoso orologio di latta, l'unico che ho portato con me durante tutto il viaggio. Il prezzo era di un dollaro e mezzo, ma per via del quadrante rotto il venditore me lo lasciò per un dollaro». Slocum si lamentava del fatto che «nel concetto moderno di navigazione, si suppone che un marinaio non possa trovare la strada senza un cronometro marino». Ma dopo tre anni e un viaggio di oltre 74.000 chilometri, Slocum tornò trionfante. Il suo orologio di latta da un dollaro lo aveva servito fedelmente per tutto il tempo.[5]

Un tranquillo villaggio del Nottinghamshire ospita uno degli orologi più importanti della storia dell'esplorazione. La collezione del Museum of Timekeeping di Upton Hall è composta da migliaia di orologi e pendole realizzati nel corso dei secoli, ricevuti da donatori di ogni tipo. Il risultato è un'anomala esposizione di curiosità orologiere che, a mio avviso, offre spunti di riflessione molto più interessanti sul rapporto intimo che abbiamo con i nostri segnatempo rispetto a una collezione curata con maggior precisione. Cronometri e orologi a cassa lunga di eccezionale valore, insieme ad alcune rarità, sono esposti di fianco agli orologi elettrici da comodino Metamec, prodotti in serie negli anni Quaranta del Novecento, le cui tonalità vivaci di arancione brillante, marrone perlato vintage e acrilico azzurro polvere mi riportano all'infanzia a casa dei miei nonni.

Nella galleria degli orologi del museo, in una teca di vetro, è custodito un orologio da taschino con sveglia, dimesso e piuttosto malridotto, che risale ai primi anni del Novecento.

La cassa in acciaio scuro, color canna di fucile, è segnata da un'antica ruggine marrone-rossastra. Il vetro che proteggeva il quadrante è scomparso, così come le lancette delle ore, dei minuti e dei secondi. L'unica lancetta rimasta indica che la sveglia era stata impostata alle undici e venti circa. Il quadrante smaltato di bianco è ancora abbastanza brillante: il vetro smaltato, pur essendo fragile e soggetto a crepe in caso di urti o cadute, non si offusca e non sbiadisce, mantenendo la sua brillantezza persino in condizioni estreme. Allo stesso modo i numeri arabi in smalto nero sono chiari come il giorno in cui sono stati scritti.[6] Solo i puntini in vernice, un tempo luminosi, che si trovano sulla minuteria e che segnano l'ora, sono passati dal verde brillante iniziale a un marrone sporco e opaco. Al posto di una catena Albert, per fissare l'orologio è stata usata la stringa di uno stivale, con una spilla da balia arrugginita all'altra estremità. Il movimento di questo orologio non funziona da poco dopo giovedì 29 marzo 1912, data in cui il suo proprietario, il capitano Robert Falcon Scott, scrisse la sua ultima annotazione sul diario prima di soccombere, insieme alla sua squadra, alle intemperie dell'Antartide, a soli 20 chilometri dall'accampamento che avrebbe dato loro rifugio.

Si dice che questo orologio da taschino sia stato uno strumento essenziale per evitare che il capitano Scott e la sua squadra dormissero troppo a lungo e morissero quindi di freddo. Mentre facevo ricerche per questo libro, ho avuto la fortuna di parlare con l'esploratrice polare Mollie Hughes, che ha compiuto un viaggio verso il Polo Sud in un periodo dell'anno simile a quello di Scott. Mi ha spiegato che le ventiquattro ore di luce dell'estate antartica permettevano, una volta dentro la tenda, di disporre di una temperatura sufficientemente calda da riuscire a dormire solo con le maglie termiche e di far asciugare i vestiti bagnati (anche se il suo equipaggiamento era notevolmente più avanzato rispetto ai maglioni e al tessuto gabardine di Scott). Il pericolo maggiore, secondo Hughes, era il rischio di sovraffaticarsi non tenendo conto del tempo, perché non c'era il tramonto a indicare la fine della giornata. Utilizziamo il sole per regolare le nostre giornate più di quanto crediamo. I nostri orologi biologici sono impostati per svegliarci con la luce del sole e per farci addormentare dopo il tramonto. Senza l'oscurità, il nostro cervello fa più fatica a dirci quando il giorno è finito ed è ora di riposare. Mollie mi ha confessato che il momento più pericoloso del suo viaggio non è coinciso con la tempesta di due settimane che ha dovuto sopportare all'inizio, ma con i giorni in cui ha dovuto camminare più del dovuto per recuperare il tempo perso. Se fosse stata troppo esausta per accamparsi nel modo giusto e si fosse addormentata, esponendosi ai rigidi venti antartici, le conseguenze sarebbero state fatali.

Ho esaminato il diario di Scott, recuperato insieme al suo orologio quando il suo corpo è stato ritrovato nel novembre del 1912, alla ricerca di indizi sul fatto che utilizzasse effettivamente l'orologio per limitare le ore di sonno ed evitare che tutti morissero di freddo, ma non se ne faceva menzione. Tuttavia, ho trovato costanti riferimenti a una registrazione quasi ossessiva delle routine quotidiane del gruppo. Il suo diario elenca l'ora di tutte le attività in maniera molto meticolosa. Riporta l'orario in cui si svegliavano al mattino, quando iniziavano a preparare la colazione e quanto tempo impiegavano i membri del gruppo per finire di mangiare. Come Mollie Hughes, Scott era consapevole dei pericoli del disorientamento derivato dalla perpetua luce solare. Ecco perché scandiva il tempo ogni volta che era possibile, con un regime rigido a definire gli spostamenti e i pasti, per cui è probabile che utilizzasse il suo orologio-sveglia da taschino per determinare la fine della giornata di cammino e il momento di accamparsi, suonando la campana per la cena, svegliando l'equipaggio al mattino, definendo l'ora della colazione. La domenica organizzava persino una funzione religiosa, oltre a destinare la mezz'ora di tempo precedente per scegliere gli inni della settimana e predisporre delle letture.[7] È difficile immaginare questi esploratori – che, dopotutto, stavano compiendo un viaggio rischioso verso l'ignoto – godere della lettura di un libro illustrato sugli «uccelli volanti dell'Antartide»,[8] ma si trattava di attività che tenevano alto lo spirito e rafforzavano il legame con i ritmi temporali della vita quotidiana: un sentore di normalità nella bianca distesa del nulla.

Sono stata onorata di tenere tra le mani l'orologio di Scott. Ho pensato che tutta la sua vita, le sue speranze, le sue ambizioni, le sue paure, persino le persone care che aveva lasciato, fossero in qualche modo contenute in quell'oggetto altrimenti ordinario. Quella piccola macchina si era avventurata verso l'ignoto insieme a lui e l'aveva aiutato fino alla fine. Solo a guardarla, mi ha portato alla mente un'immagine vivida: ho visualizzato i luoghi in cui quell'oggetto era stato, le esperienze che aveva vissuto, le conversazioni che aveva origliato, nascosto con discrezione nella tasca di Scott. Orologi meccanici come questo hanno bisogno di essere caricati per funzionare. Se non c'è nessuno a tenerli in funzione, si fermano e ammutoliscono insieme al loro custode. Inoltre, soccombono alle intemperie: l'olio si rapprende con il freddo, la cassa lascia entrare l'umidità e le parti ferrose si arrugginiscono lentamente, la ruota dentata si blocca per gradi. La decisione del museo di non riportare in funzione questo orologio mi sembra corretta. In fondo, sarebbe stato irrispettoso nei confronti del capitano Scott risvegliare il suo fedele compagno dal sonno indotto dall'Antartide.

Con l'avanzare del XIX secolo, avvicinandosi al Novecento, gli orologi divennero indispensabili alleati delle esplorazioni, e il bisogno di avventura modificò anche il modo di indossarli. Nella seconda metà dell'Ottocento, i soldati impegnati in varie campagne britanniche d'oltremare riferirono i vantaggi di legarli al polso per poter leggere l'ora in modo rapido e semplice, senza dover frugare nelle tasche nella foga della battaglia.

Questi orologi da polso potrebbero essere un'evoluzione degli orologi del cuore, che le giovani donne regalavano ai propri innamorati quando partivano per la guerra. Per tenerli al sicuro, gli uomini cominciarono a realizzare custodie di pelle simili a bracciali tenendoli saldamente legati al polso. Nelle fotografie risalenti all'epoca della terza guerra anglo-birmana, nel 1885, i soldati britannici di stanza nell'India settentrionale indossano questi «bracciali». Si trattò di uno sviluppo molto importante che a mio avviso segna la nascita dell'orologio da polso commerciale di massa come lo conosciamo oggi.

Un cinturino in pelle regge un orologio da taschino,
consentendo di indossarlo al polso.

Quella che era iniziata come una tendenza improvvisata fu capitalizzata in fretta dai produttori. Nel 1902 Mappin & Webb produsse l'orologio Campaign, un orologio da polso Omega inserito in un cinturino in pelle. La pubblicità reclamizzava un «piccolo orologio compatto con cassa in acciaio ossidato, del tutto resistente alla polvere e all'umidità. Segnatempo affidabile nelle condizioni più difficili. Il tutto a due sterline e mezza. Consegnato al fronte. Esente da dazi e da spese di spedizione». Il fronte in questo caso era quello della seconda guerra boera, combattuta tra la Gran Bretagna e le repubbliche boere dal 1899 al 1902. Mentre le tattiche britanniche della terra bruciata e i brutali campi di internamento hanno indotto molti a etichettarla come la nostra «ora più vergognosa»,[I] Omega riferiva allegramente che il Campaign si era rivelato un «salvavita».[9] In patria, negli anni Novanta dell'Ottocento questo tipo di orologio da polso veniva messo alla prova in un'iniziativa d'altro genere grazie al diffondersi della moda del ciclismo, che il «New York Tribune» riteneva più importante per l'umanità «di tutte le vittorie e le sconfitte di Napoleone e della prima e della seconda guerra punica...».[10] Nel 1893 un'inserzione pubblicitaria del rivenditore londinese Henry Wood affermava che lo speciale «dispositivo da polso per ciclisti» era «l'unico modo per portare un orologio in bicicletta senza romperlo e tenendolo sempre a portata».[11] Un'altra pubblicità, del 1901, definisce questi orologi perfetti per «il turista, il ciclista, il soldato».[12] Il commercio di questi prodotti si avvantaggiava del fatto che anche le donne, che indossavano già orologi a bracciale, erano entusiaste di questo sport quanto gli uomini. La pubblicità presenta l'illustrazione di una mano femminile con le maniche a balze e un elegante orologio da polso.

I ciclisti non erano gli unici ad aver bisogno di guardare l'orologio con le mani occupate. Possedere un segnatempo che funzionasse con precisione era fondamentale per i primi aviatori, per aver salva la vita, forse ancora più di quanto lo fossero i cronometri per i capitani delle navi. I piloti non li usavano soltanto per calcolare il tragitto e la posizione, ma anche il consumo di carburante, la velocità dell'aria e la capacità portante. Il primo segnatempo dedicato all'aviazione o «orologio da pilota» pare sia stato il Santos, progettato da Louis Cartier per l'aviatore brasiliano Alberto Santos-Dumont nel 1904. Fu creato in seguito

---

[I] L'internamento di circa 150.000 rifugiati nei campi di concentramento gestiti dalla Gran Bretagna portò alla morte di oltre 15.000 nativi africani e di circa 28.000 boeri, tre quarti dei quali erano bambini.

alle lamentele di Santos perché doveva perdere troppo tempo a cercare l'orologio nella tasca, quando invece doveva tenere le mani sui comandi dell'aereo. Il design di Cartier prevedeva un'insolita cassa quadrata e un quadrante con numeri romani neri ad alta leggibilità: robusto, maschile e perfetto per una rapida lettura, l'orologio Santos-Dumont entrò in commercio nel 1911 e viene prodotto ancora oggi, più di un secolo dopo.

Un'altra azienda svizzera di orologi, Longines, come Cartier, non tardò a puntare sull'orologio da polso, poiché all'epoca lo sviluppo di un orologio adatto alle esigenze dei piloti d'aereo divenne una sorta di gara, come quella per il calcolo della longitudine. Amelia Earhart indossò il suo cronografo Longines durante due delle sue traversate atlantiche. Un'altra aviatrice americana, Elinor Smith, alla fine degli anni Venti e negli anni Trenta stabilì una lunga serie di record di resistenza, velocità e altitudine con l'aiuto dei suoi cronometri Longines, visibili al polso in quasi tutte le fotografie. A sedici anni, fu la persona più giovane al mondo a ottenere il brevetto di pilota. Poco tempo dopo, si fece notare volando sotto quattro ponti di New York, una sfida che aveva accettato dopo che un pilota che aveva tentato la stessa acrobazia e aveva fallito le aveva detto che non ci sarebbe mai riuscita. I giornalisti del «New York Times» erano così convinti che anche lei avrebbe fallito da tenersi pronto il necrologio, ottant'anni prima della sua effettiva morte, avvenuta alla matura età di novantotto anni. Mi piace pensare che saremmo andate d'accordo.

Uno dei grandi rischi del volo era la mancanza di punti di riferimento visibili con cui orientarsi: a volte il tempo era l'unico indicatore che si aveva a disposizione. Philip Van Horn Weems, uno dei grandi pionieri dell'aeronautica, osservò:

Non bisogna avere vergogna di perdersi in volo. Succede anche ai migliori piloti. L'importante è ridurre i momenti di smarrimento o di incertezza al minimo umanamente possibile.

Fu a Weems che Charles Lindbergh si rivolse quando volle imparare l'arte della navigazione celeste, poco dopo aver completato il primo volo atlantico senza scalo, da New York a Parigi, con lo *Spirit of St Louis*, all'età di venticinque anni. Insieme, Lindbergh e Weems inventarono l'orologio Longines Hour Angle, con la prima lunetta girevole graduata nella storia degli orologi da polso. La lunetta permetteva al proprietario di calcolare l'angolazione del sole rispetto al meridiano di Greenwich: il cosiddetto angolo orario che dà il nome all'orologio. Ogni innovazione veniva adattata ai primi aviatori, dal cinturino extra lungo (per indossarlo sopra l'ingombrante giacca) alla corona sovradimensionata, che permetteva di caricare l'orologio con addosso i guanti.

Quando l'alpinista Conrad Anker scalò l'Everest nel maggio 1999, il suo obiettivo non era raggiungere la vetta. Anker stava invece cercando di risolvere un mistero. A circa 700 metri sotto la vetta e a 8157 metri sul livello del mare, ce l'ha fatta:

> Ero curioso, mi sono fermato, mi sono girato e c'era una macchia bianca. Non era neve, era opaca, di un colore che assorbiva la luce, come il marmo. Avvicinandomi, ho capito che si trattava del corpo di uno dei pionieri dell'alpinismo inglese, congelato sul fianco della montagna.[13]

Il corpo era quello di un uomo. La gamba destra era rotta, le braccia tese, i vestiti deteriorati e la pelle della schiena di un bianco lattiginoso schiarito dal sole. Tra i brandelli rimanenti della giacca di gabardine del cadavere, rovinata dalle intemperie, Anker trovò un'etichetta ricamata in filo cremisi: «G. Leigh Mallory».[14]

Settantacinque anni prima, nel 1924, George Mallory e il suo compagno di cordata, Andrew Irvine, erano scomparsi quasi in cima all'Everest nel tentativo di scalare per primi la montagna. Fino a quel momento, il destino di Mallory era rimasto uno dei grandi misteri dell'alpinismo. Ancora oggi non si sa con certezza se abbia trovato la morte durante il viaggio verso la vetta o scendendo.

Sebbene il corpo di Mallory, troppo difficile da rimuovere, sia rimasto esattamente nel punto in cui è morto, un secolo fa, alcuni dei suoi oggetti personali sono stati recuperati e sono ora conservati dalla Royal Geographical Society di Londra. Tra questi, l'altimetro rotto, gli occhiali da neve, il coltello, la scatola di fiammiferi e un orologio d'argento. L'orologio sembra congelato nel tempo. Le lancette si sono arrugginite fino a disintegrarsi, lasciando solo un alone ocra bruciato sul quadrante in smalto vitreo color bianco brillante, il quale suggerisce che l'orologio abbia emesso l'ultimo ticchettio all'incirca alle cinque e sette minuti, o forse all'una e venticinque minuti, a seconda di come vogliamo leggere l'alone lasciato dalle lancette. I numeri arabi in nero presentano ancora un po' della vernice luminescente radioattiva per facilitare la lettura dell'orologio da parte di Mallory durante la notte o in condizioni di scarsa illuminazione, per esempio in una tempesta di neve.

Sorprendentemente, l'orologio non è stato trovato al polso di Mallory, ma nella sua tasca. Inoltre, non c'erano tracce del vetro (o cristallo) che proteggeva il delicato quadrante e le lancette. È stato ipotizzato che, avendo perso il vetro, Mallory abbia riposto l'orologio nella tasca della giacca per proteggerlo da ulteriori danni. È una teoria che ha un certo peso quando si tratta di orologeria. Prima delle guarnizioni in plastica, che riempiono lo spazio tra il cristallo e la cassa nella maggior parte degli orologi moderni, o dei collanti speciali che polimerizzano alla luce ultravioletta, i vetri venivano in genere montati per dilatazione termica. La lunetta, ovvero la parte più superficiale della cassa in cui si alloggia il cristallo, veniva riscaldata e si espandeva leggermente. Vi si inseriva il vetro a una temperatura più bassa e, quando la lunetta si raffreddava e tornava a temperatura ambiente, si stringeva sul vetro, fissandolo. Ciò lo rendeva particolarmente suscettibile ai forti sbalzi termici. In realtà, l'orologio di Mallory si è mantenuto in condizioni sorprendentemente buone per essere un oggetto

177

di metallo a composizione ferrosa che ha trascorso settanta-cinque anni in prossimità della vetta della montagna più alta del mondo: testimonianza del design pragmatico e della robusta qualità di costruzione di questi orologi.

Nel 2011 sono stata anch'io sull'Everest, ma al campo base, non in vetta. È stata un'esperienza straordinaria: come si fa a non sentirsi insignificanti al cospetto di una montagna così imponente? Il tempo trascorreva più lentamente a causa dell'altitudine, era un po' come muoversi invischiati nella melassa. Ho capito perché il tempismo è così importante per gli scalatori delle alte vette. A corto di ossigeno, costretti a muoversi con molta calma, spesso devono alzarsi prima dell'alba per raccogliere tutta l'attrezzatura da campo e proseguire prima che il ghiaccio inizi a scongelarsi, aumentando il rischio di valanghe.

Durante la salita, sono arrivata al villaggio di Namche Bazaar, costruito sul fianco della montagna (in Nepal, quasi tutto sembra essere costruito sul fianco di una montagna), ultimo avamposto di civiltà per chi puntava alla cima dell'Everest. Ricordo di aver visto strade piene di bancarelle che vendevano dolci, acqua e attrezzatura da trekking per chi avesse danneggiato o perso la propria durante il percorso. In questo posto, oggetti che gli sherpa definivano «falsi del Nord», importati dalla Cina, ci ricordavano quanto fossimo vicini al confine. Guardando meglio, ho notato oggetti ancora più vecchi, simili a quelli che si potrebbero trovare in un mercato dell'antiquariato: un paio di ramponi di ferro arrugginiti, piccozze con il manico di legno, come quelle che un esploratore avrebbe potuto utilizzare negli anni Venti o Trenta. Poi ho iniziato a vedere oggetti più piccoli e personali: un paio di occhiali, un portafoglio. Ho chiesto ai nostri sherpa da dove provenissero. Mi hanno risposto che qualche anno prima, visto il problema della quantità di rifiuti che si ammassavano ai fianchi dell'Everest, il governo nepalese aveva incaricato gli sherpa di raccogliere gli oggetti sparsi. All'inizio venivano pagati in base al peso del materiale raccolto, ma poi era diventato troppo oneroso, così il governo aveva deciso di passare al pagamento a giornata. Per recuperare il mancato guadagno e assicurarsene uno aggiuntivo, gli sherpa avevano iniziato a vendere gli oggetti più interessanti. I proprietari di questi oggetti erano probabilmente morti e forse non avremmo neanche mai conosciuto le loro storie. Non riuscivo a smettere di pensare: e se l'orologio di Mallory fosse stato trovato qui?

Al Chukla Lare, monumento commemorativo che gli scalatori visitano arrivando all'Everest dal Nepal, le bandiere votive buddhiste e i cumuli di pietre definiscono un luogo in cui fermarsi a riflettere su coloro che hanno perso la vita sulla montagna. Si stima che ci siano più di cento corpi sull'Everest, lasciati sul posto perché troppo pesanti e difficili da recuperare. Gli alpinisti accettano il fatto che, se dovessero morire in montagna, molto probabilmente diverrebbero parte di essa.

L'orologio di Mallory, come quello di Scott prima di lui, era uno strumento fondamentale per determinare la posizione nel tempo e nello spazio. Ma non si può dare per scontata la precisione di questi oggetti. Orologi di questo tipo hanno una durata di trenta ore e necessitano di essere caricati a mano con regolarità. Mallory avrebbe dovuto ricordarsi, ogni singolo giorno, senza mai sgarrare, indipendentemente dal tempo, dalla stanchezza e da innumerevoli altre distrazioni, di dedicare qualche momento alla carica dell'orologio. Se lui avesse perso colpi, l'orologio avrebbe fatto lo stesso. Se un esploratore come Mallory voleva sopravvivere, la prima – e l'ultima – cosa da fare era occuparsi del proprio orologio.

Gli esploratori moderni possono dare per scontato questo strumento, come del resto facciamo tutti. Sia che usiamo un orologio tradizionale, il computer o il telefono cellulare, facciamo affidamento sul fatto di poter conoscere l'ora quando vogliamo, ma per gli avventurieri di inizio Novecento non era così. Il mondo poteva anche essersi rimpicciolito, però una volta imbarcati nell'impresa questi uomini si trovavano da soli; l'orologio era l'unico modo per accertare la propria posizione su questo pianeta vasto e solitario. L'esploratore poteva affidarsi soltanto al proprio buon senso e al proprio orologio.

9. TEMPO ACCELERATO

«Lasciano le trincee e si spingono oltre,
mentre il tempo ticchetta muto e veloce al loro polso,
e la speranza, con gli occhi furtivi e i pugni stretti,
annaspa nel fango.»

Siegfried Sassoon, *Attack*, 1918

Un giorno di maggio del 1905, un impiegato ventiseienne dell'Ufficio brevetti, mentre tornava a casa dal lavoro attraversando il centro di Berna, in Svizzera, sentì il famoso orologio medievale della città, lo Zytglogge, scandire l'ora. Quando alzò lo sguardo verso l'enorme ed elaborato quadrante, fu colpito da un pensiero curioso. Cosa sarebbe successo se fosse stato seduto in un tram che si allontanava dallo Zytglogge alla velocità della luce? Il suo orologio (un orologio svizzero da taschino in argento, risalente al 1900 circa) avrebbe continuato a segnare il tempo come al solito, ma se avesse guardato indietro verso la torre dell'orologio il tempo si sarebbe apparentemente fermato.

Qualche mese dopo, lo stesso impiegato dell'Ufficio brevetti – che si chiamava Albert Einstein – pubblicò un articolo, *Sull'elettrodinamica dei corpi in movimento*, sulla rivista tedesca «Annalen der Physik». Il documento avrebbe modificato radicalmente la nostra concezione del tempo, del mondo e dell'universo. La teoria della relatività di Einstein sosteneva che il tempo non era assoluto e immutabile, come aveva affermato Isaac Newton secoli prima, ma una dimensione flessibile che poteva essere allungata e distorta dallo spazio, dalla gravità e persino dall'esperienza personale. Einstein dimostrò che il tempo sembrava viaggiare più lentamente con l'aumentare della forza gravitazionale e che era similmente distorto dalla velocità dell'osservatore.[I] Il tempo rallenta se si è vicini a un oggetto massiccio o se si viaggia ad alta velocità, con il sorprendente risultato che l'orologio scorre più in fretta in cima a un grattacielo che al piano terra e più lentamente in un'auto in movimento che in una ferma. Sebbene il concetto non influisca sul tipo di orologi che creiamo, è necessario tenerlo in considerazione quando si tratta di sistemi GPS, che si trovano all'interno di satelliti che sfrecciano a grandi altezze e a velocità elevatissime intorno alla Terra. Per Einstein, il tempo e lo spazio erano relativi. «Tempo e spazio», sintetizzava, «sono modalità con cui pensiamo e non condizioni in cui viviamo.» Arrivò persino ad affermare che i concetti fondamentali di passato, presente e futuro sono poco più che illusioni.[II]

Il lavoro rivoluzionario di Einstein sulla teoria del tempo si palesò in un momento in cui gli orologi stavano affrontando una rapida fase di sviluppo. Mentre lui concepiva la teoria della relatività, a circa 60 chilometri di distanza, sull'altra sponda del lago di Neuchâtel, un giovane ambizioso aveva altri progetti. Il tedesco Hans Wilsdorf aveva iniziato come interprete, impiegato di un'azienda esportatrice del cuore orologiero

---

[I] Vale la pena di notare che il concetto di relatività in sé non era nuovo; sono state l'esplorazione approfondita e la teorizzazione di Einstein a essere rivoluzionarie. Fisici come Galileo e Lorentz avevano studiato la meccanica relativistica e, molto prima, i navigatori polinesiani avevano utilizzato un sistema di navigazione in base al quale la nave veniva immaginata come ferma mentre il mondo si muoveva sotto di essa.

[II] Come affermò Einstein in una lettera all'amico ingegnere Michele Besso, «per noi che crediamo nella fisica la distinzione tra passato, presente e futuro è soltanto un'illusione, anche se persistente».

svizzero di La Chaux-de-Fonds, ma nel 1903, a ventiquattro anni, si trasferì in Inghilterra. Si stabilì a Hatton Garden, centro orafo nella Londra edoardiana, a pochi passi da Clerkenwell, antico quartiere dell'orologeria. Aveva intenzione di avviare un nuovo tipo di attività orologiera che lo avrebbe reso in quel settore uno degli imprenditori più influenti della storia. Aveva letto i resoconti dei soldati che avevano prestato servizio nelle guerre boere indossando al polso gli orologi da taschino ed era convinto che il futuro andasse in quella direzione. Non è certo la teoria della relatività, si potrebbe pensare, ma nel 1905 l'orologio da taschino regnava ancora incontrastato da quasi quattro secoli, persino più a lungo della teoria della gravità di Newton. Se sul mio tavolo da lavoro arrivasse un orologio del XVIII secolo, farei fatica a stabilire se è appartenuto a un uomo o a una donna. Ma nel secolo successivo le differenze si accentuarono. Le donne erano sempre più spesso considerate fragili ed emotivamente capricciose e, di conseguenza, i loro orologi diventarono altrettanto delicati.

L'orologio da taschino si rimpicciolì per le tasche più ridotte e iniziò a essere indossato con corte catene decorate o appuntato come una spilla, mentre andavano sempre più di moda piccoli orologi montati su braccialetti e polsini. Questi orologi a bracciale erano veri e propri gioielli e, al tempo stesso, orologi funzionanti.

Spesso venivano realizzati in oro, impreziositi da smalti dai colori vivaci, diamanti, perle e pietre preziose come zaffiri, rubini e smeraldi. Nel XIX secolo gli orologi da polso erano una cosa da donne.

Ho lavorato su uno di questi orologi, uno dei miei preferiti. È stato realizzato in oro intorno al 1830 con una bella tonalità calda che si trova soltanto nei gioielli risalenti a prima della metà del XX secolo, quando nella lega si utilizzava una maggiore quantità di rame. Il quadrante è incastonato su un ampio bracciale con serpenti d'oro, smaltati di bianco brillante e di nero, con occhi in granato rossi e verdi. Mi ha ricordato un polsino da guerriera, perfetto per Wonder Woman se mai avesse dovuto partecipare a uno stravagante ballo del XIX secolo, ma non era certo il tipo di bracciale che si indossa per andare a fare la spesa, non essendo molto pratico.

Gli orologi da polso sono stati utili per i soldati, ma gli uomini comuni del XX secolo li consideravano effeminati. I vignettisti dei giornali prendevano in giro la nuova moda e chi era sorpreso a indossarli rischiava di sentirsi chiamare «femminuccia». Gli uomini virili portavano orologi da taschino, persino i cowboy. Quando nel 1873 Levi Strauss iniziò a produrre i suoi iconici jeans 501, fece cucire una piccola tasca interna sul davanti, a destra, proprio per contenere un orologio da taschino – una particolarità che troviamo ancora oggi. Un documento del 1900 attesta che una spedizione di orologi da polso dalla Svizzera agli Stati Uniti fu restituita al mittente con la motivazione che erano «invendibili negli Stati Uniti».[1] In un'edizione del 1915 del fumetto comico americano *Mutt and Jeff*, Mutt mostra a Jeff il suo nuovo orologio da polso. Jeff lo schernisce: «Aspetta un attimo, vado a prenderti un piumino per la polvere».[2] Eppure l'astuto Wilsdorf aveva intuito che, con la giusta strategia di marketing, gli uomini avrebbero potuto appassionarsi agli orologi da polso e che questi sarebbero diventati gli orologi del futuro.

Wilsdorf non aveva avuto una vita facile essendo rimasto orfano all'età di dodici anni e mandato in collegio a Coburgo, ma questo lo aveva dotato di un'attitudine all'indipendenza oltre a una piccola eredità. Era riuscito a risparmiare qualcosa grazie ai primi impieghi a La Chaux-de-Fonds, ma per far decollare la sua idea aveva bisogno di un altro investitore. Il suo avvocato gli presentò un inglese, Alfred Davis. Wilsdorf non perse tempo e lo convinse subito della genialità del suo progetto: acquistare da un produttore svizzero una grande quantità di meccanismi di orologi e abbinarli a casse già pronte per rifornire il mercato inglese.

Nel 1905 Wilsdorf e Davis iniziarono a importare movimenti dalle zone di Biel e di Rebberg, nel distretto di Bienne, in Svizzera, da una fabbrica di proprietà di Jean Aegler. Venivano spediti nel Regno Unito e inseriti nelle casse. Alcune erano prodotte in Svizzera, altre da aziende come la Dennison (fondata dal già citato Aaron Lufkin Dennison, noto per il Waltham), che aveva una manifattura a Birmingham. Gli orologi venivano venduti con il marchio Wilsdorf & Davis, con le iniziali W&D all'interno delle casse, mentre i movimenti erano marcati Rebberg. Il design, molto pratico, era lo stesso scelto da George Mallory per la sua spedizione in cima all'Everest.

Dennison, il fabbricante di casse per Wilsdorf & Davis, si era trasferito dall'America a Birmingham alla ricerca di competenze molto specifiche del posto. Birmingham era la capitale mondiale dell'oreficeria e della lavorazione dell'argento. All'inizio del secolo, nel Jewellery Quarter e nei dintorni erano impiegati in questo settore circa 30.000 artigiani specializzati. Sfruttando le loro capacità, Dennison poté fondare un'azienda che divenne presto una delle più produttive al mondo nella fabbricazione di casse per orologi. All'inizio del XX secolo la Dennison Watch Case Company, che oggi si trova a pochi passi dal mio laboratorio, esportava in tutti gli Stati Uniti e produceva casse per Waltham, Elgin e Ingersoll, oltre che per alcuni grandi marchi svizzeri come Longines, Omega, Jaeger-LeCoultre e, appunto, Wilsdorf & Davis.

Alla fine, la Dennison Watch Case Company subì la stessa sorte delle altre aziende del settore: fu costretta dapprima a ridurre la produzione, per poi chiudere definitivamente i battenti nel 1967. Qualche anno fa, io e Craig decidemmo di andare a vedere cos'era rimasto di quello che era stato uno dei più grandi nomi del commercio britannico di orologi. Armati di alcune foto della fabbrica risalenti agli anni Ottanta e di una vecchia mappa, ci dirigemmo verso la sua probabile ubicazione. Tutto ciò che trovammo fu una distesa di asfalto: l'edificio era stato sostituito da un parcheggio del Servizio sanitario nazionale. Sconfortati, stavamo per tornare a casa quando, all'estremità del parcheggio, scorgemmo dell'erba e un vecchio muro di mattoni. Quando ci avvicinammo, una voce risuonò da altoparlanti invisibili. «Siete stati ripresi da telecamere a circuito chiuso, lasciate immediatamente la zona! Siete stati ripresi da telecamere a circuito chiuso, lasciate immediatamente la zona!» Per tacito accordo, ignorammo la voce e Craig mi sollevò per poter sbirciare oltre il muro. L'edificio principale era stato demolito, ma lì, accanto a un tratto di muro della vecchia fabbrica ricoperto di edera, c'erano i resti arrugginiti di alcuni laminatoi industriali verdi. Un tempo venivano usati per assottigliare le lastre di metallo, come un mattarello che preme sulla pasta sfoglia. Al di là riuscivo a vedere un'ala della fabbrica, una piccola stanza e, attraverso il telaio di metallo dei vetri ormai in frantumi delle finestre, uno spiraglio dell'officina buia e invasa dalla vegetazione.

La Wilsdorf & Davis aveva a malapena iniziato la produzione quando sull'Europa cominciarono a addensarsi nubi di tempesta. Lo scoppio della prima guerra mondiale generò in Gran Bretagna un forte sentimento antitedesco. Con l'Aliens Restriction Act del 1914, i tedeschi in Inghilterra dovettero registrarsi presso la polizia e fu loro vietato di spostarsi per più di 8 chilometri. Le aziende tedesche furono chiuse. Ci furono rivolte antitedesche nelle strade con attacchi alle case. I produttori volevano evitare ogni associazione con il paese. Il rivenditore londinese del produttore svizzero Stauffer, Son & Co. fu costretto a pubblicare annunci pubblicitari per ricordare al pubblico «che tutti i cinturini per orologi da loro forniti erano di fabbricazione britannica, poiché i signori S., S. & Co. non hanno mai venduto cinturini tedeschi». Lo stesso Wilsdorf era sposato con una donna nata in Gran Bretagna – sorella minore di Alfred Davis – ed era un orgoglioso anglofilo, ma sapeva che il suo nome chiaramente tedesco sarebbe stato un ostacolo per gli affari. Nel 1908 Wilsdorf & Davis registrarono un nuovo marchio, anche se solo nel 1915 cominciarono a chiamarsi ufficialmente Rolex Watch Company Ltd.[3]

Quando io e Craig abbiamo avviato la nostra attività non pensavamo in grande (a differenza di Wilsdorf e Davis). Il nostro piccolo prestito di 15.000 sterline era appena sufficiente a garantirci l'affitto del nostro primo minuscolo laboratorio di una sola stanza, a comprare un paio di vecchie scrivanie (i banchi da orologiaio veri e propri erano troppo costosi, così costruimmo delle piattaforme per sollevare le scrivanie d'epoca all'altezza giusta), a procurarci alcuni strumenti essenziali e a comprare le macchine per la pulizia e i cronocomparatori[III] (che abbiamo ancora!). I soldi sono finiti quasi subito e i primi anni si sono rivelati un'incredibile battaglia per capire come farci pagare per il nostro tempo (l'ironia non ci sfugge), una battaglia condivisa dalla maggior parte dei creativi. Per i primi diciotto mesi abbiamo vissuto al di sotto della soglia di povertà e siamo finiti a vendere oggetti su eBay per pagare l'affitto. Il primo inverno non potevamo permetterci di riscaldare la casa e si formava persino del ghiaccio sui muri. Nelle notti più fredde dormivamo completamente vestiti con cappello e guanti, insieme al nostro gatto. Trovare l'energia per lavorare nel freddo sessanta o settanta ore settimanali vivendo di pasta al formaggio per risparmiare è stato tutt'altro che semplice. Ci sono voluti sette anni prima di riuscire ad avere uno stipendio degno di questo nome.

Craig si era innamorato dei primissimi Rolex Rebberg durante il suo precedente lavoro da dipendente, e la sua reputa-

---

[III] Un cronocomparatore registra il ticchettio dello scappamento e indica, tracciando una linea su un grafico, se il meccanismo è troppo veloce o troppo lento.

zione, quando si trattava di lavorare a questi pezzi, era rimasta inalterata ora che eravamo lavoratori autonomi, al punto che diversi clienti lo cercavano con insistenza. Sebbene le prime pubblicità della Rolex enfatizzassero la precisione degli orologi, definendoli «orologi di precisione Rolex» e vantando il fatto che detenessero «venticinque record mondiali di precisione», non era questo aspetto ad aver attratto Craig. In effetti, a suo dire, i movimenti Rebberg non erano di qualità particolarmente elevata. A un'attenta analisi, i bordi risultano ruvidi. I difetti di progettazione provocano una maggiore usura e spesso sono necessari nuovi componenti di ricambio su misura per compensare cuscinetti sempre più laschi. La maggior parte dei meccanismi ha solo quindici rubini, il che rende alcuni cuscinetti soggetti ad attriti ingiustificati, mentre la forma dell'albero di carica causa l'usura delle platine. Talvolta, nel corso dei decenni, sono stati sottoposti a riparazioni da parte di diverse mani, ed elementi importanti come il bilanciere sono stati sostituiti con pezzi mal realizzati o riadattati. Nei primi Rolex Rebberg è facile riscontrare problemi come un bilanciere sostituito e non regolato correttamente o una molla inadatta, entrambi causa di notevoli grattacapi nella misurazione del tempo. Eppure fin dall'inizio l'estetica dei Rolex è stata irresistibile. Sono lontani dall'essere perfetti, ma hanno una robustezza ammaliante. Craig li definisce dei trattori, ma sono trattori con un innegabile fascino.

Le guerre, come la necessità, sono foriere di invenzioni. I conflitti generano periodi intensi di investimenti e innovazioni nella scienza e nella tecnologia, perché attrezzature migliori offrono vantaggi significativi sul campo di battaglia. A volte ne scaturiscono invenzioni inaspettate, soluzioni a problemi non prevedibili. La prima guerra mondiale, che Lenin definì «il potente acceleratore», ci ha dato le banche del sangue, l'acciaio inossidabile, i carri armati e i velivoli, ma anche l'orologio da polso commerciale.

Una cosa che la guerra non ha accelerato è stata la teoria della relatività di Einstein. Il conflitto mise fine alla collabora-

187

zione scientifica tra i paesi europei e la teoria fu confermata soltanto nel 1919 dallo scienziato britannico Arthur Eddington. Da un altro punto di vista, però, la guerra fu una perfetta realizzazione delle idee di Einstein. Si combatté in contemporanea su numerosi fronti, e i ritmi tradizionali – giorno e notte, e persino l'alternarsi delle stagioni – vennero annullati da una logorante guerra di posizione. I progressi tecnologici rendevano la comunicazione sempre più immediata, mentre l'esperienza della guerra creava immensi divari nello spazio e nel tempo: tra un lato e l'altro di terre di nessuno, tra la linea del fronte e il fronte interno, tra l'era precedente al conflitto e l'incubo che ne seguì. In un certo senso, la guerra stessa è stata l'incarnazione della teoria della relatività: il tempo e lo spazio sono stati distrutti e ricostruiti a velocità vertiginose.

Eppure i segnatempo vi hanno svolto un ruolo fondamentale. I combattimenti sul fronte occidentale erano caratterizzati dalla guerra di trincea e dagli attacchi sincronizzati. Tattiche come quella impiegata durante la battaglia della Somme, dello sbarramento d'artiglieria, che prevedeva di aprire il fuoco per periodi prolungati, secondo un programma preciso, per consentire alle truppe di avvicinarsi al nemico, dipendevano da precisi calcoli temporali. Poiché il fragore dei bombardamenti impediva di udire gli ordini impartiti, definire in anticipo le tempistiche permetteva di sostituire i segnali vocali.

Un movimento di orologio Rolex Rebberg risalente al 1920 circa. Realizzare questo disegno ha dato a Craig quasi la stessa gioia che prova nel lavorare su questo tipo di orologi.

Le unità comunicavano via telegrafo per mobilitarsi a un'ora stabilita. Strisciando nelle trincee era quasi impossibile consultare un orologio da taschino, così i soldati alleati scelsero l'orologio da polso. La richiesta era tale che non si trattava più di un adattamento, come era avvenuto durante la seconda guerra boera, bensì di un orologio progettato appositamente. L'orologio da trincea, come venne definito, era dotato di anse a filo che lo tenevano fissato al polso e poteva avere una «protezione antiproiettile» per preservare il fragile vetro in battaglia. Durante la guerra boera i soldati avevano dovuto procurarseli da soli. Ora, invece, venivano venduti all'ingrosso alle forze armate e potevano essere forniti ai soldati insieme all'uniforme, al fucile e alla baionetta, oppure acquistati a prezzo scontato dai rivenditori dell'Esercito e della Marina. Le pubblicità, nel frattempo, contribuirono a contrastare l'idea che l'orologio da polso fosse roba da donne: «Che un uomo sia impegnato al fronte o in mare, il Waltham da polso indicherà l'ora giusta», recitava una pubblicità del 1914. «Appositamente realizzato per resistere all'usura e segnare il tempo nelle condizioni più difficili.» Gli ufficiali che potevano permettterselo spesso acquistavano versioni più sofisticate: i modelli in oro degli orologi da trincea sono infatti definiti «orologi da trincea per ufficiali».

La maggior parte dei primi orologi da trincea era prodotta in Svizzera, dove gli orologiai avevano beneficiato dell'acquisto di macchinari americani per incrementare la produzione. Marchi come International Watch Company (IWC), Omega, Longines e, naturalmente, Rolex furono i primi a muoversi. I loro orologi da trincea erano semplici e funzionali, con casse dalla forma simile a quella di piccoli ciottoli piatti, solitamente realizzate in nichel o ottone. Si trattava di orologi fatti in serie, progettati per accompagnare i loro proprietari nelle circostanze più difficili, nei corpo a corpo in battaglia e nei climi più estremi. Uno dei Rolex Rebberg del 1916 che Craig ha riparato era stato acquistato dal nonno del cliente da un uomo che aveva prestato servizio nel Golfo Persico. Ci è arrivato ossidato, graffiato e ammaccato, privo della lunetta e del vetro, ma anche se non era stato pensato per gli urti né era stato impermeabilizzato, aveva seguito il suo proprietario durante i combattimenti nel deserto ed era stato indossato quotidianamente per anni. Aveva fatto ciò per cui era stato progettato.

Di notte, nel buio delle trincee, i soldati dipendevano dal bagliore dei loro orologi per leggere l'ora. I quadranti degli orologi da trincea erano in genere smaltati, spesso di un bianco brillante, i numeri applicati con una vernice al radio luminosa. Le lancette creavano spazi vuoti lungo il braccio e sulla punta, in modo che potessero essere riempiti con una vernice fosforescente. Nel 1898 Marie Curie, pioniera della fisica, e suo marito Pierre avevano scoperto il radio a partire dall'uraninite, ricca di uranio e radioattiva. Il radio si era rapidamente guadagnato una reputazione da superelemento. Grazie al suo successo nel tenere a bada il cancro, era stato promosso come cura per ogni cosa, dalla febbre da fieno alla stitichezza.[IV] Per quel che riguarda l'industria orologiera, uno dei processi di decadimento del radio si rivelò davvero interessante: quando veniva miscelato con il fosforo, una sostanza chimica radioluminescente, produceva una fluorescenza spettrale di colore verde pallido. L'uso della vernice al radio per illuminare i quadranti di orologi

[IV] All'inizio del Novecento, in tutto il mondo erano sorte fabbriche che sfruttavano le proprietà luminose di questo nuovo elemento. Veniva commercializzato come prodotto sanitario e incorporato in qualsiasi cosa, dai prodotti alimentari, come il burro e il latte arricchiti di radio, al dentifricio («per denti così puliti da brillare!»), fino ai cosmetici. Il radio è stato persino utilizzato nei vestiti e per produrre lingerie e reggicalze. Tra le mura domestiche, lo spray per mosche al radio era pubblicizzato per la sua capacità di sterminare i parassiti, ma i più sembravano non badarci granché. Si trattava di un business che fruttava molti soldi, e chi commercializzava questi prodotti intendeva nascondere ogni notizia negativa.

e strumenti scientifici prese rapidamente piede. Nel 1926, il solo produttore statunitense Westclox produceva 1,5 milioni di orologi luminescenti all'anno.[4] La domanda di quadranti luminosi per orologi e pendole, strumenti per aerei, mirini e bussole per navi fu prevedibilmente enorme. Alla fine del 1918, un anno dopo l'entrata in guerra dell'America, un soldato americano su sei possedeva un orologio luminescente.[5]

Fabbriche di quadranti sorsero in tutti gli Stati Uniti, in Svizzera e nel Regno Unito, con migliaia di donne impiegate a dipingere a mano i numeri su decine di milioni di quadranti di orologi luminescenti.[V] Quello della pittura al radio era un lavoro prestigioso e ambito: gli addetti erano considerati artisti provetti. Ogni singolo quadrante veniva sottoposto a un rigoroso controllo di qualità in una camera oscura per verificarne i dettagli.[6] Un numero eccessivo di errori comportava il licenziamento. In segno di rispetto per il talento di questi addetti, i salari erano insolitamente alti, soprattutto per le donne dell'epoca. I datori di lavoro ritenevano che fossero particolarmente adatte a dipingere i quadranti, in quanto avevano le mani piccole, ideali per questo lavoro difficile, ed erano più attente ai dettagli. È possibile, però, che le donne fossero anche considerate più sacrificabili rispetto agli uomini. Solo ai lavoratori di sesso maschile venivano forniti grembiuli protettivi in piombo, ma le donne accettavano lo stesso di buon grado il lavoro. Venivano pagate a pezzo, non con uno stipendio fisso, il che significa che più quadranti producevano ogni giorno, più guadagnavano. Alcune arrivavano a por-

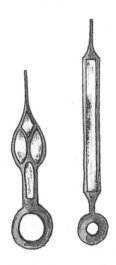

Lancette con spazi riempiti di vernice fosforescente.

[V] Questo lavoro e le sue strazianti conseguenze negli Stati Uniti sono oggetto del brillante libro di denuncia di Kate Moore, *The Radium Girls*.

tarsi a casa fino a tre volte lo stipendio di un operaio medio, più dei loro padri. In media, ricevevano l'equivalente moderno di 370 dollari a settimana, mentre le più veloci potevano arrivare fino a 40.000 dollari all'anno.[7] Dal momento che molte fabbriche sorgevano nei pressi delle comunità più povere, si trattava di salari in grado di cambiare la vita delle persone, consentendo alle donne di mantenere la famiglia e di risparmiare per il proprio futuro. Sebbene gli annunci richiedessero un'età superiore ai diciotto anni, per via di un'applicazione poco rigorosa della legge riuscivano a trovare lavoro anche ragazze molto più giovani, alcune addirittura di undici anni.[8]

La vernice radioluminescente, marchiata con nomi attraenti come Undark e Luna, era soprannominata «sole liquido».[9] Gli addetti alla pittura dei quadranti dovevano mescolare la vernice in un crogiolo con un piccolo pugno di radio in polvere, una goccia d'acqua e una colla a base di gomma arabica.[10] In Svizzera applicavano la vernice con dei bastoncini di vetro; in Francia utilizzavano bastoncini con dell'ovatta all'estremità; in altri paesi, bacchette di legno o di metallo appuntite; negli Stati Uniti, invece, per applicare la vernice si usava un pennello di pelo di cammello incredibilmente fine, producendo tratti dello spessore di un millimetro.[11] I pennelli, molto delicati, avevano la tendenza ad aprirsi, per cui si ricorreva a una tecnica definita *lip pointing*, introdotta da alcune donne che in precedenza avevano lavorato dipingendo la porcellana. Il processo prevedeva che l'addetta usasse le labbra per creare una punta più fine al pennello, prima di immergerlo nella pittura al radio per applicarla sul quadrante. Sebbene la vernice al radio fosse pericolosa in ogni sua applicazione, fu questo processo messo in atto negli Stati Uniti a rivelare tutta la sua letalità.[12]

Inizialmente non ci si preoccupava più di tanto della sicurezza, anzi. I verniciatori di quadranti erano portati a credere che il radio facesse bene: dopotutto, si trattava di un prodotto salutare, introdotto in creme costose per il viso e nei cosmetici. Il punto era che non soltanto assumevano radio assottigliando il pennello con le labbra, ma finivano anche per ricoprirsi della polvere di radio che pervadeva gli ambienti industriali. Gli operai brillavano di un'inquietante luce verde mentre si dirigevano verso casa al crepuscolo. I residenti del posto osservarono che sembravano dei fantasmi. Le fabbriche erano in genere luoghi sereni, le donne che vi lavoravano si sentivano delle privilegiate, nel fare la loro parte per aiutare i soldati al fronte. Alcune avevano iniziato a mandare messaggi segreti ai soldati, mettendo il loro nome e il loro indirizzo sul retro della cassa di ogni orologio, aspettando che l'eventuale proprietario scrivesse. A volte succedeva.[13]

Fin dall'inizio, i dirigenti conoscevano i potenziali pericoli. Sabin Arnold von Sochocky, l'inventore della vernice che alla fine morì per gli effetti derivati dall'esposizione a lungo termine alle radiazioni, aveva lavorato con i coniugi Curie, i quali, a quel punto, avevano riportato essi stessi numerose ustioni da radio. Von Sochocky si era fatto amputare l'estremità del dito indice sinistro dopo essere entrato in contatto con l'elemento.[14]

Anche se il radio ha il potere di sconfiggere il cancro, non distingue tra un tessuto sano e un tumore canceroso: distrugge tutto ciò che incontra. I direttori delle fabbriche e i dirigenti delle aziende rassicuravano sé stessi (confortati senza dubbio dagli ingenti profitti che ricavavano da un'attività in piena espansione) dicendosi che le quantità di radio cui i lavoratori venivano esposti erano troppo esigue per risultare nocive. Ma calcolando che alcune ragazze erano abituate ad affinare il pennello anche due volte a ogni numero verniciato e che le più veloci erano capaci di completare fino a 250 quadranti ogni giorno, l'esposizione risultava enorme. Il corpo, non distinguendolo dal calcio (dal momento che i due elementi hanno una natura chimica simile), lo distribuisce alle ossa, e così il radio le consuma, lentamente.[15]

Questa esposizione continua faceva marcire le ossa delle vittime. I sintomi si palesavano in genere a partire da un dolore ai denti, che poi si allentavano, quindi cadevano o dovevano essere tolti. I buchi nelle gengive di rado si sanavano, causando ulcere e infezioni che lasciavano l'osso esposto. Con il progredire della malattia e la necrosi della mascella, si staccavano frammenti di osso. Le donne colpite arrivavano a perdere pezzi interi di mascella.

Anche in chi non sviluppava setticemie o emorragie, il radio danneggiava la struttura scheletrica: le ossa diventavano come spugne bucate, fino a rompersi e a polverizzarsi. Il dolore era lancinante. Adolescenti, ventenni e trentenni rimanevano paralizzate. Il cancro era un'ulteriore causa di decesso. Negli anni successivi all'esposizione in genere comparivano sarcomi rari, molti dei quali iniziavano dalle ossa. I medici, compresi quelli impiegati dalle stesse aziende produttrici di quadranti al radio, assicuravano che i sintomi riscontrati nelle verniciatrici erano da attribuirsi ai nervi femminili, agli ormoni e all'isteria, nonostante i test rivelassero che le donne erano ormai, letteralmente, radioattive.[16] Alla prima vittima, Mollie Maggia, morta in New Jersey nel settembre del 1922, all'età di ventiquattro anni, fu inizialmente diagnosticata la sifilide, senza alcuna base concreta, soltanto per il fatto che era una giovane donna celibe che viveva da sola.

Una volta ho saputo di un pacco di vecchi orologi militari fermati dalla sicurezza aeroportuale. Decenni dopo la loro fabbricazione, erano ancora radioattivi. Tuttavia, la quantità di radio contenuta in un quadrante è così modesta da poter essere smaltita normalmente, e molti restauratori hanno ancora cassetti pieni di movimenti con vecchi quadranti dipinti al radio o lancette *new old stock* riempite di radio.[VI] Uno dei molti talenti di Craig è replicare la vernice luminescente dell'epoca con alternative moderne sicure. Mescola le vernici per modellismo Humbrol, corrispondenti al colore originario, a un po' di sabbia o di graniglia per replicare la consistenza più spessa della vernice originale, che si sollevava dalla superficie del quadrante come un muffin appena sfornato.

VI Un *new old stock* è un vecchio stock che non è mai stato usato, un po' come gli oggetti su eBay venduti «nuovi di zecca con cartellino» (solo che queste lancette sono vecchie di un secolo, anche se mai usate).

Una volta ho comprato all'asta un sacchetto di vecchi attrezzi e vi ho trovato, in agguato, una bottiglietta di vetro con dentro della polvere bianca. Sull'etichetta ingiallita dal tempo era scritto a mano RADIUM, una sinistra versione della pozione rimpicciolente con scritto «Bevimi» di *Alice nel paese delle meraviglie*. Ho cercato con timore su Google «come smaltire materiale radioattivo in sicurezza», immaginando che si sarebbe attivata una sorta di allerta e che poliziotti con la tuta anticontaminazione facessero irruzione dalla porta del laboratorio. Alla fine ho messo la polvere nell'olio per evitare che si diffondesse nell'aria e non ci ho più pensato.

Le vite delle *radium girls* invece ne furono rovinate. Alla fine degli anni Venti ne erano morte più di cinquanta, anche se è impossibile sapere con precisione quante altre donne furono davvero colpite. Il loro contributo alla prima guerra mondiale fu incommensurabile, ma il prezzo che pagarono fu criminale.

La loro tragica morte, tuttavia, non è stata del tutto vana. Grazie al loro consenso e a quello delle loro famiglie, molte di queste donne, sia quelle che sopravvissero sia quelle che non ce la fecero, hanno contribuito alla ricerca sull'esposizione alle radiazioni nella seconda metà del secolo. Le loro morti hanno aiutato a fermare gli esperimenti nucleari in zone in cui potevano avere ricadute sugli ecosistemi. Le *radium girls* furono il primo esempio di un mondo futuro sempre più votato al nucleare.

Alla fine della prima guerra mondiale era insolito che un uomo *non* avesse un orologio da polso: per molti era un simbolo di coraggio. Negli anni successivi, gli orologi da trincea divennero il punto di partenza di diverse innovazioni. I produttori di orologi da polso crearono un'ampia gamma di nuove forme e stili, tra cui casse aerodinamiche lunghe e rettangolari, molto eleganti, che rendevano omaggio all'emergere del movimento art déco. Anche gli orologi squadrati, i cui lati si incurvavano verso l'esterno (e che a me sembrano un cuscino imbottito da divano), divennero di gran moda. Se gli orologi da trincea originari assomigliavano a piccoli orologi da taschino saldati su anse a filo, ora le anse diventavano parte integrante della cassa, simile a spalle che si allungavano abbracciando il cinturino.

I progressi nella metallurgia e nella scienza dei materiali durante il dopoguerra portarono a sostituire la laminazione e il rivestimento in oro, che davano alle casse uno spessore maggiore, con una placcatura in oro, che riduceva, tra l'altro, la quantità di metallo prezioso necessaria; così facendo, l'orologio d'oro diventò uno *status symbol* alla portata di una più ampia fascia di popolazione. Per le casse in metallo, vennero introdotti materiali di migliore qualità, come l'acciaio inossidabile, grazie al progredire delle attrezzature che rendevano più semplice lavorare e rifinire anche i metalli più duri. Le casse in acciaio inossidabile non procuravano problemi come invece capitava con il cromo e il nichel, materiali che spesso causavano terribili reazioni allergiche.

Anche il meccanismo degli orologi da polso a carica automatica fu perfezionato, reso più efficiente e meno costoso. Un peso imperniato al centro del meccanismo permetteva a chi lo indossava di caricare l'orologio semplicemente muovendo il polso. Il movimento del peso è simile a quello di una raganella di legno fatta ruotare da un tifoso durante le partite di calcio: la rotazione fa girare una serie di ingranaggi che caricano la molla nel bariletto, per evitare di ritrovarsi nella situazione di dover guardare l'ora in un dato momento e scoprire che l'orologio si è fermato.

Le complicazioni aumentarono di numero e i prezzi calarono. C'erano ora orologi da polso che funzionavano come cronometri e al tempo stesso segnavano l'ora e fungevano da sveglia. Il continuo aumento della popolarità dell'orologio da polso permise anche di investire i profitti nella ricerca, migliorando la qualità e la precisione dei movimenti.

È a questo periodo di innovazioni tra le due guerre che io

e Craig ci siamo appassionati quando ci siamo approcciati all'arte dell'orologeria: è stato uno dei nostri primi interessi comuni. Ci sono così tanti modelli strani e meravigliosi, alcuni di grande successo, e molti altri che sono stati un tale fallimento che solo un masochista penserebbe di ripararli. Alcuni orologi di questo periodo funzionavano a malapena da nuovi, figuriamoci dopo settanta, ottanta o cento anni di utilizzo. La carica automatica, per esempio, è passata attraverso diversi stadi prima di arrivare ai sistemi altamente efficienti che utilizziamo oggi: la carica a rullo *wig-wag*, che fa oscillare l'intero movimento su e giù in una cassa oblunga, e l'Autorist, con le sue anse articolate che si flettono quando chi lo indossa muove il polso per attivare la carica. Nella nostra collezione abbiamo un orologio simile e, dopo aver provato a indossarlo, posso dirvi che non esistono movimenti sufficientemente vigorosi da fargli raggiungere anche soltanto metà carica. Sono tutti promemoria della nostra umanissima voglia di mettere alla prova il nostro ingegno e di continuare a inventare, oltre che del nostro bisogno di possedere le ultime emozionanti innovazioni tecniche.

Rolex, più di ogni altro marchio, ha cavalcato l'onda di questo sviluppo. Nel 1919 Wilsdorf e Davis trasferirono il marchio in Svizzera. Dopo la fine della guerra, il governo britannico aveva imposto pesanti dazi sull'importazione di casse d'orologio, nel tentativo di rimpinguare il bilancio dell'erario. Rolex mantenne un ufficio a Londra fino al 1931; poco dopo il governo britannico abbandonò il Gold Standard, i prezzi dell'oro crollarono e Wilsdorf si trasferì a Ginevra con tutta l'azienda. Nel corso degli anni la qualità degli orologi migliorò notevolmente, ma fu il talento di Wilsdorf per il marketing a consolidarne lo status. Anche il nome, che aveva ideato nel

1908, dava l'idea di un oggetto regale – un'associazione rafforzata dai nomi dei modelli (Prince, Princess, Oyster e, più tardi, Royal), oltre che da un marchio gemello denominato Tudor. Wilsdorf affermò che per il logo, una corona a cinque punte, si era ispirato alle cinque dita della mano umana, riferimento al lavoro artigianale di ogni orologio Rolex. Ancora oggi, il logo compare sul caricatore di ogni Rolex. Queste associazioni hanno contribuito a far sì che questi orologi trasudassero lusso, benessere sociale e ricchezza.

Wilsdorf non si lasciò sfuggire le opportunità pubblicitarie. Quando nel 1927 lui e Davis svilupparono il loro primo orologio impermeabile, l'Oyster – così chiamato perché la cassa era sigillata come un'ostrica –, non si limitarono a distribuirlo nei negozi e a pubblicare annunci su giornali e riviste, ma lo spedirono oltreoceano. Mercedes Gleitze lo portava al collo quando diventò la prima donna britannica a nuotare nella Manica. Dopo dieci ore trascorse in acqua, l'orologio fu controllato e valutato in ottime condizioni. La Gleitze divenne prima ambasciatrice della Rolex: il suo volto promuoveva il marchio, garantendone l'integrità e l'affidabilità. Oggi siamo abituati a vedere celebrità e sportivi pubblicizzare orologi, ma Rolex è stata la prima a proporre questa pratica.

Gli orologi Rolex venivano identificati in modo univoco con le imprese coraggiose di chi li indossava. Nel 1933, alcuni membri della RAF furono i primi a sorvolare il monte Everest indossando orologi Rolex. Si stamparono una serie di pubblicità con il titolo *Il tempo vola*. Nel 1935 un orologio Oyster viaggiò a 437 chilometri orari lungo la spiaggia di Daytona insieme a Sir Malcolm Campbell, nella sua leggendaria auto, la Campbell-Railton Bluebird, durante uno dei suoi numerosi tentativi per battere il record di velocità. Negli anni Cinquanta, Rolex lanciò l'Explorer, indossato da Edmund Hillary e dichiarato il primo orologio ad aver raggiunto la vetta più alta del mondo (anche se in seguito Hillary dichiarò di aver indossato un orologio Smiths durante la scalata). Oggi si potrebbe associare il Rolex a Wimbledon, all'ippica, all'oro del torneo

Master di golf o alla Formula 1. Rolex sponsorizza festival artistici in tutto il mondo. Sarebbe difficile trovare qualcuno che non ne abbia mai sentito parlare o che non sappia identificare il logo iconico della corona. A mio avviso, è stata la prima casa produttrice di orologi a rendere il nome del marchio persino più prolifico degli orologi stessi.

Gli anni tra le due guerre hanno generato la più rapida evoluzione degli orologi degli ultimi cinque secoli, un ritmo che è continuato fino ai giorni nostri. Allo scoppio della seconda guerra mondiale, nel 1939, gli orologi erano molto più adatti alle condizioni avverse ed estreme della guerra di quanto lo fossero vent'anni prima. Ai piloti dell'Aeronautica furono forniti enormi orologi da polso, delle dimensioni di un orologio da taschino, pensati per essere letti facilmente al buio e indossati sopra l'ingombrante equipaggiamento di volo. Gli orologi dei sommozzatori accompagnarono gli uomini rana della Marina in missioni acquatiche per attaccare le basi nemiche dal mare o per piazzare mine sullo scafo delle navi rivali. Questi orologi da polso potenziati resistevano agli urti e all'acqua, e le loro casse potevano persino prevedere un guscio in grado di proteggerli dai campi magnetici. Le lunette graduate, progettate per aiutare i primi aviatori a calcolare la loro posizione a mezz'aria, furono sempre più utilizzate dai piloti di caccia.

Durante la prima guerra mondiale, la neutralità della Svizzera era stata una manna per l'industria orologiera. I produttori di orologi non avevano dovuto mandare metà della loro forza lavoro a combattere al fronte, e l'economia del paese era stata risparmiata dal doppio colpo della riduzione della produttività e della necessità di investire nello sforzo bellico. I produttori svizzeri non si limitavano a fornire alle forze armate orologi completi, ma esportavano anche kit di movimenti, casse e quadranti pronti per la vendita al dettaglio con i marchi più disparati. Durante la seconda guerra mondiale, tuttavia, il commercio divenne più difficile. La Svizzera fu tagliata fuori dallo scambio con gli Alleati dopo l'invasione di Vichy. Ora era del tutto circondata dalle potenze dell'Asse, il che poneva un dilemma alle aziende orologiere, che non volevano avere a che fare con loro ma lottavano per sopravvivere. All'inizio della guerra, Rolex fornì movimenti all'azienda italiana Panerai per i sommozzatori della Marina italiana, ma ciò non bastò a rimpiazzare la perdita del mercato principale, quello britannico.

Alla fine, come altre aziende orologiere, Rolex iniziò a spedire gli orologi nel Regno Unito servendosi dei paesi neutrali e di navi e aerei battenti bandiera di nazioni che non erano in guerra con il Regno Unito, come Spagna e Portogallo. Vennero accolti da una domanda crescente, soprattutto tra i piloti della RAF, per i quali erano praticamente d'obbligo da quando, nel 1939, Alex Henshaw aveva volato per primo da Londra a Città del Capo indossando un Rolex. Wilsdorf si impegnò a fondo per mantenere gli scambi con gli Alleati. Regalò i suoi orologi agli ufficiali britannici prigionieri di guerra, in sostituzione di quelli che erano stati confiscati.[VII] Gli orologi venivano ordinati e poi inviati tramite la Croce rossa internazionale, confidando che sarebbero stati pagati alla fine del conflitto. Questo accordo tra gentiluomini risollevò gli animi, perché Wilsdorf si dimostrava fiducioso del fatto che i prigionieri ce l'avrebbero fatta, che la guerra sarebbe finita e gli Alleati avrebbero vinto. In un campo di prigionia tedesco, il campo Oflag VII-B, i prigionieri di guerra britannici ordinarono più di 3000 orologi.

Il tenente dell'Aeronautica Gerald Imeson, internato nello Stalag Luft III, 160 chilometri a sud-est di Berlino, ordinò un Rolex 3525, un cronografo top di gamma. Imeson utilizzò

[VII] Gli orologi di dotazione militare venivano spesso confiscati nei campi per prigionieri di guerra perché si sospettava contenessero bussole o attrezzi utili alla fuga.

l'orologio, dotato di cassa Oyster waterproof e di lancette e numeri in radio, per illuminare il tunnel lungo un centinaio di metri, soprannominato Harry,[VIII] che lui e i suoi compagni di prigionia avevano scavato nell'ambito di un'audace missione di fuga. Imeson era uno dei 200 uomini che avevano pianificato l'evasione ed era stato impiegato nella fase di preparazione come «pinguino»: nascondeva parte delle molte tonnellate di terra scavate nei tunnel sotto un largo cappotto, per poi ridistribuirle sul terreno all'interno del campo.

La notte dell'evasione, è possibile che Imeson abbia utilizzato il suo sofisticato orologio per calcolare la frequenza con cui le guardie pattugliavano il campo, il tempo necessario a ciascun uomo per strisciare all'interno del tunnel, e il numero di uomini che potevano entrare nel tunnel ogni ora (il risultato fu dieci). All'una di notte il tunnel era parzialmente crollato, rallentando la marcia. Alle 4 e 55, il settantasettesimo prigioniero fu notato da una guardia. Quelli che erano riusciti a passare iniziarono a correre. Settantatré furono catturati dopo una caccia all'uomo. Di questi, cinquanta vennero giustiziati su ordine di Hitler per dare l'esempio. Solo tre riuscirono a mettersi in salvo. Imeson non era tra questi. Tornò al campo e, dopo essere stato trasferito in un altro campo per prigionieri di guerra, fu liberato nel 1945. Tenne con sé il proprio Rolex 3525 per il resto della vita.[IX]

Alla fine della seconda guerra mondiale, Rolex era in una posizione di forza, ma la Gran Bretagna e gran parte dell'Europa stavano per precipitare nella recessione. Il marchio concentrò l'attenzione sul mercato statunitense e, grazie a un mar-

---

[VIII] «Harry» era uno dei tre tunnel. «Tom» era stato scoperto e fatto saltare con la dinamite; «Dick» era stato abbandonato dopo la costruzione di un edificio nel punto in cui avrebbe dovuto sbucare verso l'esterno.

[IX] Questa straordinaria evasione ha poi ispirato il film *La grande fuga*.

keting accorto e a nuovi modelli, riuscì a competere con marchi di orologi americani come Waltham e Hamilton. La chiave del successo è da individuare nella collaborazione con la più grande agenzia pubblicitaria del mondo dell'epoca, la J. Walter Thompson, in un rapporto che durò per decenni.

Grazie alla pubblicità, gli orologi di Wilsdorf non erano solo orologi: avevano molte storie da raccontare. Associandoli agli sport estremi, alla massima precisione e al lusso sfrenato, questi segnatempo definivano tanto chi si era quanto chi si voleva essere. Esiste un termine di marketing contemporaneo riferito a prodotti che danno l'impressione di esclusività e ricchezza, ma che sono destinati al mercato di massa. Si parla di *masstige*, amalgama delle parole *mass* (prodotto in serie) e *prestige*, prestigio. A mio avviso, Hans Wilsdorf è stato geniale proprio in questo.

Lui e Albert Einstein intrapresero carriere molto diverse: uno era un abile uomo d'affari, l'altro un brillante fisico teorico, ma avevano una sorprendente quantità di caratteristiche in comune. Erano nati in Germania a soli due anni di distanza l'uno dall'altro, poi si erano trasferiti in Svizzera, dove entrambi all'inizio avevano lavorato come impiegati. Per quello che mi riguarda, però, il legame più intrigante tra questi due uomini straordinari è che entrambi hanno modificato il nostro rapporto con il tempo. Mentre Einstein ha messo in discussione secoli di conoscenze sulla natura stessa del tempo, Wilsdorf ha stravolto secoli di convinzioni su ciò che gli orologi potevano rappresentare. Ancora oggi viviamo della loro eredità.

10. L'UOMO E LA MACCHINA

«Noi tutti ci allontaniamo sempre dal momento presente.»

H.G. Wells, *La macchina del tempo*, 1895

Il 9 giugno 1940, all'approssimarsi del mezzogiorno, i tre uomini dell'equipaggio dell'L9323, un bombardiere leggero Bristol Blenheim Mk IV, stavano rientrando alla base. Avevano appena completato con successo una missione di bombardamento di un convoglio corazzato tedesco nei pressi di Poix-de-Picardie, nella zona della Somme, nel Nord della Francia. L'esercito tedesco stava avanzando rapidamente verso le forze alleate, incastrate tra il nemico e la costa. L'evacuazione navale di Dunkerque era terminata. L'equipaggio dell'L9323 faceva parte dell'Operazione Aerial, il cui ruolo era quello di rallentare l'avanzata dei tedeschi per dare ai compagni che non erano riusciti a partecipare alla prima ritirata il maggior tempo possibile per fuggire attraverso la Manica.

Nei cieli della Normandia, di ritorno alla base, l'equipaggio finì sotto il fuoco nemico, colpito da un cannone contraereo Flak. Il pilota Charles Powell Bomford, venticinquenne, ufficiale dell'Aeronautica, rimase ucciso all'istante. L'osservatore di bordo, il sergente Robert Anthony Bowman, spinse di lato il corpo dell'amico caduto e afferrò la cloche centrale. Robert non aveva mai pilotato un aereo prima di allora, ma sapeva che se avesse lasciato precipitare il velivolo, lui e il mitragliere, l'ufficiale Francis Edward Frayn, sarebbero rimasti uccisi nell'impatto. Lottando con i comandi mentre l'aereo scendeva, riuscì a frenare la corsa quanto bastava per far sopravvivere entrambi allo schianto, ma l'impatto fece rientrare il muso dell'aereo nella cabina di pilotaggio, bloccando Robert contro il piantone della cloche. Era intrappolato. Francis si precipitò in suo aiuto, ma non riuscì a liberarlo. Il carburante fuoriuscito si incendiò e l'esplosione scaraventò Francis all'esterno. Robert morì tra le fiamme.

Di Francis si persero le tracce per molto tempo. I registri dell'aviazione ipotizzano che fosse sopravvissuto e che fosse stato trattenuto come prigioniero di guerra, anche se non c'erano notizie del suo internamento. La storia si rivelò molto più straordinaria.

Francis era sperduto, non riusciva a muoversi, aveva riportato troppe ferite ed era consapevole che il nemico non era lontano. Sdraiato a terra, sentì gli scarponi dei soldati che si avvicinavano. Posso solo immaginare il sollievo quando udì le loro voci e si rese conto che avevano un accento scozzese. Erano della 51ª divisione di fanteria (Highland), l'ultima grande truppa alleata rimasta in zona, anche loro in fuga verso la costa. Salvarono Francis: gli piegarono con cura il giubbotto sotto la testa perché gli facesse da cuscino e lo trasportarono in barella in un viaggio di due giorni fino all'ospedale di Saint-Valery-en-Caux, dove tutti speravano in una evacuazione. Nei giorni successivi al miracolo di Dunkerque, gli ultimi soldati – quasi 200.000 tra personale alleato e soldati feriti – furono portati in salvo sulle navi. Francis era tra questi. L'imbarcazione su cui fuggì fu l'ultima a partire prima che il porto cadesse sotto il fuoco nemico. Era capitanata da Sir Peter Scott, stimato naturalista e ufficiale di Marina britannico, unico figlio dell'esploratore Robert Falcon Scott.

I soccorritori scozzesi di Francis non furono così fortunati. Il piano era di tornare a prenderli, ma una fitta nebbia rese impossibile il viaggio. All'alba del 12 giugno, gli uomini si resero conto che nessuna nave sarebbe arrivata a salvarli.

Intrappolati, stremati ed esausti, si arresero la mattina stessa. Conosciamo l'incredibile storia di Francis perché l'ha raccontata in dettaglio a suo figlio, che l'ha raccontata a me, perché ora anch'io ho una piccola parte da recitare in questa storia. Francis fu curato in un ospedale francese, dove un'infermiera prese la giacca malconcia piegata sotto la sua testa e la scosse per appenderla al lato del letto. All'improvviso sentì un rumore metallico e un piccolo oggetto argenteo cadde sul pavimento. Si chinò e lo raccolse. Era l'orologio di Francis, che in qualche modo era sopravvissuto all'incidente. Dei pezzi di metallo si erano staccati dalla cassa, il cinturino si era rotto e la ghiera girevole che usava per misurare gli intervalli tra i bombardamenti era andata persa, ma sia l'orologio sia il suo proprietario ce l'avevano fatta: segnati dalla battaglia, ma ancora vivi e pulsanti.

E ora quell'orologio è qui davanti a me, sul mio banco da lavoro. Francis lo conservò al termine della guerra e poi lo lasciò al figlio, che alla fine lo portò a me, all'interno di una bustina di juta. Il quadrante, un tempo di una luminosa tinta avorio simile al colore del latte intero, ora è patinato con macchie scure. Le definisco «fioritura» perché mi ricordano quelle che compaiono sulle pagine dei libri antichi. Non è un termine ufficiale dell'orologeria, ma per me che amo sia gli orologi sia i vecchi libri è perfetto. La sezione del quadrante sotto le ore dodici reca i resti di quello che una volta era il marchio Movado.

Movado è un'azienda svizzera fondata a La Chaux-de-Fonds nel 1881. Il fondatore, il diciannovenne Achilles Ditesheim, deve essere stato un appassionato di esperanto, idioma internazionale artificiale ideato dall'oculista polacco L.L. Zamenhof nel 1887, dato che il nome Movado che l'azienda assunse nel 1905 in questa lingua significa «sempre in movimento». Questo particolare modello, chiamato Weems in onore di Philip Van Horn Weems, l'esperto di navigazione che viaggiava con Lindbergh,[1] e dotato di una lunetta esterna mobile per il

---

[1] Si trattava in effetti di una versione dell'orologio Longines che il tenente comandante Weems aveva sviluppato con Charles Lindbergh. In tempi di guerra, Longines concesse in licenza il design a diverse altre aziende, tra cui Movado, non riuscendo a soddisfare l'elevata domanda.

calcolo della longitudine, fu distribuito ai piloti e ai navigatori della RAF allo scoppio delle ostilità. Ne furono prodotti solo 2500 e, guardandolo ora, mi chiedo quanti ne esistano ancora.

Stranamente la scritta Movado sull'orologio di Francis è stata quasi del tutto grattata via, come se fosse stato fatto con la punta di uno spillo. L'unica lettera ancora visibile è la «V» centrale. Francis non disse mai al figlio perché il quadrante fosse stato danneggiato né cosa questo potesse significare. Forse Francis stesso ha apportato la modifica, lasciando la «V» di vittoria. Qualunque sia la ragione, è una parte importante della storia di questo piccolo oggetto, quindi la lascerò così com'è. Il mio obiettivo principale è quello di rimettere in funzione l'orologio, in modo che i discendenti di Francis possano continuare a indossarlo e a ricordare la sua storia.

Il Movado Weems dell'ufficiale Francis Edward Frayn dopo il restauro. In progetti come questo ci assicuriamo che le nostre riparazioni possano essere eventualmente eliminate in futuro per riportare l'orologio allo stato originale, se lo si desiderasse. La lunetta di ricambio può essere rimossa, mentre le ammaccature e i pezzi saltati via dalla cassa sono stati lasciati com'erano.

Tutti gli orologi hanno una storia, ma quelle del XX secolo sono molto più vicine a noi. Le apprendiamo direttamente dai loro proprietari, o dai loro parenti, piuttosto che dalle pagine dei libri o dalle lettere trovate negli archivi. Gli orologi della seconda guerra mondiale – che siano di serie o oggetti preziosi – sono pregni delle esperienze di chi li ha posseduti.

206

Non tutti sono stati sui campi di battaglia. Alcuni erano destinati al vasto personale amministrativo dell'esercito. I marchi degli orologi militari, di solito stampati sul quadrante e incisi sul retro della cassa, riportano numeri di riferimento e codici e in questo modo ci rivelano a quale ramo sono stati assegnati, in quale nazione e in quale anno. Per esempio, gli orologi militari britannici riportano una *broad arrow*, una freccia larga soprannominata «zampa di gallina» perché le tre linee unite assomigliano all'impronta di un uccello sulla sabbia. C'erano poi vari codici: AM indicava che era stato prodotto per l'Air Ministry, ATP stava per Army Time Piece e WWW significava orologio da polso impermeabile (la traduzione letterale del codice è Watches, Wristlet, Waterproof). La sigla RCAF indica un orologio della Royal Canadian Air Force. Altri paesi avevano i loro sistemi e questo approccio pratico alla marcatura dei pezzi di produzione militare di solito (ci sono sempre delle eccezioni) li rende facilmente identificabili e databili.

Ho avuto modo di vedere anche gli orologi dell'esercito nazista degli anni Trenta e Quaranta, con la svastica e l'aquila della Kriegsmarine, il numero di FL Flieger della Luftwaffe o il marchio di proprietà DH che stava per Deutsches Heer, cioè «esercito tedesco». Nelle rare occasioni in cui arrivano nel nostro laboratorio, li passo subito a Craig. Il suo atteggiamento nei loro confronti è molto più clinico del mio. Mi fa notare che un orologio militare nazista potrebbe non aver mai lasciato un magazzino; oppure potrebbe essere stato consegnato a un impiegato minore di scarsa importanza, o ancora essere stato scambiato per qualche sigaretta da uno dei tanti soldati finiti nei campi di prigionia alleati. Allo stesso modo, ogni orologio che finisce davanti a noi potrebbe, a meno che non se ne conosca con certezza la provenienza, essere stato testimone di una serie di atrocità a cui cerco di non pensare. Per Craig sono soltanto oggetti inanimati. Non si può incolpare un oggetto inanimato delle azioni del suo proprietario o del suo creatore.

Per quanto una massa di metallo, smalto e vetro possa essere priva di colpe, si possono legittimamente mettere in dubbio

207

le intenzioni dei collezionisti. Conosco proprietari che li considerano soltanto pezzi storici e il cui interesse generale per la storia militare del XX secolo li porta a collezionare un'ampia varietà di oggetti di entrambi gli schieramenti.

Esiste tuttavia un altro mercato di cimeli nazisti che ancora onora una fase spaventosa della nostra storia ponendo dilemmi continui alle case d'asta e ai commercianti. Di recente è stato messo in vendita all'asta un orologio da polso che si affermava essere appartenuto a Hitler, un Huber del 1933. Trenta capi della comunità ebraica hanno scritto alla casa d'aste per opporsi alla vendita, ma l'orologio è stato venduto il primo giorno per 1,1 milioni di dollari e pare che se lo sia aggiudicato un ebreo residente in Europa. Un'analoga discussione si è scatenata nel 2021, quando nel Regno Unito è stato messo all'asta un orologio che il governo cinese aveva regalato ai soldati per commemorare la loro partecipazione al massacro di piazza Tienanmen nel giugno del 1989. Sul quadrante, sotto l'immagine di un soldato in uniforme verde con l'elmetto, la scritta recita «'89.6 in memoria della repressione della ribellione» – una repressione in cui rimasero uccise tra le 300 e le 3000 persone, a seconda che si utilizzino le cifre ufficiali del governo o quelle degli osservatori esterni. All'inizio la casa d'aste ha sostenuto che si trattava di un «oggetto di interesse internazionale», che la vendita non era una dichiarazione di supporto e che il proprietario non aveva nulla a che fare con l'Esercito popolare di liberazione.[1] Tuttavia, dopo che il venditore anonimo ha ricevuto minacce di morte attraverso i social media e il sito web della casa d'aste, il lotto è stato ritirato. Gli oggetti svolgono un ruolo importante nel garantire che il passato non venga dimenticato. Ma cosa dovremmo fare con i manufatti dei periodi più bui della storia? Dovrebbero essere conservati nei musei, esposti al pubblico o nascosti in un magazzino? Dovrebbero essere distrutti? Una volta che raggiungono il mercato, non abbiamo modo di sapere dove finiranno o come verranno utilizzati.

Non esistono risposte facili a queste domande. Per quel che mi riguarda, ogni orologio porta con sé le tracce di chi lo ha indossato. Quando i nazisti radunarono gli ebrei per il «reinsediamento a est», molti credevano di venire soltanto trasferiti. Ebbero poco tempo per fare le valigie e si portarono dietro un bagaglio limitato, quindi presero con loro i beni più preziosi. Gli orologi, insieme a denaro, vestiti, occhiali e protesi artificiali, furono tra i primi oggetti di valore a essere confiscati all'arrivo nei campi di concentramento. Quando i campi furono finalmente liberati, gli orologi furono trovati ammassati a migliaia. Da soli custodivano storie che non sarebbero mai state tramandate; tutti insieme, erano testimoni del momento più vergognoso dell'umanità.

Gli orologi raccolti dopo il bombardamento americano di Hiroshima, in Giappone, sono ora parte di una commovente mostra presso il Museo memoriale della pace di Hiroshima. Quando la testata atomica Little Boy da 9700 libbre (4600 chilogrammi) fu lanciata la mattina del 6 agosto 1945, 80.000 persone rimasero uccise sul colpo. La bomba creò onde di pressione che si propagarono a una velocità maggiore di quella del suono. In seguito si scoprì che tutti gli orologi colpiti dall'esplosione erano rimasti congelati per sempre al momento della detonazione: le 8 e 15 del mattino.

Durante le due guerre mondiali, gli orologi da polso hanno accompagnato uomini e donne nel corso di battaglie, prigionie, operazioni di spionaggio e di fuga. Nel dopoguerra, hanno continuato a raccontare quest'eredità eroica. Anche quando si è tornati alla vita civile, le imprese di coraggio e resistenza sono state sfruttate per vendere gli orologi. Veniva sottolineata l'affidabilità di tali oggetti in ogni tipo di situazione estrema, anche se ora era più probabile che si fosse chiamati a tagliare l'erba di un prato piuttosto che a combattere.

Gli orologi facevano a gara in precisione tecnica e cronometria. I miglioramenti apportati alle casse resistenti all'acqua permisero agli orologi subacquei di arrivare a profondità maggiori. Nel 1960, Rolex fissò il proprio orologio subacqueo, il Deep Sea Special, all'esterno del batiscafo sommergibile Trieste e gli fece raggiungere i 10.911 metri di profondità, nella Fossa delle Marianne. Quando tornò in superficie era perfettamente funzionante, il che è più di quanto si potesse dire di qualsiasi essere umano (l'attuale record mondiale d'immersione subacquea è di «soli» 332,35 metri di profondità). Nel 1969, Omega spedì il proprio cronografo Speedmaster sulla Luna, al polso di Buzz Aldrin e Neil Armstrong, dopo aver superato tutti i concorrenti per la sua capacità di funzionare in presenza di variazioni estreme di temperatura, cambiamenti di pressione, urti, vibrazioni ed eventuali interferenze acustiche dovute al viaggio. Gli orologi da donna, invece, erano più decorativi che funzionali e diventavano sempre più fini, con quadranti sempre più piccoli. Erano quasi un promemoria del fatto che le donne, dopo l'ampliamento del loro ruolo in tempo di guerra, dovevano tornare a indossare il grembiule, pronte per l'ora più importante della giornata, il ritorno del marito dal lavoro.

Oggi quello degli orologi sportivi è ancora uno dei settori più di successo dell'industria orologiera. Forse non sopravvivrete alle stesse condizioni estreme che il vostro orologio è in grado di sopportare, ma almeno sarà tutto intero quando lo lascerete ai vostri parenti più prossimi.

La scienza che aveva portato tanta devastazione a Hiroshima e Nagasaki prese una nuova direzione nel periodo successivo alla seconda guerra mondiale. Questo avrebbe cambiato per sempre il nostro rapporto con i segnatempo.

Già negli anni Trenta, Isidor Rabi, professore di Fisica alla Columbia University, aveva iniziato a lavorare a un orologio atomico, basandosi sulle ricerche del fisico danese Niels Bohr, che aveva sviluppato una teoria sulla struttura dell'atomo.[II] Bohr aveva osservato che gli elettroni orbitano intorno al nucleo atomico con grande regolarità e che un aumento di energia può far saltare gli elettroni su un'orbita più alta. Quando gli elettroni saltano, emettono energia a una specifica frequenza di oscillazione. La misurazione del tempo dipende in genere da elementi che oscillano, dal pendolo alla ruota del bilanciere alla molla, ma la frequenza emessa dall'atomo, che nel 1945 Rabi sfruttò per produrre il primo orologio atomico, si rivelò più precisa e più stabile di ogni altro strumento. A questo orologio succedettero rapidamente altre versioni che sfruttavano l'atomo di cesio, presso il National Institute of Standards and Technology (NIST) in Colorado e il National Physical Laboratory di Londra. Nel 1967, la Conferenza generale sui pesi e le misure aveva ridefinito il secondo come 9.192.631.770 oscillazioni dell'atomo di cesio 133. Negli anni a venire, il tempo atomico avrebbe reso possibile l'invenzione del GPS, di Internet e delle sonde spaziali.

Il tempo atomico era una svolta fondamentale, ma per il momento rimaneva chiuso negli istituti scientifici di tutto il mondo, ospitato in macchine grandi come camion. Nel frattempo, si stavano facendo strada altri sviluppi scientifici e tecnologici. Gli orologi da muro elettronici, alimentati da impulsi elettrici anziché da pendoli o molle oscillanti, esistevano già dagli anni Venti, ma ora gli inventori svizzeri e americani facevano a gara per estendere quella tecnologia anche agli orologi da polso. Il primo orologio da polso alimentato a batteria a varcare la soglia del mercato, nel 1957, fu l'Hamilton Ventura, immediatamente riconoscibile per il suo quadrante triangolare e la cassa dorata a doppio gradino in stile art déco. Elvis Presley lo rese un oggetto iconico per averlo indossato durante le riprese del film *Blue Hawaii*. Ma il Ventura era stato lanciato sul mercato

---

[II] Negli anni Quaranta sia Bohr sia Rabi avevano partecipato al Progetto Manhattan, contribuendo allo sviluppo della bomba atomica.

in fretta e furia; la breve durata della batteria fece sì che, una volta venduti, molti orologi fossero restituiti quasi subito ai rivenditori e il personale addetto alle riparazioni non era preparato a questa nuova tecnologia. Quando Hamilton riuscì a risolvere le problematiche del Ventura, i concorrenti avevano già colmato la distanza; tra questi il rivoluzionario Accutron lanciato nel 1960 dall'azienda americana Bulova – il nome era un mix tra le parole *accu*ratezza ed elet*tron*ica.

L'Accutron teneva il tempo grazie a un diapason attivato da un circuito elettronico con un singolo transistor alimentato da una piccola batteria. L'oscillatore elettronico aiutava il diapason a vibrare a una frequenza costante, esattamente 360 volte al secondo, il che faceva funzionare l'orologio rendendo obsoleto il bilanciere (Bulova dichiarava una precisione di +/– due secondi al giorno). Indossato, l'Accutron sembrava un oggetto arrivato direttamente dal futuro.

L'Accutron Spaceview, fiore all'occhiello della casa di produzione, era privo di quadrante, il che significava che era possibile vedere direttamente i circuiti elettronici del movimento. Sulla scheda verde turchese erano fissate due bobine di filo di rame che creavano il campo magnetico per il diapason; la rotazione delle ruote avveniva tramite l'indicizzazione di una minuscola ruota con 300 denti che, a sua volta, alimentava una serie di ingranaggi che azionavano la rotazione delle lancette. Il piccolo diapason creava un ronzio costante che usciva dall'orologio in modo sorprendentemente forte. (La pubblicità dell'Accutron cercava di trasformare questo aspetto in un punto di forza: «Avete sentito il nuovo suono della precisione? È il ronzio sommesso dell'Accutron».)[2] Una volta ho dormito con un Accutron sul comodino; è stato come condividere la stanza con un'ape piuttosto chiassosa intrappolata sotto un vetro. Il design dell'Accutron Spaceview era una celebrazione delle ultime novità dell'elettronica in miniatura. La trasparenza del quadrante era molto più che una finestra sul meccanismo: era uno sguardo sul futuro.

A ogni modo, l'orologio che ha ribaltato in maniera decisiva le sorti dell'orologio meccanico tradizionale arrivò dal Giappone. Il giorno di Natale del 1969, gli orologiai giapponesi della Seiko presentarono l'Astron, il primo orologio al quarzo del mondo. Al posto del diapason, questa nuova invenzione, frutto dell'ingegno di Kazunari Sasaki, si concentrava sull'utilizzo della piezoelettricità, processo scoperto nel 1880 da Pierre e Jacques Curie, che utilizzava i cristalli per convertire l'energia meccanica in energia elettrica. Se sottoposto a pressione (il termine piezoelettrico deriva da *piezin*, che in greco significa «spremere»), un cristallo emette un piccolo impulso elettrico che può essere utilizzato per ottenere una frequenza molto stabile, utile a regolare la rotazione di un rotore magnetico che svolgeva una funzione simile allo scappamento di un orologio meccanico. Un pezzo di quarzo può vibrare milioni di volte al secondo, rispetto alle 18.000 volte all'ora di un orologio meccanico d'epoca. Il nuovo orologio al quarzo era pubblicizzato come cento volte più preciso dei suoi rivali meccanici.

L'Astron non era economico – all'inizio ne furono prodotti soltanto cento, venduti a 450.000 yen (circa 10.000 sterline odierne) – ma ben presto le cose cambiarono. Grazie ai massicci investimenti nella tecnologia, alla razionalizzazione della produzione e all'aumento dell'automazione, i movimenti degli orologi al quarzo divennero sempre più accessibili. Oggi è possibile acquistare un movimento al quarzo perfettamente funzionante per pochi soldi.

Fu questa velocità a cogliere di sorpresa gli svizzeri. All'epoca della commercializzazione dell'Astron, come capitava anche negli Stati Uniti, un consorzio di aziende orologiere svizzere stava lavorando a diverse versioni del movimento al quarzo ma, protetto dai tassi di cambio globali fissi del dopoguerra, il settore non era riuscito a innovarsi e a ristrutturarsi. L'industria orologiera svizzera era ancora frammentata, fatta di piccole manifatture, non dissimili da quelle che l'avevano favorita ai tempi di John Wilter, sparse in ogni città e villaggio del Giura. La tecnologia al quarzo richiedeva però una serie di competenze del tutto diverse, che riguardavano più l'elet-

213

tronica che l'ingegneria meccanica tradizionale. Il Giappone e Hong Kong erano in grado di sfruttarla meglio della Svizzera e degli Stati Uniti.

Non sorprende che la rivoluzione del quarzo sia iniziata e si sia sviluppata più in fretta in Estremo Oriente. Giappone e Hong Kong erano già emersi come leader mondiali nel settore dell'elettronica in generale, con Canon, Panasonic e Mitsubishi che avevano ottenuto un enorme successo, e ora stavano sviluppando aziende orologiere di loro proprietà. Hong Kong aveva la reputazione di produttore di orologi a basso costo e di componenti di orologi per altre aziende; il Giappone aveva già marchi come Citizen, Seiko e Casio. Per la prima volta nella storia del paese, gli orologi venivano prodotti del tutto a macchina e non richiedevano più artigiani specializzati. Nel 1977 Seiko era la più grande azienda di orologi al mondo in termini di fatturato.

Nel frattempo, l'industria orologiera svizzera camminava come un sonnambulo verso l'orlo del precipizio. Gli orologiai svizzeri, proprio come quelli britannici un secolo prima, avevano avuto troppa fede nell'eccellenza della meccanica per rimanere al passo con i tempi. Erano più lenti a investire in nuove tecnologie e dovevano sempre più spesso rifornirsi di componenti all'estero. Questo, unito all'aumento del valore del franco svizzero, li estromise dal mercato dei prodotti a basso costo. All'inizio degli anni Ottanta, l'industria orologiera svizzera andava verso un declino catastrofico, con licenziamenti di massa e centinaia di aziende al collasso, causando la crisi del vecchio mondo dell'orologeria.[3]

E come se non bastasse, sulla scia della «crisi del quarzo», come venne definita nel settore, si palesò una nuova minaccia: l'orologio digitale.

Ricordo ancora l'invidia che provavo per il Casio G-shock Baby-G della mia compagna di classe Victoria. Era il mio primo anno di scuola secondaria. Ci avevano portati in un centro Outward Bound, per l'educazione e l'istruzione all'aria aperta, presumibilmente per rafforzare un po' i rapporti all'interno della classe, e la prima sera ci proposero un'avventura «speleologica». In realtà eravamo semplicemente trenta ragazzine di undici-dodici anni ammassate nella soffitta dell'edificio, che era stata chiusa per creare oscurità totale e poi cosparsa di vari ostacoli. Dovevamo girare per la soffitta al buio come talpe, se non fosse stato per l'inquietante bagliore verde dell'orologio digitale Baby-G di Victoria. Bastava un tocco sul display luminoso e lo seguivamo nell'oscurità. Mi piaceva il modo in cui si illuminava premendo un pulsante. Ne volevo uno tutto mio! Purtroppo però quella spesa non era alla portata dei miei genitori; avrei dovuto aspettare.

È incredibile pensare che la tecnologia alla base dell'orologio digitale di Victoria in parte derivi dalle ricerche della NASA. Il primo orologio digitale, l'Hamilton Pulsar, era americano e uscì nel 1972: utilizzava la tecnologia LED sviluppata dall'Agenzia spaziale. Era pubblicizzato come «Il massimo dell'affidabilità: nessuna parte in movimento. Niente bilanciere, ingranaggi, motori, molle, diapason, lancette, steli o manopole da caricare, scaricare o consumare!».[4] Ma il Pulsar, come il Ventura e l'Accutron prima di lui, non poteva ancora competere con i prezzi dei prodotti provenienti dall'Estremo Oriente. I giapponesi Seiko LCD del 1973 e Casio del 1974 gli fecero mangiare la polvere.

Si potrebbe pensare che l'assenza di parti mobili sia la mia idea di inferno, ma sinceramente amo gli orologi digitali. In effetti, ho una collezione di Casio e rimangono i miei orologi preferiti per lavorare in laboratorio. Credo di essere sempre stata attratta dagli opposti (mi piacciono sia i gatti sia i cani, e i miei primi due album da bambina sono stati *The Planets* di Holst e *Greatest Hits* di Cyndi Lauper). Posso occuparmi dell'arte orologiera tradizionale, cimentarmi nell'applicare tecniche vecchie secoli, ma traggo uguale diletto dalla resilienza del mio Casio di plastica. C'è qualcosa di immensamente rassicurante nell'indossare un orologio capace di resistere a una caduta dal tetto di un condominio (o almeno così dice la pubblicità; io non ci ho provato), soprattutto quando il tuo lavoro quotidiano consiste nell'adoperare precisione e cura infinite per riportare in vita i suoi antenati meccanici di alta qualità.

Un cronografo digitale Seiko della fine degli anni Settanta.

Un Casio non ha bisogno del mio amore. Non devo preoccuparmi di non graffiare la plastica con trucioli di metallo affilati o di sbatterlo su una fresatrice. E non ho nemmeno bisogno di ripararlo: va e basta. Sostituire la batteria è un lavoro facile e veloce. E se un giorno dovesse fermarsi e una nuova batteria non dovesse bastare, non sarebbe la fine del mondo, dal momento che è costato soltanto 30 sterline.

La salvezza dell'industria orologiera svizzera fu Nicolas Hayek. Imprenditore svizzero di origine libanese, fu contattato dalle banche per supervisionare la liquidazione di due aziende orologiere elvetiche che erano state costrette al fallimento dalla crisi del quarzo. Piuttosto che chiudere le attività, Hayek ritenne che si potesse procedere con una ristrutturazione sostanziale. Si rese conto che se l'industria orologiera svizzera voleva essere salvata, doveva evolversi rapidamente, incorporando, anziché rifiutare, le tecnologie competitive al quarzo, riducendo i prezzi al dettaglio e presentando sul mercato qualcosa di nuovo. Ebbe così l'idea di produrre orologi al quarzo a prezzi accessibili con materiali economici come plastica e resine, con un'ampia scelta di forme e colori audaci e alla moda. Chiamò il suo nuovo marchio Swatch.

Swatch conquistò in fretta il mercato della moda e ridiede valore all'orologio analogico. Nel 1985, il «Los Angeles Times» lo definì «il nuovo accessorio più in voga sul mercato».[5] Gli orologi Swatch erano così attraenti e abbordabili – Cheryl Chung, allora responsabile dello sviluppo del prodotto per Swatch USA, li definì *cheap chic* – che cambiarono il modo di acquistare e di utilizzare gli orologi. Lanny Mayotte, direttore marketing dell'azienda rivale statunitense Armitron, affermò a ragione: «Le persone oggi hanno un intero cassetto di orologi... Anni fa si comprava un orologio per la laurea e lo si tramandava ai figli. [Ma] perché non avere un orologio divertente piuttosto che un vecchio e noioso orologio con cinturino a espansione?».

Cinque secoli prima, l'orologio era uno dei lussi personali più costosi. Ora se ne poteva acquistare uno per ogni colore nei grandi magazzini. E se le mode cambiavano? Bastava buttarlo via e comprarne un altro. L'orologio Swatch ha trasformato il nostro rapporto con il tempo. E, ironia della sorte, ha anche salvato l'orologio meccanico. Swatch ebbe un successo così formidabile che i profitti permisero a Hayek di acquistare marchi storici in crisi e di iniettarvi nuovi capitali. Swatch è oggi una delle più grandi multinazionali di marchi di lusso al mondo, insieme a nomi celebri come Omega, Longines, Tissot e Maison Breguet. Un orologio economico e allegro aveva salvato dall'oblio l'industria orologiera meccanica svizzera.

Per le aziende americane e le loro ramificazioni in tutto il mondo, purtroppo, non ci fu un analogo salvatore. Lo sciopero della fabbrica americana Timex di Dundee, in Scozia, nel 1993, in seguito alla crisi del quarzo, è uno dei più noti. La violenza del picchetto di scioperanti è stata descritta come la peggiore dai tempi dello sciopero dei minatori nel 1984. Al suo apice, negli anni Settanta, la Timex era un'importante fonte di occupazione per la città; la fabbrica impiegava circa 7000 persone. Al momento della chiusura, la forza lavoro era ridotta a settanta dipendenti.[6] I problemi iniziarono nel 1993 in seguito a una disputa causata dalla proposta di licenziamenti, congelamento dei salari e riduzione delle indennità accessorie, per via della concorrenza dell'Estremo Oriente. Nel 1993, Hong Kong esportava 592 milioni di orologi all'anno[7] e i produttori erano in grado di fornire grandi lotti in soli venticinque giorni.[8] La Timex di Dundee non poteva competere. I lavoratori del sindacato votarono con decisione a favore di uno sciopero piuttosto che affrontare una riduzione della forza lavoro o dei salari. Il fallimento delle trattative fece sì che gli operai venissero chiusi fuori dalla fabbrica, mentre dei crumiri, o «croste» come venivano definiti dai manifestanti, venivano fatti entrare a sostituirli. Un manifestante anonimo raccontò che venivano lanciate lattine di Coca Cola e caffè sulle auto, che ci furono episodi di vandalismo e che lui portava sempre con sé il manico di un piccone nel bagagliaio dell'auto. Per la maggior parte i lavoratori della Timex erano donne e lo sciopero le politicizzò. In un'intervista a «Scotsman», un'operaia della catena di montaggio affermò che si erano trasformate «da agnelli a leoni». «Alcune donne piccoline e minute tutto d'un tratto divennero irriconoscibili... Stavano lottando per sopravvivere. La maggior parte era come me. Lavoravamo lì da quando eravamo ragazzine.»

Alla fine, in seguito a sei mesi di disordini violenti, la fabbrica fu definitivamente chiusa, dopo quarantasette anni di attività. Sebbene il marchio Timex continui a essere utilizzato e l'azienda abbia ancora uffici in tutto il mondo (la maggior parte della produzione è ora localizzata in Svizzera e in Estremo Oriente), la chiusura ebbe conseguenze pesanti. Nel 2019, quando la BBC girò un documentario sull'«ultimo sciopero scozzese», apparve chiaro che in città le ferite della perdita della fabbrica erano ancora aperte.

Per un orologiaio, uno dei più grandi cambiamenti del secolo scorso è stato il rapido passaggio, a volte totale, dall'artigianato alla macchina. La crisi del quarzo, la guerra dei prezzi e i tagli di bilancio hanno fatto sì che dagli anni Settanta agli anni Novanta rimanesse poco spazio per le capacità del maestro artigiano. Gli esseri umani costano più delle macchine, e quindi più un orologio può essere fabbricato a macchina, meglio è. Lo stesso vale per la manutenzione. L'orologio Ingersoll Yankee, al costo di un dollaro, prevedeva ancora la possibilità di essere ristrutturato e riparato. Negli anni Ottanta venne prodotto un numero crescente di orologi ermetici, le cui casse sono impossibili da aprire,[III] il che significa che nel momento in cui smettono di funzionare si ha poca scelta se non quella di buttarli via e comprarne un altro. Oggi la maggior parte degli orologi Swatch è fabbricata in modo simile.

Gli orologi non erano più destinati a durare. Le materie plastiche, essendo molto più morbide del metallo, si usurano più in fretta e si infiltrano nei delicati meccanismi degli orologi, riducendone ulteriormente l'aspettativa di vita. Mentre un movimento meccanico può essere riparato da un orologiaio, un circuito stampato come quello di un orologio a batteria non può essere aggiustato: il meccanismo è fuso alla cassa e quando lo si apre i componenti esplodono come una bomba al glitter. Quando un componente smette di funzionare, l'intero orologio si guasta. Nei decenni successivi, l'obsolescenza programmata sarebbe diventata parte integrante della fabbricazione di automobili, computer e software.

Questo fu un momento cruciale nella lunga storia del nostro mestiere. Io e Craig ci ispiriamo all'epoca che ha preceduto la crisi del quarzo, anche perché rappresenta un periodo in cui uomini e macchine lavoravano all'unisono. Le macchine miglioravano la produzione, l'efficienza e la precisione degli orologi, ma avevano ancora bisogno di noi per essere adoperate. Una fresatrice del 1940 necessita di un operatore esperto.

III Ci ho provato, ma alla fine ho dovuto rompere la cassa.

Richiede qualcuno che la imposti, la controlli e la faccia funzionare. Velocizza il lavoro ed è molto precisa, ma non può essere lasciata a sé stessa. Al contrario, il controllo numerico computerizzato (CNC) fa tutto il lavoro al posto nostro, dopo che è stato impostato e che gli è stato inserito un programma di progettazione, lavorando interi componenti fino quasi alla finitura. Può anche essere lasciato in funzione durante la notte, consentendo di tornare in laboratorio il mattino seguente e trovare il lavoro già completato.

È un pensiero surreale per un orologiaio tradizionale. Tutti i nostri strumenti e macchinari sono vecchi. Avendo iniziato la nostra attività con un prestito molto esiguo, circa la metà del costo di un tornio nuovo di fabbricazione svizzera, non abbiamo avuto altra scelta se non quella di acquistare vecchie attrezzature da restaurare e adattare ai lavori richiesti. Ma utilizzarle è uno degli aspetti più piacevoli del mio lavoro. Una volta che le si conosce, si scopre che ognuna delle nostre macchine ha una personalità propria, tanto che abbiamo dato loro dei nomi. Accanto al tornio Helga c'è sua sorella, Heidi, un altro tornio da 8 millimetri della Germania dell'Est risalente agli anni Cinquanta; sono arrivati insieme dalla Bulgaria. Abbiamo personalizzato Helga in modo che potesse tagliare le ruote dentate, prendendo come riferimento la fotografia sulla copertina di un libro (ironicamente intitolato *L'orologiaio e il suo tornio*): ora è in grado di tagliare ogni minuscolo dente delle ruote e dei pignoni degli orologi, mentre Heidi si dedica ai piccoli perni e alberi di carica, grazie al suo bulino in acciaio temprato. Poi ci sono George, il trapano a colonna, prodotto negli anni Sessanta dalla Ideal Machine and Tool Company (IME), capace di praticare fori di 0,1 millimetri, e la fresatrice Albert, realizzata da Wolf Jahn intorno al 1900, che funziona come un trapano ma il cui basamento (che regge il pezzo) si muove da un lato all'altro, consentendo di incidere il metallo e di praticare incavi e lunghe righe. Il nostro tornio più piccolo, prodotto da Lorch negli anni Quaranta, lo abbiamo trovato in una cassetta degli attrezzi sul pavimento dell'officina di un amico. L'abbiamo chiamato Maus, ovvero «topo» in tedesco, sua lingua madre. Sua sorella, che abbiamo soprannominato Spitzmaus (toporagno), è ora uno strumento planteur, utile ad allineare i piccoli fori praticati in diverse lastre di metallo. Queste macchine hanno bisogno di noi quanto noi di loro. Le consideriamo nostre colleghe.

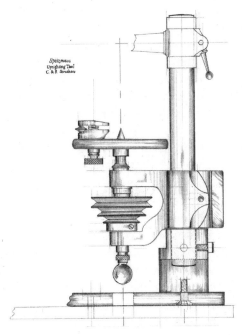

Il nostro planteur Spitzmaus per allineare i fori,
adattato dopo essere stato trovato in una cassetta
degli attrezzi nell'officina di un amico.

Durante il nostro periodo di addestramento, se mi mancava un orologio da restaurare per il mio portfolio, Craig mi lasciava frugare nella sua «scatola dei movimenti». Era entusiasta della sua scatola di biscotti Family Circle piena di centinaia di vecchi orologi e meccanismi, per lo più risalenti alla prima metà del XX secolo. Mentre la maggior parte degli altri studenti concentrava le proprie energie sulla manutenzione di dispositivi moderni, alla ricerca di un posto di lavoro in uno dei numerosi centri di assistenza dei principali marchi di orologi, noi lavoravamo su oggetti degli anni Venti o Trenta, spesso mancanti di componenti, casse e fondelli, privi di marchio e di valore economico. Il nostro tutor, Paul Thurlby, ex orologiaio di Omega, era disperato. «Perché», chiedeva, «lavorate solo su vecchia robaccia?»

A nostro parere, il fascino risiede nel fatto che questi oggetti riportano tracce umane. Anche se sono stati realizzati in un'epoca in cui la produzione si faceva sempre più automatizzata, le macchine non erano neanche lontanamente precise come lo sono oggi, per cui alcuni componenti erano rifiniti a mano. Tutte le regolazioni e i montaggi venivano eseguiti manualmente. Quando si osserva un vecchio orologio si possono vedere in modo chiaro le idiosincrasie di altri artigiani, se non i loro errori. Questo mi porta a pensare al momento in cui qualcuno ha visto per la prima volta quell'orologio in una vetrina e ha deciso di acquistarlo, e a quanto sia diventato prezioso per la sua vita. L'ha consumato fino allo sfinimento? È stato rivenduto a un gioielliere e poi ha iniziato una nuova storia con qualcun altro? È stato abbandonato in un cassetto e dimenticato per decenni? O forse lasciato a un familiare che non ne apprezzava lo stile datato? Molti orologi meccanici hanno subito questo destino negli anni Settanta e Ottanta, quando sono passati di moda. E ora eccoli qui, in questa scatola di latta dei biscotti Family Circle.

Anche gli orologi da trincea più antichi, piuttosto piccoli rispetto agli equivalenti moderni, hanno subito questo destino, compresi quelli di Wilsdorf & Davis. Le loro sottili anse in filo metallico, spesso realizzate con metalli morbidi come l'argento, non invecchiavano bene, né fisicamente né in termini di moda. Solo di recente si è cominciato a capire che hanno un secolo di vita e che vale la pena restaurarli. Finalmente stiamo iniziando a vedere come i sopravvissuti della scatola dei biscotti vengono riparati e indossati di nuovo. Durante la crisi del quarzo, gli orologiai non venivano pagati molto per riparare gli orologi ed erano sottoposti a un'enorme pressione perché lavorassero il più velocemente possibile. Abbiamo parlato con orologiai ormai in pensione che ci hanno raccontato che a volte veniva concessa loro soltanto mezz'ora per riparare un orologio. Io e Craig passiamo almeno un giorno, a volte diverse settimane, a lavorare su un singolo meccanismo; ora siamo alle prese con un restauro che ci ha richiesto quasi due anni. All'epoca, l'obiettivo degli orologiai era soltanto quello di far funzionare gli orologi nel modo più rapido ed economico possibile, il che ha portato spesso a danni non voluti. Non mi piace che si critichi il lavoro di questi artigiani, che lavoravano in condizioni terribili senza alcun aiuto. Ho saputo di orologiai altamente qualificati che guadagnano di più cambiando batterie che restaurando orologi d'epoca. La crisi del quarzo ha rappresentato un vero e proprio punto morto per l'orologeria tradizionale sotto molteplici prospettive.

Ora siamo però in una nuova fase. La tecnologia ha superato anche l'orologio al quarzo. L'attuale Apple Watch ha più complicazioni di quante Breguet potesse immaginare. Non è soltanto un orologio con una precisione di 50 millisecondi, ma anche un telefono, un browser Internet, un provider di e-mail, una chiave per l'auto e un fitness tracker; può persino offrire letture ECG e del livello di ossigeno: molteplici tecnologie racchiuse in un piccolo oggetto. Sebbene l'orologio sia ancora alimentato da una batteria, i componenti mobili sono stati sostituiti da schede a circuito stampato e le letture dell'ora su cui si basano sono trasmesse via satellite e regolate da orologi atomici. Ogni volta che un telefono o uno Smartwatch valutano la nostra posizione, si basano su almeno tre letture satellitari al nanosecondo provenienti dallo spazio. Per dirci dove ci troviamo, il GPS effettua aggiustamenti per la relatività tra le letture in un modo che avrebbe entusiasmato Einstein. Senza questi aggiustamenti, saremmo sempre leggermente fuori strada, proprio come la lettura errata della longitudine si rivelò fatale per Cloudesley Shovell e la sua flotta nel 1707. Personalmente, ritengo lo Smartwatch un passo troppo lungo, in qualche modo invasivo. Non ne ho mai posseduto uno. Credo sia già sufficiente che il mio telefono e il mio computer portatile mi seguano ovunque. Di tanto in tanto mi piace allontanarmi dai segnali telefonici, dal Wi-Fi e dai cookie di tracciamento. Ho paura che la tecnologia mi disconnetta del tutto dal mondo che mi circonda.

Quando sono apparsi gli e-book, tutti sostenevano che il libro fosse morto. Chi aveva bisogno di un libro, di una libreria, persino di uno scaffale, quando si poteva avere tutto su un e-reader? Che strano, allora, che ci sia stata una sorprendente rinascita di splendidi libri rilegati a mano, che hanno ricordato alle persone il piacere tattile della lettura. Qualcosa di simile sta accadendo con gli orologi. Le cose stanno ricominciando a girare per il verso giusto. Negli ultimi anni i prezzi degli orologi d'epoca sono saliti alle stelle. Ne viene apprezzato il restauro. Riparazioni che negli anni Settanta non avrebbero richiesto più di qualche sterlina sono ora quotate da alcuni grandi marchi decine di migliaia di sterline. Oggi, orologi come il Rebberg fanno sempre più gola ai collezionisti e vengono venduti a un prezzo decente, il che, a sua volta, consente agli artigiani di restaurarli adeguatamente.

Oltre a realizzare un albero di carica più grande su misura, per adattarlo alle platine usurate, spesso aumentiamo la potenza della molla per fornire a questi oggetti tutto l'aiuto possibile. Anche una piccola differenza nello spessore della molla, magari solo 0,05 millimetri in più, è sufficiente a migliorare la precisione e l'affidabilità. Non esistono fornitori di pezzi di ricambio, quindi per sostituire i bilancieri rotti (un altro difetto comune negli orologi costruiti prima della diffusione dei sistemi antiurto) realizziamo a mano nuovi bilancieri, che ricaviamo dall'acciaio con il nostro tornio. I delicati perni che sostengono l'intero gruppo del bilanciere durante la sua oscillazione sono alti meno di mezzo millimetro e hanno uno spessore persino inferiore. In alcuni casi, i bilanceri che sostituiamo erano stati realizzati in modo rapido ed economico da riparatori durante la crisi del quarzo, quindi ne costruivano uno adatto, lo montiamo e poi lo sottoponiamo a *poising*, un processo di rimozione dal bilanciere dei minuscoli frammenti di metallo, più piccoli di un granello di sabbia, per assicurarci che il peso sia distribuito in modo uniforme. È l'equivalente in miniatura della bilanciatura degli pneumatici dell'auto.

In un Rebberg, la sottile molla, realizzata con un metallo più malleabile di quello utilizzato oggi negli orologi, ha quasi sempre bisogno di essere rivista perché, dopo essere passata per le officine di riparazione, di solito è stata piegata in modo anomalo. A tale scopo, utilizziamo pinzette fini con punte simili ad aghi per riportare delicatamente la molla alla spirale perfetta. I Rebberg venivano rifiniti a mano. È possibile trovare tre o quattro movimenti esattamente dello stesso calibro, ma non si possono mischiare le parti. Avrebbero bisogno di essere rimodellati e ricostruiti perché ogni movimento è costruito artigianalmente, progettato per funzionare soltanto con i componenti con cui è stato allestito. A volte si può notare che l'orologiaio ha contrassegnato i componenti principali di ogni movimento con puntini nascosti o numeri per riuscire a rimetterli insieme in fase di riassemblaggio, pezzo per pezzo.

Negli orologi meccanici di oggi, è possibile sostituire i pezzi grazie alla programmazione CNC. Non posso parlar male di questa tecnologia senza la quale molti degli orologi più complicati e precisi di cui disponiamo sarebbero persino inconcepibili, ma non la adotteremo mai nel nostro laboratorio. Come dice Craig: «Preferisco passare ore a pasticciare con pezzi che non si adattano piuttosto che avere tutto già fatto». Ecco cosa significa restaurare e salvare pezzi antichi; può richiedere molto tempo, ma il processo – e il risultato – hanno un'anima.

225

Un giorno gli orologi arriveranno nello spazio profondo. Da oltre vent'anni il Jet Propulsion Laboratory della NASA sta lavorando a un orologio atomico abbastanza piccolo da poter affrontare missioni di esplorazione spaziale al di là della portata del GPS.[IV] Attualmente, per ottenere le coordinate di navigazione, un veicolo spaziale deve inviare un segnale da una sua posizione a un orologio atomico[V] e attendere istruzioni – un processo che, date le distanze, può richiedere ore. Gli orologi atomici devono essere aggiornati più volte al giorno per mantenere la loro fenomenale precisione. L'orologio atomico per lo spazio profondo è attualmente «grande come un tostapane a quattro fette»,[9] ma si sta lavorando per renderlo più piccolo. Utilizza la tecnologia delle trappole a ioni di mercurio, in grado di mantenere una deviazione inferiore a due nanosecondi al giorno (0,000 000 002 secondi), abbastanza accurata da consentire agli astronauti nello spazio profondo di prendere decisioni di guida in autonomia. La creazione di un orologio sufficientemente piccolo e preciso da guidarci mentre ci avventuriamo in territori sconosciuti ricorda l'impresa di Harrison – un sequel fantascientifico.

Ma il tempo terrestre riguarda soltanto la Terra, quindi più ci spostiamo nello spazio, meno sarà rilevante. Oggi siamo in grado di regolare gli orologi al secondo atomico – l'orologio più preciso al mondo (anche se c'è un certo dibattito al riguardo)[VI] si trova presso il JILA in Colorado (ex Joint Institute for

---

[IV] Il GPS può guidare i veicoli spaziali fino a un'altitudine di circa 3000 chilometri dalla Terra.

[V] L'orologio calcola la posizione del veicolo spaziale misurando il tempo che le onde elettromagnetiche, viaggiando alla velocità della luce, impiegano per spostarsi tra il veicolo spaziale e una posizione nota, come un satellite o un'antenna.

[VI] Anche gli orologi a reticolo ottico dell'Observatoire de Paris e l'orologio ottico allo stronzio del National Physical Laboratory di Teddington si contendono il primato.

Laboratory Astrophysics) e riesce a non perdere né guadagnare un secondo in 15 miliardi di anni, all'incirca la durata dell'universo conosciuto[VII] – ma viviamo ancora secondo il ritmo circadiano. Le abitudini, come ha dimostrato la scansione del tempo in formato decimale della rivoluzione francese, sono difficili da scardinare. Marte ha una durata del giorno simile alla nostra, quindi forse non dobbiamo ancora cambiare. Nel 2002 una meridiana ha viaggiato a bordo del lander Surveyor 2001 della NASA ed è stata collocata su Marte. Con il motto «due mondi, un unico sole» inciso sopra, registrerà le ombre e il moto diurno su un nuovo pianeta. È come ricominciare tutto da capo.

Nel frattempo, qui sulla Terra, Internet ha trasformato ancora una volta il nostro rapporto con il tempo. La misurazione ora deve essere globale anziché locale, e precisa al milionesimo di secondo. I viaggi aerei in tutto il mondo, le reti telefoniche, le operazioni bancarie, le trasmissioni radiotelevisive, si basano tutti su un livello straordinario di accuratezza del tempo. Se una volta potevamo chiedere a qualcuno di attendere un minuto, ora ci aspettiamo che tutto avvenga in un nanosecondo, il tempo che la luce impiega a percorrere 30 centimetri.

Il mondo moderno è terribilmente veloce. A me piace la lentezza.

Il numero di battiti al secondo di un orologio moderno è diventato uno *status symbol*. Più veloce è il ticchettio di un orologio, più preciso è, perché diventa meno sensibile ai cambiamenti di posizione. Un orologio del XVI secolo potrebbe ticchettare o battere al massimo 10.000 volte all'ora, rispetto ai

[VII] Un orologio atomico standard perde un secondo ogni 100 milioni di anni. Sono così precisi che la relatività diventa un problema. Sono in grado di rilevare l'impatto relativistico sulla gravità se vengono alzati anche solo di un centimetro.

18.000-28.800 battiti all'ora di un orologio moderno. Lo scappamento più veloce di un orologio meccanico oggi può funzionare a una frequenza di 129.600 ticchettii all'ora, e a questa velocità il suono distinguibile di ogni ticchettio si perde in un ronzio costante. Naturalmente, che si tratti di un lento ticchettio o di un ronzio high-tech, di un secondo o di un nanosecondo, il ritmo del tempo misurato rimane lo stesso. Ma a me il tempo sembra in qualche modo dilatato quando è accompagnato dal rassicurante e frettoloso *clac* che gli scappamenti a verga emettono ogni volta che un dente della ruota della corona si trascina su una paletta e cade su quella successiva; avanti e indietro, ancora e ancora. È un suono confortante, come il ticchettio di un metronomo sopra un pianoforte.

Nello spaziotempo, un secondo potrebbe fare la differenza tra l'atterraggio su Marte e quello a decine di migliaia di chilometri di distanza. Qui sulla Terra, mi piace ricordare che la differenza di precisione tra il più sofisticato orologio moderno e uno del XVIII secolo è solo di un attimo: pochi minuti, a volte secondi, nel corso di una giornata. Posso farmelo andar bene; non sono mai stata una persona che misura la propria vita al nanosecondo.

11. L'UNDICESIMA ORA

«Anche se le foglie sono molte, la radice è una sola;
per tutti i giorni bugiardi della mia giovinezza
ho cullato le mie foglie e i miei fiori al sole;
ora posso appassire nella verità.»
W.B. Yeats, *The Coming of Wisdom With Time*, 1916

Mi guadagno da vivere con il tempo, costruendo dispositivi per misurarlo o studiando la sua vasta storia. Può risultare un'impresa titanica. Scrivere questo libro è stato impegnativo, perché ho dovuto mettere insieme tutto quello che ho imparato. Anche se ho a che fare con gli orologi ogni giorno, è solo con una visione d'insieme che mi sono resa conto di quanto il tempo possa essere scoraggiante. È immenso, misurato dal movimento di stelle lontane in un universo infinito, ed è anche minuscolo e incredibilmente intimo: influenza le cellule del nostro corpo anche in questo momento, mentre leggiamo queste parole. Il modo in cui trascorriamo il tempo è personale e insieme culturale; gli orologi e gli esseri umani sono creature inserite in un contesto.

In qualità di orologiaia ho trovato il mio posto nel tempo prima di tutto grazie alla produzione di orologi. Lasciare traccia nel metallo mi sembra un modo per costruire una piccola eredità, qualcosa che vivrà più di me, un fantasma meccanico che infesterà il pianeta dopo la mia scomparsa. Naturalmente, non è possibile sapere chi si prenderà cura del mio lavoro in futuro, se mai qualcuno se ne prenderà cura. Forse, tra qualche centinaio di anni, gli orologi che produciamo finiranno dietro un vetro temperato in una teca da museo. Forse saranno cimeli di famiglia o saranno raccolti in una vecchia scatola di biscotti in attesa che qualcuno li salvi. Il futuro è ignoto. Il passato, invece, si è già svolto. Considerare la storia degli oggetti con i quali lavoro mi aiuta a radicare me stessa e la mia pratica creativa.

Un giorno insieme a Craig ci siamo resi conto che, nel corso degli anni, nel tentativo di riparare il lavoro di un altro artigiano, avevamo di fatto prodotto ogni singolo componente di un orologio. Era giunto il momento di lanciarci nella sfida di realizzarne uno da zero. Abbiamo soprannominato questo orologio Project 248, le cifre a indicare la modalità con cui sarebbe stato realizzato: da due persone, a quattro mani, con un tornio da orologiaio tradizionale da 8 millimetri. Quando abbiamo esaminato quanti vecchi utensili e macchine di recupero avevamo a disposizione, ci è sembrato naturale trarre ispirazione dalla fine del XIX secolo, tornando al momento in cui la nostra industria nazionale esalava il suo ultimo respiro per riprendere da dove i nostri antenati orologiai avevano lasciato.

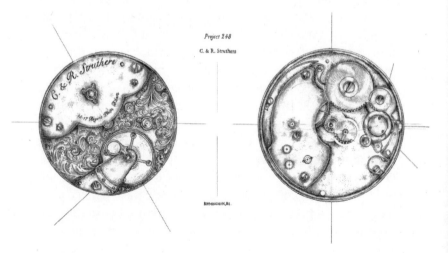

Illustrazione del concetto originale di Project 248 eseguita da Craig.

Abbiamo preso spunto da un orologio da polso realizzato a macchina negli anni Ottanta dell'Ottocento nella manifattura di un produttore di Coventry, Thomas Hill. La meccanica e i materiali del nostro orologio da polso, tuttavia, celebrano una più ampia schiera di orologiai e aziende vecchie di secoli, oggetto della nostra ammirazione. Si trattava della nostra versione dell'orologio a elefante di al-Jazari, un omaggio ai contributi internazionali che hanno reso possibile il nostro lavoro. Poiché l'orologio da tasca di Thomas Hill non aveva una protezione antiurto, abbiamo realizzato la nostra nello stile del paracadute di Abraham-Louis Breguet. Le placche sono state ricavate da un metallo definito argento tedesco, una lega di base composta da rame, zinco e nichel. Il colore, come suggerisce il nome, è argenteo con una leggera tonalità grigio-verde. Con il tempo sviluppa una bella patina che gli conferisce calore e da oltre 150 anni è molto apprezzato dagli orologiai della Germania del Sud. Il bilanciere, o cuore ticchettante dell'orologio, lo abbiamo creato ispirandoci allo stile di uno dei più grandi orologiai mai esistiti, George Daniels, l'uomo che una volta mi chiese se e quando avrei realizzato un orologio tutto mio. Daniels, che ha vissuto e lavorato sull'Isola di Man fino al 2011, anno della sua morte, è stato una fonte di ispirazione per Craig e per me, anche perché produceva da solo tutti i componenti di cui aveva bisogno partendo da zero, utilizzando strumenti, macchine e metodi del passato. Realizzare il Project 248 con Craig è stato il culmine di entrambe le nostre esperienze – che sommate ammontano a quasi quarant'anni. Da quando ho conosciuto Craig e ho iniziato la mia formazione nel campo dell'orologeria, mi ha sempre sostenuto. All'università è stato un alleato fondamentale, dal momento che l'insolita presenza di una ragazza costituiva una costante fonte di interesse, di rado in senso positivo. Ora ci incoraggiamo e ci motiviamo a vicenda, cosa sempre importante sia nei rapporti di lavoro sia in quelli personali, ma ancora di più quando si condividono entrambi. Quando ci manca la fiducia in noi stessi, la compensiamo con la fiducia incrollabile che abbiamo l'una nell'altro. Ci spingiamo a vicenda a superare i nostri limiti e a mettere alla prova le nostre capacità.

Riunire le nostre competenze e influenze in un unico oggetto è stato divertente e spesso impegnativo. Dal progetto iniziale all'oggetto finito, l'intera costruzione è durata quasi sette anni e ha compreso eventi che hanno cambiato la vita di entrambi. Ecco perché ciò che sembra un semplice oggetto in realtà va molto al di là della sua forma o della sua funzione. Ogni elemento porta con sé l'impronta delle nostre mani, delle nostre abilità e delle ore di lavoro che abbiamo impiegato per realizzarlo. Ogni componente, ogni fase del processo, sono collegati ai nostri ricordi, ai momenti che hanno attraversato questi sette anni.

Tra tutti gli strumenti, nessuno è più incredibile delle nostre mani. Spesso si pensa che, essendo un'orologiaia, debba avere mani molto delicate. In realtà, dato che tutto ciò che facciamo chiama in causa delle pinzette sottili, la struttura fisica della mano ha poca importanza. Ho osservato con stupore un uomo con mani grandi come guantoni da baseball manipolare e ripristinare con delicatezza una spirale appena più spessa di un capello umano. Ciò che conta è la sensibilità del tatto e la comprensione della tolleranza dei materiali con cui si lavora.

Qualche anno fa ho assistito a una conferenza del professor Roger Kneebone, chirurgo cardiovascolare. Sono rimasta affascinata dalle sue descrizioni della chirurgia, gli anni di esperienza necessari per sviluppare la comprensione tattile del corpo, che consente ai chirurghi di prevedere come reagiranno i tessuti di un bambino rispetto a quelli di un paziente anziano, per esempio, o quelli di un adulto sano rispetto a uno non sano. Ha affermato che i vasi sanguigni dei giovani sono forti e resistenti come la gomma, mentre quando raggiungiamo la vecchiaia possono essere delicati come la carta velina. In orologeria accade qualcosa di simile: l'ottone di due secoli fa ha una malleabilità diversa dall'ottone nuovo. L'acciaio di un orologio costruito nel XVI secolo reagirà al calore in modo diverso rispetto a quello di un orologio costruito nel 2020. Ironia della sorte, in un orologio i materiali più vecchi, anche se segnati dall'età e dall'usura, tendono a essere di qualità migliore rispetto a quelli nuovi.

È interessante notare che nel corso degli anni abbiamo avuto moltissimi clienti che erano chirurghi. Uno dei primi ad affidarci i suoi preziosi orologi è stato un chirurgo ortopedico specializzato nelle mani. Craig e io l'abbiamo ascoltato parlare del suo amore per le mani, di come, «una volta aperte», la struttura sotto la pelle sia allo stesso tempo robotica e viva, quasi biomeccanoide, gestita da tendini, nervi, arterie e ossa, con pochissimi tessuti molli. Le mani sono molto di più che oggetti della biologia umana; i chirurghi ortopedici lavorano con la fisica delle nostre articolazioni. Come gli orologiai, si servono di seghe, lime e trapani. Ci disse che i chirurghi dovrebbero essere «prima di tutto maestri artigiani»[1] e definì le nostre mani «meraviglie mediche», simili per complessità agli orologi più complicati.

Nel «fatto a mano» è proprio la mano dell'uomo a rendere unico un esemplare. Quando smeriglio la cassa di un orologio per ottenere una forma comoda da indossare, uso un panno carico di composto lucidante piuttosto che ricorrere a lime o carta abrasiva. In questo modo il metallo prende forma sulla base della curva del mio palmo, fino a diventare irresistibilmente piacevole al tatto. A occhi bendati, potrei tenere in mano un orologio fatto a macchina e uno fatto a mano ed essere in grado di distinguerli; finché non svilupperemo un'intelligenza artificiale davvero senziente, nessuna macchina potrà mai replicare il grado di variazione che si trova in un orologio fatto a mano.

Fare qualcosa artigianalmente richiede tempo. Quando finisco un orologio, l'ultima cosa che faccio prima di metterlo nella cassa è regolarlo: sistemo la lunghezza della molla per far scorrere il tempo con precisione. Nei vecchi orologi inglesi l'indicatore, la leva mobile che utilizziamo per regolare la mol-

---

[1] Se doveste scegliere tra un chirurgo con una brillante conoscenza teorica e un chirurgo con grande abilità manuale, vi consiglierebbe il secondo.

la, è contrassegnato da Fast (veloce) e Slow (lento): ne avevamo incluso uno nel primo prototipo per il Project 248.[II] Quando penso alla realizzazione di un orologio a mano, è come se spostassi la leva del tempo su Slow. In effetti, la bellezza di essere un artigiano è che la creazione di qualcosa – qualsiasi cosa – ha una sua tempistica. Ogni fase richiede il tempo necessario e non abbiamo altra scelta se non quella di adeguarci. Ieri ho passato l'intera giornata a restringere i lati di un alloggiamento ottagonale in modo che una cassa dalla forma simile vi si incastrasse perfettamente. Ballava solo di un decimo di millimetro, ma mi ci sono volute quasi otto ore. Adesso quell'orologio contiene il tempo che gli ho dedicato. In un mondo in rapida evoluzione, credo che sia un gesto di generosità. Gli orologi non solo misurano il tempo, ne sono una manifestazione, un simbolo della cosa più preziosa che abbiamo.

Pur senza starci troppo a pensare, sono sempre stata consapevole di quanto sia prezioso il tempo – in un laboratorio pieno di orologi, come potrebbe essere diversamente? – ma ci sono voluti alcuni eventi salienti nella mia vita per rendermene davvero conto. Nel giugno del 2017, una mattina mi svegliai percependo intense punture di spillo sulla gamba sinistra e una forte ipersensibilità nella parte sinistra del busto. Il dolore era così forte che mi ricordava la volta in cui, da adolescente, mi ero incrinata le costole cadendo da una finestra che stavo scavalcando. Andai dal medico ma, poiché non c'erano segni visibili, mi rassicurò che molto probabilmente si trattava soltanto di stress. Dopo qualche settimana, i sintomi cessarono. Nel settembre dello stesso anno, però, all'im-

---

[II] Alla fine, per il 248 abbiamo realizzato un meccanismo a spirale libera, in cui l'indicatore è stato omesso e la molla viene regolata utilizzando la massa del bilanciere. È un metodo di regolazione più preciso.

provviso persi parzialmente la vista dall'occhio destro, sintomo accompagnato da un dolore lancinante. Mi sembrava di
aver ricevuto un pugno in faccia da un pugile. Ma anche in
questo caso non c'erano segni né gonfiori. Dall'esterno non
c'era nulla di visibile. Di nuovo i medici da cui ero stata la
prima volta lo definirono un sintomo dello stress, ma io mi
convincevo sempre più che ci fosse qualcosa di sbagliato e in-
sistetti per svolgere ulteriori indagini. Pochi mesi dopo, in seguito a vari rinvii e una risonanza magnetica, mi fu diagnosticata la sclerosi multipla.

Non dimenticherò mai quei mesi. Nessuno si era preso
l'onere di spiegarmi le varie possibilità e quindi temevo si trattasse di un tumore al cervello, l'unica diagnosi che potevo ra-
zionalizzare a causa dei miei strani problemi neurologici. Non
avevo mai pensato di essere immortale, ma l'improvvisa consapevolezza che avrei potuto affrontare la morte molto prima
di quanto avessi previsto cambiò il mio modo di vivere. Ricordo che quell'inverno ci fu un'inattesa tempesta di neve. La casa in cui vivevamo dava su un parco e, quando la neve si de-
positava, la collina ai piedi del nostro giardino diventava luogo
di divertimento infinito per i bambini in slitta. Ho insistito
per trascinare Craig, che odia il freddo, in un lungo giro del
parco, deviando da quella che sarebbe stata una semplice gita
al supermercato in fondo alla strada, perché era raro vedere la
neve così alta a Birmingham e volevo godermela finché ne avevo la possibilità. Quel ricordo – la brezza gelida che mi pun-
geva il viso, il modo in cui la luce rimbalzava sul terreno e
sugli alberi bianchi, i rumori dei bambini che giocavano e dei
cani eccitati che abbaiavano attutiti dalla neve soffice – è vivi-
do oggi come lo era quel giorno di alcuni anni fa. Volevo go-
dermi il mondo finché potevo.

Non era tanto la morte a spaventarmi, quanto come avevo
trascorso il mio tempo. Avevo lavorato tantissimo, ma per cosa? Che cosa avevo da mostrare? Avevo trascorso anni sotto
stress, ansiosa ed esausta, non mi ero concessa la felicità e ora
forse non avevo più tempo.

Alla fine sono stata fortunata: l'aspettativa di vita per le persone affette da sclerosi multipla è migliorata negli ultimi decenni. Non è piacevole andare in giro con quella che sembra una bomba inesplosa della seconda guerra mondiale nella testa, che potrebbe dormire tranquillamente per il resto della vita o deflagrare da un momento all'altro, ma la situazione è molto più promettente di alcuni anni fa. Sono incredibilmente fortunata a vivere in un mondo in cui le opzioni terapeutiche sono migliorate. Ho buone possibilità di condurre quella che con il mio neurologo definisco «una vita lunga e beata, priva di eventi». Sono anche felice di abitare in un paese che mi permette di accedere a uno dei migliori sistemi di assistenza sanitaria pubblica del mondo. Ho tanto di cui essere grata, vorrei solo che non fosse stato necessario prepararmi a ricevere una diagnosi molto peggiore per rendermene conto.

Il compositore francese Louis-Hector Berlioz (1803-1869) ha dichiarato: «Il tempo è un grande maestro. Purtroppo uccide tutti i suoi allievi». Siamo tutti suoi studenti. Di certo, la lezione che ho imparato è quanto sia prezioso.

La mia diagnosi ha cambiato radicalmente il modo in cui voglio vivere questi secondi, ore, giorni che mi sono stati concessi. I primi medici avevano ragione su un punto: gran parte della mia condizione può essere attribuita allo stress. Tutte le mie ricadute sono seguite a breve distanza da un attacco d'ansia, e non ho mai avuto un attacco d'ansia che non abbia preceduto una ricaduta. Un tempo vedevo lo stress come un distintivo d'onore, una cicatrice interna che dimostrava quanto fossi stata coraggiosa, lanciandomi in situazioni sotto pressione, sopravvivendo al bullismo e alla discriminazione, uscendone ancora combattiva. Ho convissuto con un livello di ansia febbrile. Ora mi rendo conto che tollerare lo stress non è un'azione da celebrare. Ci vogliono altrettanta forza e resilienza per dire di no e sapere quando andarsene. Lo stress può farmi ammalare e lo evito come la peste. Sono un'ex stacanovista pentita.

Purtroppo, non posso affermare di condurre una vita del tutto serena, in pace con l'universo. Mi arrabbio ancora per questioni stupide, per le compagnie energetiche che non gestiscono il mio conto in modo corretto o per il mio computer tremendamente lento, ma sono molto più rilassata rispetto al passato. Concentro le mie energie sulle persone della mia vita che mi sostengono; quelle che non lo fanno non valgono il mio tempo. Dedico più tempo a osservare e apprezzare il mondo che mi circonda.

La verità è che, naturalmente, tutti abbiamo un tempo limitato, la sua quantità non è sotto il nostro controllo, ma il modo in cui lo trascorriamo sì, e le nostre esperienze possono alterare la nostra percezione al di là dei minuti registrati sui nostri orologi. Quel giorno in cui io e Craig abbiamo camminato sulla neve è rimasto impresso nella mia mente come fosse ieri, sfidando l'orologio. Recenti studi di neuroscienze sostengono la teoria secondo cui la nostra esperienza del tempo è legata alla qualità dei nostri momenti.

I filosofi sanno da secoli che c'è una differenza sostanziale tra l'aver vissuto a lungo e l'aver vissuto una vita movimentata, attiva e ricca. La vecchiaia non è sempre segno di esperienza o di saggezza. C'è una meravigliosa citazione in *De brevitate vitae*, scritto intorno al 42 d.C. dal filosofo stoico Seneca, in cui attraverso la metafora della tempesta si riassume il contrasto tra il tempo vissuto e l'esperienza acquisita:

> non devi pensare che un uomo abbia vissuto a lungo perché ha i capelli bianchi e le rughe: non ha vissuto a lungo, è solo esistito a lungo. Supponiamo infatti che un uomo sia stato colto da una furiosa tempesta mentre lasciava il porto, e trascinato di qua e di là e spinto in tondo dai venti contrari. Non ha fatto un lungo viaggio, solo un lungo girovagare.[1]

L'esperienza di vivere pienamente può darci la sensazione che la nostra esistenza ci stia volando accanto, ma crearsi dei ricordi vividi significa che negli anni a venire guarderemo indietro e la nostra vita ci sembrerà lunga.

Tutti misuriamo gli attimi in base ai momenti e ai ricordi che li accompagnano. Gli orologi, che segnano l'ora per noi come per i nostri antenati pri- ma di noi, sono una costante di questi ricordi. Anche chi non si considera appassionato di orologi vuole comunque far restaurare l'amato orologio da taschino ereditato dal bisnon- no, anche se sa che non lo use- rà mai. Guardando il quadrante di un vecchio orologio, vediamo le stesse lancette che scandiscono le ore e i minuti che vedevano i nostri genitori, nonni o bisnonni, sentiamo lo stesso ticchettio che sentivano loro ad accompagnare i mo- menti della loro vita. Se siamo fortunati, lo indosseremo e lo porteremo con noi mentre vi- viamo la nostra.

Fast e Slow, un regolatore inglese.

COME RIPARARE UN OROLOGIO
Una breve guida (personale)

Ogni orologio è unico, compresi quelli prodotti in grandi quantità nelle fabbriche contemporanee. Una volta indossato, raccoglie le tracce della vita del suo proprietario: le avventure vissute insieme, l'usura quotidiana, le occasioni speciali per cui è stato portato o anche il tempo trascorso nella sua scatola. Per questo motivo, quando un orologio arriva nel nostro laboratorio, inizio un processo sistematico di ispezione per assicurarmi di cogliere tutti i difetti che ha accumulato nel corso degli anni.

Per prima cosa, indosso il mio monocolo da orologiaia, una piccola lente d'ingrandimento che si appoggia all'occhio e ingrandisce l'orologio di fronte a me fino a tre volte la sua dimensione. Controllo con attenzione l'aspetto generale dell'orologio, alla ricerca di segni sulla cassa e di danni causati dall'acqua sul quadrante, poi valuto se la rotella di carica (la corona) è usurata o presenta un segno d'urto che indichi che l'orologio è stato fatto cadere sulla corona, causando forse problemi anche all'interno. Piccoli graffi sul quadrante possono essere l'indizio che in passato l'orologio è stato sistemato da un orologiaio poco attento e perciò dentro potrebbe nascondere altri danni da riparazione. Verifico che la carica funzioni, che il movimento sia ancora attivo e che la corona si estragga e faccia girare le lancette liberamente, ma non troppo; un po' di attrito deve esserci. Quando apro il fondello, di solito ho già un'idea abbastanza precisa di cosa mi aspetta.

L'interno dei fondelli degli orologi è il luogo ideale per individuare i segni dei precedenti riparatori. A volte sono incisi nel metallo o scritti con inchiostro indelebile. Possono essere presenti un nome e una data identificabili, oppure un codice che non ha alcun significato se non per chi l'ha scritto. Diversi segni possono indicare che un orologio è stato sottoposto a regolare manutenzione nel corso degli anni, come quando si porta un'automobile a fare il tagliando, e che quindi è stato ben curato. A volte, però, preannunciano una serie di problemi irrisolti che è mio compito risolvere.

Ciò che accade da qui in poi varia da orologiaio a orologiaio e dipende dal calibro del movimento. I tipi di difetti che incontro all'interno di un orologio sono pressoché infiniti, incluse alcune sorprese che magari trovo solo una volta in tutta la mia carriera. Quello che segue è il modo in cui approccerei un tipico orologio da polso a carica manuale della metà del XX secolo. Non si può pretendere che sia una guida completa, ma è un'introduzione al processo.

Supponendo che l'orologio funzioni, inizio a controllarlo con il nostro cronocomparatore per avere un'indicazione di base delle sue prestazioni. Poi rimuovo la lunetta, l'anello che sostiene il cristallo che protegge il quadrante, il che mi permette di accedervi. Estraggo la corona e imposto l'ora sulle dodici, o comunque in un'altra posizione in cui le lancette si trovino una sopra l'altra. In questo modo ottengo la posizione ottimale per sollevare e spostare le lancette senza danneggiarle. Per proteggere il quadrante, oltre a fare molta attenzione, uso un sottile foglio di plastica mentre sollevo le lancette. Ripeto la procedura con la lancetta dei secondi che si trova appena sopra le ore sei. Tolte le lancette, riposiziono la lunetta per proteggere nuovamente il quadrante e giro l'orologio.

Allento appena la piccola vite a lato dell'albero del pulsante di carica, il che mi consente di far scorrere la corona e l'albero a essa collegato fuori dalla cassa. Due viti con grandi teste lucide, leggermente bombate come il dorso di una coccinella, tengono fermo il movimento nella cassa. Rimuovo queste due viti e poi di nuovo la lunetta per liberare il movimento dalla cassa, ma prima devo estrarre il quadrante. Mettendo da parte la cassa per la pulizia, rimuovo il quadrante allentando due minuscole viti parallele che si inseriscono orizzontalmente ai lati del movimento, agganciandosi ai piedini del quadrante nascosti all'interno. Una volta allentato, il quadrante si solleva e lo ripongo con cura in una scatoletta sigillata insieme alle lancette, per tenerli al sicuro mentre rivolgo la mia attenzione al meccanismo.

Il movimento è ora completamente a nudo, quindi lo inserisco in un supporto regolabile, con due lati che possono essere avvitati fino a stringere saldamente i bordi. Poi tolgo le ruote che controllano la rotazione delle lancette, inserite tra il movimento e il quadrante. Le metto da parte in una scatola antipolvere, una specie di bento box dell'orologeria, un vassoio diviso da basse pareti che ospitano le varie parti che compongono il meccanismo di un orologio. È chiusa da una cupola di plastica trasparente con una piccola maniglia sulla parte superiore, un po' come il coperchio di un piatto da portata, che protegge i pezzi dalla polvere e non li fa rotolare per terra.

Ora reinserisco nell'orologio l'albero di carica, con la corona ancora attaccata, stringendo la piccola vite per metterlo di nuovo in posizione. In questo modo è più facile maneggiare il movimento e, ora che riesco a vederlo, posso ricontrollare il funzionamento della carica e della corona.

Poi inizio i controlli meccanici. Mi assicuro che la molla a spirale sia perfettamente posizionata sopra il bilanciere, che sia piatta e che le spire non si stiano accumulando su un lato. Guardo l'indicatore, che controlla il ritmo dell'orologio allungando o accorciando la lunghezza della molla e riporta le indicazioni Slow e Fast. Dovrebbe essere allineato al centro. Se è completamente spostato su Slow (spesso contrassegnato dalla lettera R, dal francese *Retard* che significa «ritardo»), è un indizio che la delicata molla potrebbe essere stata sostituita o rotta e risistemata in passato e ora è eccessivamente corta, rendendo l'orologio troppo veloce.

Controllo che l'intero movimento non presenti ruggine né

accumuli di olio. A volte individuo entrambi questi difetti già prima di rimuovere il quadrante. La ruggine può tingere il quadrante di un marrone rossastro e di solito è associata a macchie d'acqua, mentre l'olio in eccesso lasciato da un precedente riparatore può iniziare a trasudare attraverso il foro al centro del quadrante, producendo un residuo verdastro e talvolta causando il sollevamento della vernice. Controllo che non vi siano parti mancanti, che potrebbero essersi allentate e incastrate in altri punti del movimento, o che a volte sono andate perdute. Passo il tutto sotto una lente più potente, che mi permette di ingrandire i minuscoli componenti fino a venti volte la loro dimensione, e vado in cerca di rubini eventualmente incrinati, che potrebbero usurare i perni che ruotano al loro interno. A volte, se l'orologio è caduto, questi perni si rompono del tutto, facendo inclinare su un lato la ruota orizzontale. Con le mie pinzette rimuovo eventuale sporco o vecchi pelucchi che si sono insinuati nel movimento di carica. Per lavori generici uso le mie numero 3, che hanno la punta fine come una matita appuntita.

Poi inizio a controllare quei difetti così piccoli che è più facile sentirli che cercare di vederli, ma che possono comunque contribuire a fermare un orologio. Ogni meccanismo, dal bilanciere alle ruote al bariletto della molla, deve avere la giusta quantità di quello che definiamo *shake*. Si tratta del margine di oscillazione di cui ogni parte ha bisogno per funzionare in modo efficiente. Se l'oscillazione è eccessiva, il *depthing* (distanza tra le parti) è errato e causa inutile usura, variazioni nella misurazione del tempo e denti delle ruote che saltano senza controllo. Se l'oscillazione è troppo bassa, il meccanismo si blocca del tutto. La giusta oscillazione si misura spesso in centesimi, a volte in millesimi di millimetro. La verifichiamo tenendo il pezzo con un paio di pinzette da orologiaio finemente appuntite e scuotendolo con delicatezza. Ci vuole molta pratica, ma alla fine si riesce a sentire istintivamente se la «scossa» è giusta o sbagliata.

Questa parte del processo si svolge in più fasi. Innanzitutto, controllo l'oscillazione del bilanciere. Se sono soddisfatta, rimuovo la vite del bilanciere e la estraggo dal movimento, lasciando il bilanciere sospeso sulla molla sottostante. Controllo il bilanciere, verificando che i perni non siano usurati. Controllo la parte inferiore della ruota per verificare che non ci siano segni che indichino che l'asta è stata sostituita e che non sia stato limato del peso per stabilizzarla. Rimuovo i gioielli e stabilisco se hanno iniziato a usurarsi e devono essere sostituiti. Secondo i miei calcoli, il meccanismo di un orologio che funziona per ottant'anni dovrebbe aver vibrato all'incirca 12.614.400.000 volte. Anche un oggetto resistente come il rubino sintetico può iniziare a usurarsi contro l'asta d'acciaio dopo un attrito di tale portata.

Poi controllo la profondità delle palette nei denti della ruota di scappamento, sfiorando delicatamente la leva con la punta dell'oliatore per assicurarmi che il bloccaggio sia giusto. Gli oliatori per orologiai sono minuscole spatole in acciaio, dello spessore di una setola di un pennello rigido. Hanno una piccola punta a forma di oliva all'estremità che si immerge nell'olio; la forma a oliva li tiene in posizione grazie alla tensione superficiale finché non viene toccata. Anche senza olio, sono uno strumento utile e preciso e talvolta più delicato delle pinzette. Esiste una formula matematica per calcolare quanto a fondo le palette devono incastrarsi nei denti della ruota di scappamento (*depthing*) ma, ancora una volta, tabelle e grafici significano ben poco quando ciò su cui si lavora è così piccolo. È più facile andare a occhio e a sensazione. Il *depthing* è più evidente dello *shake*, quindi di solito è possibile vederlo oltre che percepirlo.[1]

Faccio attenzione che la molla sia completamente a riposo prima di rimuovere le palette perché, una volta che il movimento è

---

[1] Un modo per spiegare il concetto di *depthing* è intrecciare la mano destra e la mano sinistra con le dita diritte, in modo che le nocche centrali siano allineate. Muovendo le mani, ci si accorgerà che le dita possono essere mosse, ma rimangono comunque bloccate (*depthing* corretto). Tuttavia, se incrociate le dita all'ultima articolazione, vicino alla punta, le dita potrebbero scivolare via (*depthing* troppo debole). Se si intrecciano le dita alla base, si fa fatica a muovere le mani (*depthing* troppo profondo).

senza palette, non c'è nulla che impedisca all'energia residua di riprodursi nelle ruote, in un movimento incontrollato che può potenzialmente causare maggiore usura e danni. Tiro indietro il pulsante che si aggancia al cricchetto della ruota e impedisce alla molla di srotolarsi. Tenendo la corona con cautela, lo lascio lentamente capovolgere tra le dita guidato dalla forza di rilascio della molla, consentendo alla molla di svolgersi e all'energia di defluire. Controllo la vibrazione dei perni della paletta e rimuovo il ponte che li fissa. Controllo le facce dei rubini delle palette, per verificare che non si siano consumate o scheggiate. Metto il ponte, le viti del ponte e le palette nel mio contenitore antipolvere, insieme agli altri pezzi che vi ho collocato finora.

Controllo che il treno degli ingranaggi sia libero e che le vibrazioni siano tutte accettabili. Rimuovo il ponte che tiene la parte superiore dei perni, il che mi permette di ispezionare a fondo i perni per verificarne l'usura. Rimuovo quindi l'ultimo e più grande ponte per scoprire il bariletto, rimuovendo il cricchetto e il pulsante per controllare le vibrazioni. Poi, una volta che il bariletto è libero nella mia mano, controllo le vibrazioni del perno interno, prima di far saltare il coperchio. Rimuovo il perno e la molla e controllo che siano intatti e in buone condizioni. Nei vecchi orologi, la molla è quasi sempre usurata dal tempo e dall'uso, e deve essere sostituita. La sostituzione delle molle può diventare un gioco di equilibri. Devono avere l'altezza e lo spessore corretti per fornire la giusta potenza, specifica per ogni orologio. Spesso, se si consultano le vecchie tabelle ufficiali e se ne utilizzano le misure, la molla finisce per esercitare una potenza eccessiva, poiché le molle moderne sono realizzate con acciai più efficienti. Al contrario, orologi molto usurati come i nostri vecchi Rebberg potrebbero avere bisogno di tutto l'aiuto possibile in termini di potenza, richiedendo una molla più forte rispetto a quando erano nuovi. Si può procedere per tentativi ed errori, testando alcune molle per assicurarsi di utilizzare quella giusta per l'orologio piuttosto che quella giusta secondo il manuale. È un aspetto che possiamo verificare solo quando l'orologio è pulito e tutto è stato rimesso a posto, quindi per il momento lasciamolo da parte. Rimuovo l'albero di carica per l'ultima volta prima della pulizia, lasciando cadere con esso la ruota e il pignone scorrevole che controllano l'interazione tra le lancette e la carica. Questi sono racchiusi in una tasca sotto il ponte del bariletto e quindi, una volta in vista, l'unica cosa che li trattiene nel meccanismo è l'albero su cui si infilano.

L'ultimo gruppo di componenti da rimuovere è il sistema di carica senza chiave, che consente appunto di caricare l'orologio senza utilizzare una chiave e controlla l'interazione tra la carica e la regolazione delle lancette. Capovolgo il movimento nudo nel suo supporto, per accedere al lato solitamente nascosto sotto il quadrante. Il pezzo che teneva l'albero, una piccola ruota, una leva (chiamata bascula) e una molla si nascondono sotto quello che potremmo definire letteralmente «coperchio senza chiave». Rimuovo la vite e sollevo con cautela il coperchio, assicurandomi che la molla non si metta a saltare per il laboratorio. La molla della bascula, che spesso ha la forma di un bastone da pastore, è un po' più spessa della molla principale, ma è comunque abbastanza piccola da essere difficile da ritrovare! Tolgo le ultime parti con le pinzette, le ripongo e mi metto a pulire i rubini e i cuscinetti a mano con un attrezzo di legno affilato per assicurarmi di rimuovere l'olio vecchio e secco. Poi faccio passare nel nostro pulitore per orologi tutte le parti che ho conservato con cura nel mio contenitore antipolvere.

I pulitori per orologi sono un po' come le lavastoviglie: si ottiene un risultato migliore se prima si rimuove la maggior parte della sporcizia. Per questo motivo, pulisco a mano i pezzi con un solvente per rimuovere il grasso e l'olio in eccesso prima di caricarli in piccoli cestini d'acciaio che si agganciano alla struttura della macchina. In genere suddivido i pezzi di ottone in un minicestello e quelli di acciaio in un altro (per evitare che graffino l'ottone mentre girano nella pulitrice) e ripongo i pezzi più delicati in altri minicestelli singoli. La struttura è composta da una sorta di braccio robotico che immerge e risolleva i cestelli in una serie di soluzioni detergenti o di risciacqui. L'ultimo recipiente nasconde un asciugatore che fa evaporare l'acqua rimasta nel movimento e lascia i cestelli caldi al tatto.

Mentre il movimento viene pulito, rivolgo la mia attenzione alla cassa, eliminando lo sporco e talvolta ravvivandola con un po' di lucido. Se una cassa ha settant'anni o più, è inevitabile che abbia un aspetto un po' vissuto. Non cerco di rendere le casse «come nuove», a meno che il cliente non lo richieda. Sono sensibile al fatto che per il proprietario quei segni rappresentano una storia e che potrebbe volerli conservare.

Una volta che le parti del movimento sono tutte pulite, le riassemblo. Inizio con il treno degli ingranaggi e il bariletto, riavvolgendo la molla con un attrezzo speciale e rimettendola al suo posto, con un po' di grasso fresco. Una leggera pressione sul bariletto dovrebbe far girare l'intero treno, quindi è facile controllare che tutto si muova liberamente. Se qualcosa si blocca, è inutile continuare finché non si è risolto il problema.

Ora riassemblo il sistema di carica senza chiave, caricando con cura la piccola molla prima di trattenerla sotto il coperchio per non farla scappare. È un po' come cercare di catturare una cavalletta con le mani a coppa in giardino. Applico un po' di grasso o olio su tutte le superfici dei gioielli e sui punti di attrito, facendo attenzione a usarne abbastanza ma non così tanto da farlo colare sul quadrante o in qualsiasi altro punto in cui non dovrebbe trovarsi. Verifico che il sistema di carica senza chiave sia perfettamente funzionante, collegando le lancette e la carica. Quando provo a caricare l'orologio, il treno degli ingranaggi dovrebbe ruotare liberamente.

Blocco il treno con le palette, regolandole in modo che si aggancino ai denti della ruota di scappamento. Carico l'orologio, ruotando la corona una o due volte, e osservo la leva che salta all'improvviso in posizione, trattenuta dalla pressione ora accumulata nel treno. Mi accerto che la leva si muova nel modo corretto prima di passare alla fase finale.

Faccio una prova: carico la molla fino alla massima potenza e rimetto nel movimento il bilanciere assemblato con i suoi gioielli appena oliati. Questo è il momento in cui l'orologio ricomincia a ticchettare. È particolarmente toccante quando ciò accade dopo il lungo restauro di un orologio rimasto inattivo per molti anni. È l'istante in cui l'orologio torna a vivere, con il suo piccolo scappamento che inizia a ticchettare e la molla che inspira ed espira in maniera regolare.

Riesco a capire al volo, dal grado delle sue oscillazioni, quanto è sano un bilanciere. In un orologio così antico e con questo stile, mi piace che si rimanga tra i 280 e i 300 gradi. Se il grado di oscillazione è superiore, il bilanciere rischia di oscillare al contrario e di colpire il lato sbagliato della leva, creando un ticchettio che ricorda un po' quello di un cavallo al galoppo. Questo può accadere se la nuova molla è troppo forte. Se il grado è troppo basso, l'orologio è soggetto a errori di posizione, guadagna o perde tempo mentre chi lo indossa si muove. Aspetto di poter constatare a occhio che l'orologio sia a posto prima di avvicinarlo al nostro cronocomparatore, che legge i ticchettii per dirci esattamente come si comporta.

Il cronocomparatore ci permette di controllare il bilanciamento, ossia se il peso del bilanciere è distribuito in modo uniforme. Se un punto è troppo pesante, la lettura della macchina mostrerà una perdita quando il bilanciere è sul lato (la posizione in cui si troverebbe se lo si indossasse con il braccio morbido sul fianco) e un guadagno quando il movimento è ruotato dall'altra parte. Questo ha un impatto sulla misurazione del tempo. Se il bilanciere non è in equilibrio, lo rimuovo e lo faccio ruotare su un supporto di rubini che lo fa scorrere liberamente fino a quando il punto più pesante non si ferma sul fondo. Una volta identificato il punto incriminato, rimuovo una piccola porzione di metallo con un taglierino per ridurre il peso (questi sono segni che si notano se qualcuno lo ha già fatto in precedenza), e provo a farlo ruotare di nuovo. E ancora. E ancora. Finché non ruota liberamente fermandosi piano piano, senza oscillare avanti e indietro. A volte ci riesco al primo colpo, altre volte ci vogliono ore di pazienza.

A riposo, il bottone in rubino (chiamato paletta di impulso) che sta sotto il bilanciere e fa oscillare la leva della paletta avanti e indietro deve trovarsi al centro della forchetta dell'àncora; il che si definisce «messa in battuta». Completati gli altri controlli, il movimento è pronto per essere incassato. Rimetto al loro posto il movimento e il quadrante, stringendo le piccole viti di fissaggio del quadrante. Riposiziono le lancette, controllando che siano perfettamente allineate sull'ora. Rimetto il movimento nella fascia della cassa, rimuovo un'ultima volta l'albero di carica e lo infilo di nuovo nel foro della cassa prima di fissarlo in maniera salda. Rimetto le ultime due viti che tengono il movimento nella fascia e riposiziono il fondello.

L'ultima prova è di tipo pratico, per quanto è possibile avvicinarsi alla pratica in laboratorio. Mettiamo l'orologio al

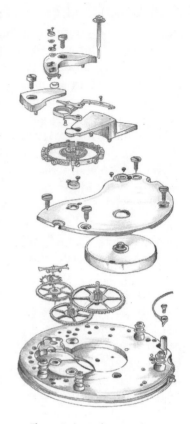

Il movimento di un orologio nel dettaglio.

«polso» di una macchina che lo fa ruotare in tutte le posizioni possibili durante il funzionamento, accertandoci che non si verifichi alcun intoppo mentre viene spostato come se fosse indossato. Lo testiamo in movimento di giorno e lo facciamo riposare in una determinata posizione durante la notte, per sette giorni, a ticchettio continuo. Solo quando siamo soddisfatti del comportamento dell'orologio, lo restituiamo al proprietario.

Acciaio azzurrato: è un acciaio trattato termicamente, tradizionalmente con la fiamma di una lampada ad alcol, per creare uno strato ossidato di colore blu. Riscaldandosi, l'acciaio cambia colore: dapprima diventa giallo paglierino, poi viola intenso e infine blu notte. Il blu si schiarisce gradualmente fino a diventare un blu brillante, quasi elettrico, prima di tornare al colore grigio tipico dell'acciaio. Lo strato ossidato offre una certa protezione dalla ruggine e tempra l'acciaio duro, ma in orologeria è una tecnica che si esegue anche per motivi puramente estetici. Gli orologiai scelgono la tonalità che preferiscono e interrompono la transizione di colore allontanando l'acciaio dalla fonte di calore.

Albero: stelo o perno su cui è montata una parte che deve ruotare o girare, per esempio una ruota del treno di un orologio.

Àncora inglese: modello di scappamento inventato in Inghilterra e utilizzato dalla seconda metà del XVIII secolo fino all'inizio del XX secolo. Si differenzia dall'àncora svizzera per la for-

Il bilanciere di un orologio inglese degli anni Sessanta del Settecento, traforato e inciso con una raffigurazione dell'Uomo verde, entità ricorrente in varie credenze pagane.

ma dei denti della ruota di scappamento, che sono lunghi, fini e appuntiti.

Asse (vedi *Asse del bilanciere*)

Asse del bilanciere: componente centrale, spina dorsale del gruppo del bilanciere. Il bilanciere, il plateau e il colletto al centro della spirale sono tutti montati per attrito su questa asta centrale, che oscilla sui perni in alto e in basso. Le variazioni dell'asse del bilanciere sono alla base di tutti i bilancieri per orologi esistenti.

Automatico (orologio): detto anche a carica automatica. Orologio dotato di un meccanismo che carica la molla principale sfruttando i movimenti di chi lo indossa, di solito tramite l'oscillazione o la rotazione di un peso.

Bilanciere: ruota oscillante del movimento dell'orologio, simile a un volante, che ha il compito di regolare il rilascio di energia dalla molla. È montata per attrito e poi rivettata all'asse del bilanciere.

Champlevé: è un quadrante in argento o oro massiccio, spesso con numeri incisi e riempiti di smalto nero o cera, tipicamente decorato con incisioni, trafori e altri motivi. Il termine moderno si riferisce anche ai quadranti incisi e poi ricoperti di smalto vitreo traslucido.

Compensazione termica: risultato di diverse invenzioni sviluppate per compensare le variazioni causate dall'espansione e dalla contrazione termica.

Complicazioni: funzioni complementari a quelle di un dispositivo utilizzato per la misurazione del tempo, come per esempio il cronografo, l'indicazione del calendario o la ripetizione.

Una lampada ad alcol in vetro da orologiaio, utilizzata per azzurrare l'acciaio.

Corona: componente sul lato della cassa che può essere ruotato per caricare o regolare l'ora di un orologio.

Cristallo di quarzo: regola l'oscillatore elettronico di un orologio da polso alimentato da batterie al quarzo grazie alle sue proprietà piezoelettriche.

Cronometro: è il termine che indica un orologio in grado di funzionare secondo i più alti standard di precisione. Il termine viene attribuito da organismi nazionali indipendenti che sottopongono gli orologi a una serie di test. Storicamente, ciò avveniva in osservatori come quelli di Kew (nel Regno Unito), Besançon (in Francia), Neuchâtel e Ginevra (in Svizzera). Attualmente il principale centro di valutazione è il Contrôle Officiel Suisse des Chronomètres (COSC). L'accuratezza viene misurata nell'arco di più giorni (quindici presso il COSC; Kew prevedeva invece una prova di quarantaquattro giorni) e a diverse temperature e condizioni. Solo gli orologi che soddisfano questi standard rigorosi possono essere definiti cronometri.

Cronografo: funzione che può avviare il cronometraggio del tempo, fermarlo e azzerarlo senza interferire con l'elemento di misurazione del tempo dell'orologio.

Depthing: è il rapporto di configurazione tra due componenti che interagiscono tra loro. Un *depthing* ottimale garantisce che i componenti lavorino insieme in modo efficiente senza che l'uno lasci scivolare l'altro (altrimenti il *depthing* sarebbe troppo debole) né si blocchino o generino un attrito eccessivo (il che significherebbe che il *depthing* è troppo profondo).

Doppia cassa: quando il movimento è alloggiato in una cassa interna, protetta da un'altra cassa esterna.

Ébauche: è il termine dato a un movimento standard fornito su ordinazione nella sua versione completa ma non del tutto finita, affinché l'acquirente possa personalizzarlo, rifinirlo e firmarlo prima di aggiungere la propria cassa, il quadrante e le lancette. La manifattura *ébauche* è stata perfezionata a metà del XIX secolo.

Equazione del tempo: differenza tra tempo solare medio e tempo solare apparente, cioè tra l'ora indicata da un orologio e quella indicata da una meridiana o un orologio astronomico.

Errore di posizione: variazione nel cronometraggio causata dai cambiamenti nella direzione dell'attrazione gravitazionale quando l'orologio si muove in una serie di posizioni, come accade normalmente durante l'uso.

Établissage: è la prima produzione in serie di movimenti di orologi grezzi non standardizzati (evoluta poi nell'*ébauche*), sviluppatasi in Svizzera a partire dall'inizio del XVIII secolo.

Guazzo (doratura): tecnica che precede la doratura moderna, detta anche doratura a fuoco o a lavaggio. Un amalgama di oro e altri metalli e sostanze chimiche sotto forma di pasta veniva dipinto sulla superficie d'argento o di metalli come il rame o l'ottone. Il liquido veniva bruciato con una fiamma, in modo da cuocere l'oro sulla superficie. I fumi che si creavano erano incredibilmente pericolosi, poiché nel processo venivano impiegate sostanze come il mercurio, l'ammoniaca e l'acido nitrico. La doratura a guazzo è stata sostituita dalla placcatura elettrolitica.

Gioielli: cuscinetti volventi in corindone sintetico (rubino o zaffiro). Il corindone viene utilizzato per le sue proprietà di eccezionale resistenza. Questi cuscinetti hanno sostituito le boccole in ottone e hanno iniziato a comparire nel XVIII secolo.

Latitudine: posizione calcolata utilizzando una serie di linee immaginarie su una mappa o un globo che corrono da est a ovest, in parallelo all'equatore.

Levigatura: processo in cui il metallo viene ripetutamente martellato e poi ricotto (ammorbidito dal calore) per allungarlo e modellarlo in una forma: una ciotola, una tazza o la cassa di un orologio.

Longitudine: posizione calcolata utilizzando una serie di linee verticali immaginarie che corrono su un globo a intervalli di 15 gradi dal Polo Nord al Polo Sud a partire dal meridiano di Greenwich.

Lunetta: è la parte anteriore della cassa di un orologio su cui è fissato il vetro trasparente (o cristallo minerale o rubino) per rivelare il quadrante sottostante.

Masstige: fusione dei termini *mass* e *prestige*, utilizzata per indicare la commercializzazione di massa degli oggetti di lusso.

Meridiano di Greenwich: linea immaginaria che attraversa Greenwich, nel Regno Unito, opposta alla linea internazionale del cambio di data.

Molla del bilanciere (vedi *Molla a spirale*)

Molla a spirale: nota anche come spirale del bilanciere, è la piccola molla a forma di spirale che regola la velocità di oscillazione del bilanciere. Quando si accorcia l'orologio gira più velocemente e quando si allunga gira più lento. È fissata all'asse del bilanciere tramite un colletto centrale. Nei primi orologi era realizzata con setole di pelo di maiale.

Monocolo: lente d'ingrandimento che, in orologeria, viene indossata sull'occhio. Per i lavori generici si ingrandisce fino a tre volte, ma per le operazioni di ispezione più minuziose si usa una scala di ingrandimento che in genere arriva fino a 20x.

Molla principale: fonte di energia di un orologio meccanico. È il nome dato alla molla a spirale simile a un nastro che è contenuta in un bariletto (il bariletto della molla) e può essere caricata. Al momento del rilascio, la molla carica crea una forza rotante che viene trasferita

Un monocolo da orologiaio.

253

da una serie di ruote dentate allo scappamento, dove viene regolata la velocità di rilascio.

Movimento: serie di ruote e pignoni che controllano il movimento delle lancette dell'orologio. La ruota delle ore è orientata in modo da girare una volta ogni dodici ore e il pignone calzante una volta ogni sessanta minuti. Nel funzionamento normale, il loro movimento è controllato dalle ruote. Al momento della regolazione, il sistema di carica senza chiave lo scavalca per consentire la regolazione manuale delle lancette.

Orologio di forma: è il termine dato a un orologio della fine del XVI o dell'inizio del XVII secolo che è, letteralmente, modellato sulla forma di qualcos'altro. Le forme più diffuse erano fiori, animali, teschi e icone religiose.

Oscillazione: movimento regolare, ritmo di un oggetto come un pendolo o una ruota.

Palette (di entrata e di uscita): componenti dello scappamento che consentono la presa e il rilascio di ogni singolo dente della ruota di scappamento. Questo scatto regolare e progressivo controlla il rilascio di energia dalla molla principale a un ritmo che può essere utilizzato per il calcolo del tempo.

Pare-chute, o paracadute: nome del primo tipo di ammortizzatore introdotto nel meccanismo di un orologio del 1790. Fu inventato a Parigi da Abraham-Louis Breguet e serviva a proteggere dalla rottura i delicati perni dell'asta del bilanciere in caso di urto o caduta dell'orologio.

Perni: piccoli elementi terminali di un albero, di diametro ridotto e molto levigati per ridurre al massimo l'attrito. Sono i punti su cui ruota o fa perno l'albero.

Piezoelettricità: dal greco pressione o spinta, in questo contesto si riferisce al piccolo impulso elettrico prodotto da un cristallo di quarzo sottoposto a una sollecitazione meccanica.

Ponte del bilanciere: componente montato sulla platina superiore di un orologio con scappamento a verga (occasionalmente anche con scappamento ad àncora e a cilindro), destinato a sostenere il perno superiore dell'asse del bilanciere. È costituito da una piastra arrotondata, spesso decorata con trafori e/o incisioni, collegata alla platina superiore da due piedini fissati da due viti a formare un ponte.

Repoussé: tecnica utilizzata nella lavorazione dell'argento; un motivo viene martellato sul retro di un pezzo di metallo a creare un rilievo, prima di essere inciso e cesellato dalla parte anteriore per rifinire i dettagli. Nel XVIII secolo si usava abitualmente sulla cassa esterna degli orologi a doppia cassa.

Ripetizione acustica (repeater): meccanismo di un orologio che scandisce le ore e i quarti d'ora, o le ore, i minuti e i quarti d'ora, su gong fatti di filo o piccole campane.

Louis Audemars Quarter Repeater

C. Strudiere
Birmingham 51.

Movimento di un orologio da taschino con ripetizione ai quarti,
realizzato in Svizzera da Louis-Benjamin Audemars intorno al 1860.

Scappamento: è il nome dato al gruppo di componenti di un orologio responsabili di controllare il rilascio di energia dalla molla e di ridurre la rotazione delle ruote dentate a una velocità utile per la misurazione del tempo.

Shake: margine di oscillazione di un perno all'interno del suo cuscinetto. Uno *shake* eccessivo interferisce con il *depthing*, mentre se è troppo ridotto provoca il blocco.

Sistema di carica senza chiave: gruppo di componenti che lavorano insieme per consentire la carica di un orologio e controllano la transizione tra la carica e la regolazione delle lancette (estraendo la corona, negli orologi moderni). Durante la messa a punto delle lancette, il sistema di carica senza chiave si innesta con il treno delle ruote.

Sistemi antiurto: componenti che contribuiscono a proteggere i componenti interni in caso di impatto. Tra questi vi è il paracadute, il cui concetto è stato perfezionato e riprogettato nel corso dei secoli per includere tutta una serie di altri dispositivi.

Tempo atomico: forma di misurazione del tempo ad alta precisione utilizzata negli orologi atomici. Un aumento di energia può far sì che gli elettroni che orbitano intorno al nucleo atomico saltino su un'orbita più alta. Quando gli elettroni saltano, emettono energia a una specifica frequenza di oscillazione che può essere utilizzata per misurare il tempo.

Tornitura meccanica: stile di incisione eseguito su una macchina per *guillochage* o a linea retta. Il risultato finale ha una forma geometrica che ricorda il disegno di uno spirografo o la trama di un cesto di vimini.

Tourbillon: dispositivo inventato da Abraham-Louis Breguet nel 1801 che riduce l'errore di posizionamento mantenendo lo scappamento e il bilanciere in costante rotazione a 360 gradi.

Trasmissione fuso-catena: dispositivo utilizzato per ottenere un momento meccanico uniforme dalla molla principale. Quando la molla è completamente carica, esercita una forza maggiore rispetto a quando l'orologio è quasi scarico. Per ovviare a questo problema, in passato si utilizzava una corda di budello (in seguito una catena), che trasmetteva l'energia a un bariletto graduato chiamato fuso. Quando la molla è al massimo della carica, il cordino fa ruotare il diametro più stretto del bariletto, riducendone la potenza. Il cordino si muove lungo la graduazione, invertendo la potenza della molla rispetto al diametro del bariletto.

Treno degli ingranaggi: serie di ruote dentate e pignoni interconnessi nel movimento di un orologio per ridurre la potenza della molla a velocità di rotazione compatibili con il rilevamento del tempo.

Verga: nome del più antico scappamento presente in un orologio. Utilizzato per la prima volta negli orologi a muro e abbandonato alla fine del XIX secolo, il meccanismo consiste in un bilanciere con due aste posizionate ad angolo retto. L'asta, fissata al bilanciere oscillante, ruota avanti e indietro, consentendo alle palette di liberare di volta in volta un singolo dente della ruota dentata, detta ruota di scappamento o ruota della corona.

Questo libro raccoglie una parte così ampia della mia vita, della mia carriera e della mia formazione che potrei scrivere un elenco di uguale lunghezza per ogni persona che mi ha aiutato nel mio percorso. Ma cercherò di essere breve.

Per avermi introdotto al mondo dell'orologeria, vorrei ringraziare i miei tutor Paul Thurlby e Jim Kynes. Come gioielliera, devo molto agli insegnamenti di Peter Slusarczyk ed Eimear Conyard. In qualità di storica, i miei studi non sarebbero stati possibili senza il sostegno del dottor Lawrence Green e del professor Kenneth Quickenden.

Questo libro è nato in un momento in cui, dopo molti invii e rifiuti, avevo perso ogni speranza di pubblicarlo. Grazie a Kirsty McLachlan per avermi trovato e incoraggiato a fare un altro tentativo, al mio agente David Godwin e al mio editore Kirty Topiwala per avermi chiesto questo libro, insieme al suo meraviglioso team alla Hodder: Rebecca Mundy, Jacqui Lewis, Tom Atkins, Helen Flood e la mia curatrice Jane Smith. Holly Ovenden ha disegnato la bellissima copertina. Roma Agrawal è stata il mio mentore informale, mantenendomi sulla retta via. Devo dedicare un momento anche a Victoria Millar, che mi ha aiutato a tessere insieme la moltitudine di fili di questa storia. Grazie per le sue notti in bianco e per le foto di gatti che mi hanno rincuorato quando tutto era difficile.

Per avermi assistito nelle ricerche e per avermi aiutato a controllare i contenuti di questo vasto argomento, ringrazio (in ordine sparso) Justin Koullapis, Alom Shaha, la dottoressa Michelle Bastian, il professor Kevin Birth, Michael Clerizo, Mike Cardew, il dottor Richard Hoptroff, Stephanie Davies,

David Goodchild, Jim Beveridge, Karen Bennett, Chantal Bristow, Francesco D'Errico, Katie Russell-Friel, Ronald Mifsud, Anna Rolls, Elizabeth Doerr, Seth Kennedy, David Barrie, Mollie Hughes, Mike Frayn e James Fox. Grazie anche al professor Joe Smith e alla professoressa Renata Tyszczuk dello Smith of Derby per avermi mostrato il loro epico laboratorio. Grazie al bravissimo Andy Pilsbury, autore di tutte le fotografie riprodotte in questo libro e anche della maggior parte di quelle che abbiamo scattato nel corso degli anni. Siamo fortunati ad avere amici così capaci. Andy ha dato il benvenuto alla sua prima figlia, Poppy Pilsbury, nel 2022, quindi colgo l'occasione per immortalarla sulla carta stampata e dirle: benvenuta al mondo, Poppy! Sono anche grata a Jen O'Shaugnessy per le sue capacità di editing fotografico e ai proprietari e custodi degli orologi e degli oggetti di cui ho parlato, il cui sostegno al libro ha reso possibile la realizzazione delle immagini.

Gran parte della mia ricerca non sarebbe stata possibile senza il sostegno dei musei e dei loro curatori. Desidero ringraziare in particolare David Thompson, Paul Buck, Oliver Cooke e Laura Turner del British Museum; Alan Midleton, Alex Bond, Izzy Davidson, Robert Finnegan e Dave Ellis del Museum of Timekeeping; Anna Rolls della Worshipful Company of Clockmakers; David Morris del McGregor Museum e Amy Taylor dell'Ashmolean Museum. L'elenco completo dei musei in tutto il mondo con oggetti e collezioni di orologeria è stato notevolmente arricchito dalle idee dei miei fantastici follower su Instagram; grazie a tutti per i vostri gentili suggerimenti.

Nel corso degli anni, numerosi enti educativi e associazioni di beneficenza hanno sostenuto noi e il nostro lavoro. Li cito qui sia per ringraziarli, sia nel caso in cui chi legge voglia saperne di più sui mestieri tradizionali descritti in questo libro o desideri conoscere l'arte dell'orologeria: il British Horological Institute, il Queen Elizabeth Scholarship Trust, l'Heritage Crafts e l'Association of Heritage Engineers.

Vorrei ringraziare il gruppo di creativi con cui ho avuto il piacere di collaborare e che rendono possibile il nostro lavoro:

Henry Deakin, The Wizard (*alias* Steve Crump), Dave Fellows, Andrew Black, Anita Taylor, Liam Cole, Sally Morrison, Lewis Heath, Florian Güllert, Mike Couser, Neil Vasey, Anousca Hume, Gabi Gucci, May Moorhead, Callum Robinson e Marisa Giannasi. E un ringraziamento speciale alla nostra amica e direttrice Jan Lawson, estremamente paziente, che ha l'intelligenza commerciale che manca a me e a Craig. Dubito che senza di te avremmo ancora un laboratorio di cui scrivere.

E per avermi mantenuto in salute in modo che potessi continuare a fare l'orologiaia, i miei ringraziamenti vanno a Sharon Letissier e al dottor Niraj Mistry.

Alla mia anima gemella, ispiratore e illustratore Craig Struthers: grazie per il tuo incrollabile sostegno durante la stesura di questo libro e negli ultimi vent'anni. E alla mia famiglia a quattro zampe, di vagabondi e di randagi, quelli a pelo corto e quelli più pelosi, per avermi tenuto sulle spine e per essere stati lì a coccolarmi ogni volta che ne ho avuto bisogno: il cane da guardia Archie, i gatti Alabama e Isla, e il nostro topo Morrissey. E, naturalmente, ai miei genitori e alla mia famiglia: sono quello che sono oggi grazie a voi, quindi quando mi comporto da rompiscatole non potete incolpare nessuno se non voi stessi.

Questo libro è dedicato alla memoria di due grandi persone che ci hanno salutato durante la stesura. Adam Phillips è stato l'ultimo costruttore indipendente di casse per orologi del Regno Unito; nel 2017 ha assunto Craig per un apprendistato informale in cui condividere le sue competenze. La sua generosità, la sua conoscenza e la sua gentilezza non le dimenticheremo mai. Né Craig dimenticherà la scusa che Adam gli ha dato per giustificare il suo continuo bisogno di nuovi (vecchi) utensili. «Non si è mai troppo stanchi.» Era un amante dei gatti, perciò spero che Adam sia felice di condividere le parole a lui dedicate con la mia vecchia e fedele amica Indy, che è rimasta sulle mie ginocchia per tutto il tempo che mi ci è voluto per scrivere questo libro. È venuta a mancare il giorno dopo che ho consegnato il manoscritto. Era una bravissima gatta, davvero una bravissima gatta.

NOTE

L'elenco completo delle opere di riferimento è disponibile in Bibliografia.

Una prefazione che guarda al passato

[1] Secondo la BBC, citazione da A. Hom (2020). Nella top ten dei sostantivi ci sono altre due parole riferite al tempo: «anno» e «giorno».

1. Baciata dal sole

[1] L. Wadley (2020).
[2] R. Walker (2013), p. 89.
[3] C. Helfrich-Förster, S. Monecke, I. Spiousas, T. Hovestadt, O. Mitesser, T.A. Wehr (2021).
[4] N.S. Häfker, B. Meyer, K.S. Last, D.W. Pond, L. Hüppe, M. Teschke (2017), p. 2194.
[5] M. Popova (2013).
[6] L'osso di iena di Les Pradelles è un altro esempio di osso caratterizzato da incisioni regolari e parallele che non hanno nulla a che vedere con la macellazione e risale a un periodo simile a quello dell'Osso di Lebombo. La differenza sta nel fatto che l'Osso di Les Pradelles è stato inciso dai nostri cugini, i Neanderthal. I segni potrebbero essere una decorazione o forse la prova di un certo livello di abilità nel calcolo numerico. Si veda R. Wragg Sykes (2020), p. 254.
[7] L'Osso di Ishango è attualmente esposto al pubblico in modo permanente presso l'Istituto Reale di Scienze Naturali di Bruxelles, in Belgio.
[8] W.I. Thompson (2008), p. 95.
[9] A. Snir, D. Nadel, I. Groman-Yaroslavski, Y. Melamed, M. Sternberg, O. Bar-Yosef, E. Weiss (2015).
[10] C. Zaslavsky (1999), p. 62.
[11] R. Wragg Sykes (2020), pp. 278-279.
[12] L. Rameka (2016), p. 378.
[13] C. Zaslavsky (1999), p. 23.
[14] J.N. Locklyer (2006), p. 110. Astronomi devoti, gli egizi potrebbero addirittura essere stati i pionieri della teoria eliocentrica – la teoria secondo cui la Terra e gli altri pianeti ruotano intorno al Sole – anche se per secoli ha prevalso il modello incentrato sulla teoria di Tolomeo di Alessandria del II secolo d.C.
[15] *Ivi*, p. 343.
[16] R. Walker (2013), p. 16.
[17] *Ivi*, pp. 18-19.

[18] La descrizione è contenuta nei resoconti del biografo reale di re Alfredo, il vescovo Asser, redatti nell'893 d.C.

[19] R.T. Balmer (1978), p. 616.

[20] W.E. May (1973), p. 110.

2. Dispositivi ingegnosi

[1] E. Masood (2009), p. 163.

[2] *Ivi*, p. 74.

[3] S. Zaimeche (2005), p. 10.

[4] E. Masood (2009), p. 74.

[5] N. Foulkes (2019), p. 64.

[6] I.W. Morus (2017), p. 108, citato da N. Foulkes (2019), p. 65.

[7] N. Foulkes (2019), p. 65. Purtroppo l'orologio di Su Song è andato perduto. Fu rubato durante l'invasione tartara della Cina nel 1127 ma, come accadde per l'orologio di al-Zarqali a Toledo, gli invasori non riuscirono a sistemarlo e a farlo funzionare. Oggi, l'esemplare più simile è una replica in scala perfettamente funzionante che si trova all'esterno del Gishodo Suwako Watch and Clock Museum nella zona di Suwa, uno dei grandi centri orologieri del Giappone, a breve distanza dalla famosa azienda di orologi Seiko.

[8] M. Yazid, A. Akmal, M. Salleh, M. Fahmi, A. Ruskam (2014).

[9] E. Masood (2009), p. 163.

[10] T. Stern (2015), p. 18, citando un manoscritto del XVII secolo stilato da un certo Richard Smith e citato in S.A. Bedini, R. Doggett, R.J. Quinones (1986), p. 65.

[11] P. Glennie, N. Thrift (2009), p. 24.

[12] *Ibidem*.

[13] G. Oestmann (2020), p. 42.

[14] Un esempio di volvella lunare si può trovare alla biblioteca Blodeiana, Università di Oxford, MS. Savile 39, fol. 7r, https://www.cabinet.ox.ac.uk/lunar-tool#/media=8135 (consultato il 19 aprile 2021).

[15] A. Baker (2012), p. 16.

[16] V.P. Álvarez (2015), p. 64.

[17] S. Johnson (2014), p. 137.

[18] V.P. Álvarez (2015), p. 65.

[19] K. Lester, B.V. Oerke (2004), p. 376. Anche se l'affermazione «quarantotto ore» è dubbia, dato che gli orologi di quest'epoca di rado superano la durata di un giorno.

3. Tempus fugit

[1] Orazio: «*Pallida mors aequo pulsat pede pauperum tabernas Regumque turres*» (La pallida morte bussa con lo stesso piede ai tuguri dei poveri e alle torri dei re).

[2] A. Thompson (1842), pp. 53-54.

[3] Jagger ha trovato alcune prove dell'esistenza di un orologio a forma di teschio – che si presume fosse quello di Maria – a Salisbury nel 1822 e questo, a sua volta, potrebbe aver portato alla creazione di altri due orologi nel XIX secolo. Una lettera scritta nel 1863 dall'orologiaio della regina Vittoria in Scozia parla di un «orologio

a forma di testa di morto, un tempo appartenuto a Maria, regina di Scozia», che era passato alla famiglia di Sir John Dick-Lauder per il tramite di Catherine Seton, sorella di Maria Seton, «alla quale la sfortunata Maria lo aveva regalato prima della sua esecuzione». Tuttavia, un registro delle transazioni della St Paul's Ecclesiological Society risalente al 1895 riporta la vendita di «un orologio devozionale, che produce una melodia molto dolce quando segna le ore, inserito in una cassa a forma di teschio, ricoperta di incisioni... Assomiglia molto all'orologio appartenente a Sir Thomas W. Dick-Lauder... che stando alla sua testimonianza era uno dei dodici regalati da Maria alle sue damigelle d'onore preferite».

4 Un inventario redatto durante la permanenza di Maria a Holyrood nel 1562 elenca un'impressionante varietà di pezzi, tra cui sessanta abiti – molti dei quali con ricami molto elaborati – nel suo colore preferito, il bianco, ma anche in nero, rosso cremisi e arancione con dettagli in argento. E poi stoffe d'oro, d'argento, di velluto, di raso e di seta che aspettavano di essere trasformate in abiti. Aveva quattordici mantelli, delle mantelline (simili a un mantello, ma senza maniche) di velluto viola ed ermellino, e trentaquattro *vasquine*, o corsetti.

5 La frase *En ma Fin gît mon Commencement* («La mia fine è il mio inizio») si dice che sia stata recitata da Maria durante la prigionia.

6 A. Fraser (2018), p. 669.

7 Ci sono diversi ritratti di Holbein che raffigurano in modo significativo gli orologi dei suoi ricchi committenti, tra cui quelli dell'ambasciatore francese Charles de Solier (1480-1552), del mercante svizzero Jörg Gisze (1497-1562) e quello dell'avvocato Sir Thomas More (1478-1535) insieme alla sua famiglia.

8 G. Cummins (2010), p. 14.

9 Non soltanto l'incenso aiutava gli europei del XVI secolo, dotati di nasi raffinati, a superare le sfide olfattive di una città priva di un sistema fognario adeguato, ma si credeva anche che allontanasse malattie come la peste.

10 Allo stato attuale, non sappiamo ancora chi abbia seppellito il tesoro, quando e perché. La custode, Hazel Forsyth, ha trasformato queste domande in un lavoro di ricerca significativo. Secondo le sue teorie, potrebbe trattarsi di un orafo in procinto di partire per combattere nella guerra civile, iniziata nel 1642, dalla quale non fece più ritorno. È altrettanto plausibile che stesse fuggendo dal conflitto per rifugiarsi all'estero. È probabile che il tesoro appartenesse dunque a un orafo giacobino che risiedeva in zona; chiunque fosse, è certo che non è vissuto abbastanza a lungo per poter recuperare il tesoro sepolto.

11 Poiché si tratta di atrocità di vasta portata avvenute quasi cinque secoli fa, non accompagnate da alcuna documentazione ufficiale, è comprensibile che le stime sul numero di morti e di sfollati varino notevolmente da una fonte all'altra. Per queste cifre ho fatto riferimento a T.V. Murdoch (1985), p. 32.

12 A. Ribero (2003), p. 65.

13 *Ivi*, p. 73.

14 Gli orologi erano strumenti così preziosi che persino i puritani più rigorosi non potevano rinunciarvi. Nella collezione del British Museum c'è un orologio la cui provenienza lo collega, anche se in modo piuttosto discutibile, a Cromwell, mentre un altro esemplare che si dice sia stato utilizzato dal leader puritano è stato messo all'asta a Carlisle, nella contea di Cumbria, nel 2019.

[15] Gli ugonotti, in particolare, erano noti per le loro abitudini stacanoviste. Nel 1708 Edward Wortley affermò alla Camera dei Comuni che il lavoro per loro era «l'esercizio pratico di una vocazione stabilita da Dio». L'orologiaio David Bouguet era un devoto protestante – per quattro volte fu eletto membro anziano presso la chiesa francese di Threadneedle Street – e con ogni probabilità riteneva che non applicare al meglio i doni che gli erano stati concessi da Dio sarebbe stato un peccato. Per chi professava la fede calvinista, il tempo faceva parte del piano divino che si manifestava nella natura, e la sua osservanza era questione di grande valore religioso.

[16] G.D.v. Rossum (2020), p. 85.

[17] S. Richardson (1734) citato da G.D.v. Rossum (2020), p. 74.

[18] R. Baxter (1673).

[19] A. Fraser (1979) citato da G.D.v. Rossum (2020), p. 74.

[20] T.V. Murdoch (1985), p. 51.

[21] *Ibidem.*

[22] W.I. Thompson (2008), p. 40.

4. L'età dell'oro

[1] Dal diario di Samuel Pepys, martedì 22 agosto 1665, https://www.pepysdiary.com/diary/1665/08/22/.

[2] House of Commons (1818), p. 4. Ogni oggetto che abbia richiesto un notevole sforzo antropico per essere realizzato diventa un oggetto d'autore e presenterà un certo livello di personalizzazione, nelle differenze di finitura e nei segni evidenti lasciati dall'artigiano (come le firme e i marchi di fabbrica). Con un occhio esperto, questi segni possono essere letti come un testo.

[3] N. Cummins e C. Ó Gráda (2019), pp. 11-12.

[4] H.W. Dickinson (1937), p. 96; J. Tann (2015) citato da N. Cummins e C. Ó Gráda (2019), p. 19.

[5] E.P. Thompson (1967), p. 65.

[6] S.C. Stubberud, K.A. Kramer, A.R. Stubberud (2017), p. 1478.

[7] D. Abulafia (2019), pp. 17, 812-813.

[8] D. Sobel, W.J.H. Andrewes (1995), p. 52.

[9] Robert FitzRoy, citato in D. Barrie (2014), p. 227.

[10] Henry Raper, citato in D. Barrie (2014), p. 89.

[11] A. Baker (2012), p. 15.

[12] *Ivi*, pp. 23-24.

[13] National Maritime Museum, Flinders' Papers FLI/II citato in D. Barrie (2014), p. 204.

[14] C. Wilkinson (2009), p. 37.

[15] N.A. Rodger (2005), pp. 382-383, citato in D. Barrie (2014), p. 115.

[16] R. Good (1965), p. 44.

5. L'epoca dei falsi

[1] Sebbene Mudge avesse introdotto lo scappamento ad àncora nel 1767, questo stava all'orologio da taschino comune all'epoca come lo Zenith Defy

(che attualmente si proclama l'orologio meccanico più preciso sul mercato) sta a un semplice Timex. Lo scappamento a verga era ancora lo standard.

[2] A. Chapuis, E. Jaquet (1970), pp. 80-82.

[3] H. Heaton (1920), pp. 306-311, citato in N. Cummins e C. Ó Gráda (2019), p. 6.

[4] R. Ganev (2009), pp. 110-111.

[5] N. Cummins e C. Ó Gráda (2019), p. 6.

[6] A. Clarke (1995), citato in R. Ganev (2009), p. 5.

[7] A.L. Erickson (n.d.), p. 2.

[8] L'elenco viene aggiornato di frequente; è possibile consultare la versione più recente al seguente indirizzo: https://www.ahsoc.org/resources/women-and-horology/.

[9] D. Landes (1983), p. 442.

[10] J.A. Neal (1999), p. 109.

[11] In questo periodo Pitt introdusse una gran quantità di tasse, tra cui l'imposta sul reddito, per compensare l'onere finanziario della rivoluzione francese e delle inevitabili guerre napoleoniche.

[12] G.D.v. Rossum (2020), p. 78.

[13] *Ivi*, p. 73.

[14] *Ivi*, p. 86.

[15] Styles (2007) citato in G. Verhoeven (2020), p. 111.

[16] G. Verhoeven (2020), p. 105. L'aumento del possesso di orologi contribuì anche ad accrescere la consapevolezza temporale. Nel 1675, appena l'11 per cento delle famiglie londinesi possedeva un orologio; trent'anni dopo la percentuale era del 57 per cento. Nel 1770, più del 10 per cento di tutti i casi esaminati dall'Old Bailey riguardavano un furto di orologi. Nel frattempo, i prezzi medi degli orologi diminuirono, fino a scendere del 75 per cento nel corso del secolo. Tuttavia, oltre la metà delle denunce per furto di orologi tra la fine del XVIII e l'inizio del XIX secolo era di proprietari benestanti, nonostante fossero una minoranza della popolazione.

[17] House of Commons (1817), p. 67.

6. Tempo di rivoluzione

[1] D.L. Salomons (2019), p. 5.

[2] Il merito di questa analogia va attribuito al bravissimo restauratore di orologi e tornitore Seth Kennedy.

[3] La documentazione sulla vita personale di Breguet è molto problematica. Ai suoi tempi era una celebrità e da allora se ne parla sempre più spesso, però con pochi dati concreti in merito a tutto ciò che non riguarda la sua attività di orologiaio. In alcuni libri sulla sua vita non si fa alcun cenno alla sua famiglia; anche le date di completamento delle sue opere variano. Ho fatto del mio meglio nel tentativo di trovare un equilibrio.

[4] A seconda delle fonti, l'età di Breguet al momento della perdita del padre si attesta sui dieci, gli undici o i dodici anni.

[5] C. Breguet (1962), p. 5.

[6] *Ivi*, p. 6.

[7] Anche detto «regime del Terrore».

[8] Ironia della sorte, la ghigliottina era stata inventata da un medico contrario alle condanne a morte, il dottor Joseph-Ignace Guillotin, come metodo di esecuzione più umano. La macchina si basava su precedenti metodi a scorrimento utilizzati in Italia e in Scozia, migliorati e perfezionati per garantire un'esecuzione più rapida e pulita.

[9] Queste testimonianze e molte altre simili si trovano in Anonimo (1772).

[10] Antiquorum (1991).

[11] G. Daniels (2021), p. 6.

[12] L'orologio citato è stato battuto all'asta da Sotheby's il 14 luglio 2020 per 1.575.000 sterline. La mia descrizione è influenzata dalla lettura del loro catalogo, che può essere consultato integralmente online al seguente indirizzo: https://www.sothebys.com/en/buy/ auction/2020/the-collection-of-a-connoisseur/breguet-retailed-by-recordon-london-a-highly.

[13] C. Mills (2020), p. 301.

[14] M. Shaw (2011).

[15] Per compensare gli anni bisestili, ogni quattro anni ci sarebbe stata un'ulteriore «Festa della rivoluzione».

[16] G. Daniels (2021), p. 7.

[17] *Ivi*, p. 9.

[18] D.L. Salomons (2019), pp. 11-12.

[19] C. Breguet (1962), p. 10.

7. Lavorare all'orologio

[1] Pubblicato nel 1967, il fondamentale saggio di E.P. Thompson, *Time, Work-Discipline, and Industrial Capitalism* (Tempo, disciplina del lavoro e capitalismo industriale) è una fonte eccezionale per scoprire come il tempo si sia trasformato in maniera radicale da forza della natura a strumento di controllo organizzativo. Se questa discussione vi interessa, vi consiglio vivamente di reperire il saggio originale e le opere che ha ispirato.

[2] E.P. Thompson (1967), p. 61. L'idea della giornata lavorativa e del pagamento di una tariffa oraria risale al XVI secolo: si veda P. Glennie, N. Thrift (2009), p. 220.

[3] Edmund Burke, citato in R. Ganev (2009), p. 125.

[4] J. Myles (1850), p. 12.

[5] S. Peek (2016). Gli *knocker-upper* erano una parte così importante della vita londinese che Charles Dickens li cita in *Grandi speranze*: il signor Whopsle viene svegliato proprio da un *knocker-upper*. Questo mestiere ebbe vita lunga e continuò fino a tempi relativamente recenti: fu solo negli anni Settanta del Novecento che l'ultimo *knocker-upper* del Regno Unito appese al chiodo la sua cerbottana.

[6] S.K. Alfred (1857) citato in E.P. Thompson (1967), p. 86.

[7] J. Clayton (1755), citato in E.P. Thompson (1967), p. 83.

[8] Temple (1739-1796) era originario di Berwick-upon-Tweed nel Northumberland e aveva studiato all'Università di Edimburgo. Pubblicò una serie di saggi in cui esprimeva il proprio punto di vista su religione, potere e costumi.

[9] Anonimo (1772).

[10] S. Newman (2010), p. 124.
[11] C. Mills (2020), p. 300.
[12] *Ivi*, p. 308.
[13] E.P. Thompson (1967), pp. 91-92.
[14] A. Hom (2020), p. 210.
[15] E.P. Thompson (1967), pp. 56-97.
[16] M. Collier (1739), pp. 10-11.
[17] R. Ganev (2009), p. 120.
[18] N. Stadlen (2004), p. 86. Una delle neomamme intervistate da Stadlen afferma: «L'ora dell'orologio non significa più nulla».
[19] S. Freeman (2021), M. Popova (2013).
[20] House of Commons (1817), p. 15.
[21] *Ivi*, p. 5.
[22] J. Hoult (1926), p. 42, citato in N. Cummins, C. Ó Gráda (2019), p. 27.
[23] R.A. Church (1975), p. 625, citato in N. Cummins, C. Ó Gráda (2019), p. 24.

8. *Orologi d'avventura*

[1] A. Ramirez (2020), p. 49.
[2] *Ivi*, figg. 18-19.
[3] *Corn Exchange Dual-Time Clock*, Atlas Obscura.
[4] I. Bartky (1989), p. 26.
[5] Slocum citato in D. Barrie (2014), p. 245.
[6] I pericoli della vernice fluorescente sono stati portati all'attenzione del grande pubblico in seguito ai drammatici effetti di cui sono state vittime le Radium Girls, che negli anni Dieci e Venti del Novecento dipingevano questi quadranti a mano con un pennello sottile, e sulla cui storia torneremo nel prossimo capitolo.
[7] R.F. Scott (1941), p. 235.
[8] *Ivi*, p. 210.
[9] *South African concentration camps*, New Zealand History, https://nzhistory.govt.nz/media/photo/south-african-concentration-camps (consultato il 23 novembre 2022).
[10] *The History of the Nato Watch Strap*, disponibile al link: https://af0210-strap.com/the-history-of-thenato-watch-strap-nato-straps-in-the-great-war-wwi-era/ (consultato il 12 gennaio 2023).
[11] *Ibidem*.
[12] *Ibidem*.
[13] A. Geffen (2010).
[14] La gabardine è un tessuto forte e resistente a trama stretta, tipicamente a base di lana o cotone, che veniva in genere utilizzato per la produzione di uniformi, cappotti e abbigliamento per l'aria aperta.

9. Tempo accelerato

[1] A. Gohl (1977), p. 587 citato in A.K. Glasmeier (2000), p. 142.
[2] Bud Fisher citato in G. Cummins (2010), p. 232.
[3] J.M. Dowling, J.P. Hess (2013), p. 11.
[4] K. Moore (2016), p. 171.
[5] *Ivi*, p. 25.
[6] *Ivi*, p. 9.
[7] *Ivi*, p. 11.
[8] *Ivi*, p. 45.
[9] *Ivi*, p. 8.
[10] *Ivi*, pp. 7-8.
[11] *Ivi*, p. 10.
[12] *Ivi*, pp. 9-10.
[13] *Ivi*, p. 16.
[14] *Ivi*, pp. 18-19.
[15] *Ivi*, p. 111.
[16] *Ivi*, p. 224.

10. L'uomo e la macchina

[1] H. Davidson (2021).
[2] *Reinventing Time: The Original Accutron*, Hodinkee, https://www.hodinkee.com/articles/reinventing-time-original-bulova-accutron (consultato il 23 novembre 2022).
[3] A.K. Glasmeier (2000), p. 243.
[4] F. Renwick (2020).
[5] N. Yoshihara (1985).
[6] *BBC documentary examines...* (2019).
[7] *South China Post* (1993), p. 3; Hong Kong Trade and Development Council (1998) citato in A.K. Glasmeier (2000), p. 231.
[8] A.K. Glasmeier (2000), p. 233.
[9] *Deep Space Atomic Clock*, NASA, https://www.nasa.gov/mission_pages/-tdm/clock/index.html (consultato il 23 novembre 2022).

11. L'undicesima ora

[1] Seneca, *De brevitate vitae*, 7.

D. Abulafia, *The Boundless Sea: A Human History of the Oceans*, Allen Lane, London 2019.

H. Albert, *Zoned out on timezones*, «Maize», 30 gennaio 2020. Disponibile al link: https://www.maize.io/magazine/timezones-extreme-jet-laggers (consultato il 12 maggio 2021).

V.P. Álvarez, *The Role of the Mechanical Clock in Medieval Science*, «Endeavour», 39 (1), 2015, pp. 63-68.

Anonimo, *A View of Real Grievances, with Remedies Proposed for Redressing Them*, London 1772.

Anonimo, *The Reign of Terror, a Collection of Authentic Narratives of the Horrors Committed By the Revolutionary Government of France Under Marat and Robespierre*, J.B. Lippincott Company, Philadephia 1898.

Antiquorum, *The Art of Breguet*, Casa d'aste Habsburg, Catalogo di vendita 14 aprile, Schudeldruck, Ginevra 1991.

BBC documentary examines the deep scars left from Dundee Timex closure, 26 years on, «Evening Telegraph», 15 ottobre 2019. Disponibile al link: https://www.eveningtelegraph.co.uk/fp/bbc-documentary-examines-the-deep-scars-left-from-dundee-timex-closure-26-years-on (consultato il 14 maggio 2021).

AA. VV., *Pioneers of Precision Timekeeping*, Atti del convegno pubblicati dall'Antiquarian Horological Society, 1967, monografia n. 3.

A. Baker, *«Precision», «Perfection», and the Reality of British Scientific Instruments on the Move during the 18th Century*, «Material Culture Review», 74-75 (primavera 2012), pp. 14-28.

S.M. Baker, P.F. Kennedy, *Death by Nostalgia: A Diagnosis of Context-Specific Cases*, «NA – Advances in Consumer Research», vol. 21, ed. Chris T. Allen e Deborah Roedder John, Provo 1994, pp. 169-174.

R.T. Balmer, *The Operation of Sand Clocks and Their Medieval Development*, «Technology and Culture», 19 (4), 1978, pp. 615-632.

J. Barrell, *The Dark Side of the Landscape: The Rural Poor in English Painting*, Cambridge University Press, Cambridge 1980.

D. Barrie, *Sextant: A Voyage Guided by the Stars and the Men Who Mapped the World's Oceans*, William Collins, London 2014.

D. Barrie, *Incredible Journeys: Exploring the Wonders of Animal Navigation*, Hodder & Stoughton, London 2019.

I. Bartky, *The Adoption of Standard Time*, «Technology and Culture», 30 (1), 1989, pp. 25-56.

R. Baxter, *A Christian directory, or, A summ of practical theology and cases of conscience directing Christians how to use their knowledge and faith, how to improve all helps and means, and to perform all duties, how to overcome temptations, and to escape or mortifie every sin: in four parts*, a cura di Robert White, Nevill Simmons, London 1673.

J. Beck, *When Nostalgia Was a Disease*, «The Atlantic», 14 agosto 2013. Disponibile al link: https://www.theatlantic.com/health/archive/-2013/08/when-nostalgia-was-a-disease/278648 (consultato il 14 maggio 2021).

S.A. Bedini, E. Doggett, R.J. Quinones, *Time: the Greatest Innovator*, The Folger Shakespeare Library, Washington, 1986.

J. Betts, *Harrison*, National Maritime Museum, London 2020.

K. Birth, *«Breguet's Decimal Clock». The Frick Collection*, «Members' Magazine», inverno 2014.

Breguet, *«Grande Complication» pocket watch number*, 2021. Disponibile al link: https://www.breguet.com/en/house-breguet/manufacture/marie-antoinette-pocket-watch (consultato il 18 maggio 2021).

Breguet, *1810, The First Wristwatch*, 2021. Disponibile al link: https://www.breguet.com/en/history/inventions/first-wristwatch (consultato il 18 maggio 2021).

C. Breguet, *A.L. Breguet: Horologer*, tr. di W.A.H. Brown, E.L. Lee, Middlesex 1962.

J.I. Centre, *Bacteria Can Tell the Time with Internal Biological Clocks*, «Science Daily», 8 gennaio 2021. Disponibile al link: https://scitechdaily.com/bacteria-can-tell-the-time-with-internal-biological-clocks (consultato il 22 aprile 2021).

A. Chapuis, E. Jaquet, *The History of the Self-Winding Watch 1770-1931*, B.T. Batsford Ltd, London 1956.

A. Chapuis, E. Jaquet, *Technique and History of the Swiss Watch*, Hamlyn Publishing Group Limited, Middlesex 1970.

J. Chevalier, A. Gheerbrant, *Dictionary of Symbols*, Penguin, London 1996.

R.A. Church, *Nineteenth-Century Clock Technology in Britain, the United States, and Switzerland*, «Economic History Review New Series», 28 (4), 1975.

A. Clark, *The Struggle of the Breeches: Gender and the Making of the British Working Class*, University of California Press, Berkeley 1995.

A. Clark, *Edinburgh's iconic Balmoral Hotel clock will not change time at New Year*, «Edinburgh Live», 29 dicembre 2020. Disponibile al link: https://www.edinburghlive.co.uk/news/edinburgh-news/edinburghs-iconic-balmoral-hotel-clock-19532113?utm_source=facebook.com&utm_medium=social&utm_campaign=sharebar&fbclid=IwAR0HxWdnV5H4VrQT51OofOkUMWs_kXaHMo_h4LvHCu2Fr1PFsLTgfl6Q0no (consultato il 5 maggio 2021).

J. Clayton, *Friendly Advice to the Poor; written and published at the request of the late and present Officers of the Town of Manchester*, 1755.

M. Collier, *The Woman's Labour: an Epistle to Mr. Stephen Duck; in Answer to his late Poem, called The Thresher's Labour*, 1739.

M. Collier, *The Woman's Labour: an Epistle to Mr. Stephen Duck; in Answer to his late Poem, called The Thresher's Labour*, 1739.

J. Corder, *A look at the new $36,000 1969 Seiko Astron*, «Esquire», 6 novembre 2019. Disponibile al link: https://www.esquireme.com/-content/40676-a-look-at-the-new-36000-1969-seiko-astron-draft (consultato il 14 maggio 2021).

G. Cummins, *How the Watch Was Worn: A Fashion for 500 Years*, The Antique Collectors' Club, Suffolk 2010.

N. Cummins, C. Ó Gráda, *Artisanal Skills, Watchmaking, and the Industrial Revolution: Prescot and Beyond*, «Competitive Advantage in the Global Economy (CAGE) Online Working Paper Series», 440, 2019. Disponibile al link: https://ideas.repec.org/p/cge/wacage/-440.html (consultato l'8 aprile 2021).

G. Daniels, *The Art of Breguet*, Philip Wilson Publishers, London 2021.

D. Darling, *The Universal Book of Mathematics: From Algebra to Zeno's Paradoxes*, John Wiley & Sons, New Jersey 2004.

H. Davidson, *Tiananmen Square watch withdrawn from sale by auction house*, «Guardian», 1° aprile 2021. Disponibile al link: https://www.theguardian.com/world/2021/apr/01/tiananmen-square-watch-given-chinese-troops-withdrawn-from-sale-fellows-auction-house (consultato il 14 maggio 2021).

L. Davie, *Border Cave finds confirm cultural practices*, «The Heritage Portal», 2020. Disponibile al link: http://www.theheritageportal.co.za/-article/border-cave-finds-confirm-cultural-practices (consultato il 6 luglio 2020).

A.C. Davis, *Swiss Watches, Tariffs and Smuggling with Dogs*, «Antiquarian Horology», 37 (3), 2016, pp. 377-383.

F. D'Errico, L. Backwell, P. Villaa, I. Deganog, J.J. Lucejkog, M.K. Bamford, T.F.G. Highamh, M. P. Colombinig, P.B. Beaumonti, *Early*

Evidence of San Material Culture Represented by Organic Artifacts from Border Cave, South Africa, «Proceedings of the National Academy of Sciences of the United States of America», 109 (33), 14 agosto 2012, pp. 13, 213-214, 219.

F. D'Errico, L. Doyon, I. Colagé, A. Queffelec, E. Le Vraux, G. Giacobini, B. Vandermeersch, B. Maureille, *From Number Sense to Number Symbols. An Archaeological Perspective*, «Philosophical Transactions of the Royal Society», 2017.

D. De Solla Price, *Gears from the Greeks: The Antikythera Mechanism – A Calendar Computer from ca. 80 B.C.*, «Transactions of the American Philosophical Society», 64 (6), 1974.

H.W. Dickinson, *Matthew Boulton*, Cambridge University Press, Cambridge 1937.

C.A. Diop, *The African Origin of Civilization: Myth or Reality*, Chicago Review Press, Chicago 1974.

G. Dohrn-van Rossum, *History of the Hour: Clocks and Modern Temporal Orders*, The University of Chicago Press, Chicago 1996.

J.M. Dowling, J.P. Hess, *The Best of Time: Rolex Wristwatches: An Unauthorised History,* Schiffer Publishing Ltd, Pennsylvania 2013[3].

H. Dyke, *Our Experience of Time in the Time of Coronavirus Lockdown*, Cambridge Blog 2020. Disponibile al link: http://www.cambridge-blog.org/2020/05/our-experience-of-time-in-the-time-of-coronavirus-lockdown (consultato l'11 febbraio 2021).

A.L. Erickson, *Clockmakers, Milliners and Mistresses: Women Trading in the City of London Companies 1700-1750*, n.d. Disponibile al link: https://www.campop.geog.cam.ac.uk/research/occupations/outputs/preliminary/paper16.pdf.

L. Evers, *It's About Time: From Calendars and Clocks to Moon Cycles and Light Years – A History*, Michael O'Mara Books Ltd, London 2013.

D. Falk, *In Search of Time: The Science of a Curious Dimension*, St. Martin's Press, New York 2008.

J. Forster, A. Sigmond, *Accutron: From the Space Age to the Digital Age*, Assouline Collaboration, 2020.

H. Forsyth, *London's Lost Jewels: The Cheapside Hoard*, Philip Wilson Publishers Ltd, London 2013.

A. Forty, *Objects of Desire: Design and Society since 1750*, Cameron Books, Dumfriesshire 1986.

N. Foulkes, *The Independent Artisans Changing the Face of Watchmaking*, «Financial Times», 12 ottobre 2019.

N. Foulkes, *Time Tamed: The Remarkable Story of Humanity's Quest to Measure Time*, Simon & Schuster, London 2019.

A. Fraser, *Mary, Queen of Scots*, ed. del 50° anniversario Weidenfeld & Nicolson, London 2018.

S. Freeman, *Parents find time passes more quickly, researchers reveal*, «The Times», 22 febbraio 2021. Disponibile al link: https://-www.thetimes.co.uk/article/parents-find-time-passes-more-quickly-researchers-reveal-sqvv0d65v (consultato il 22 giugno 2022).

S. Fullwood, G. Allnutt, *The AHS «Women and Horology» Project*, 2017-oggi. Disponibile al link: https://www.ahsoc.org/resources/-women-and-horology/ (consultato il 18 maggio 2021).

R. Ganev, *Songs of Protest, Songs of Love: Popular Ballads in Eighteenth Century Britain*, Manchester University Press, Manchester 2009.

A. Geffen (regista), *The Wildest Dream*, Altitude Films e Atlantic Productions 2010.

A.K. Glasmeier, *Manufacturing Time: Global Competition in the Watch Industry, 1795-2000*, The Guilford Press, London 2000.

P. Glennie, N. Thrift, *Shaping the Day: A History of Timekeeping in England and Wales 1300-1800*, Oxford University Press, Oxford 2009.

R. Good, *The Mudge Marine Timekeeper*, «Pioneers of Precision Timekeeping: A Symposium», Antiquarian Horological Society, London 1965.

J.L. Gould, *Animal Navigation: The Longitude Problem*, «Current Biology», 18 (5), 2008, pp. 214-216.

S. Guye, H. Michel, *Time & Space: Measuring Instruments from the 15th to the 19th Century*, Pall Mall Press, London 1971.

R. Gwynne, *The Huguenots of London*, The Alpha Press, Brighton 1998.

A. Hadanny, M. Daniel-Kotovsky, G. Suzin, R. Boussi-Gross, M. Catalogna, K. Dagan, Y. Hachmo, R. Abu Hamed, E. Sasson, G. Fishlev, E. Lang, N. Polak, K. Doenyas *et al.*, *Cognitive Enhancement of Healthy Older Adults Using Hyperbaric Oxygen: A Randomized Controlled Trial*, «Aging», 12 (13), 2020, pp. 13740-13761.

N.S. Häfker, B. Meyer, K.S. Last, D.W. Pond, L. Hüppe, M. Teschke, *Circadian Clock Involvement in Zooplankton Diel Vertical Migration*, «Current Biology», 27 (14), 24 luglio 2017, pp. 2194-2201.

H. Heaton, *The Yorkshire Woollen and Worsted Industries, from the Earliest Times up to the Industrial Revolution*, Clarendon Press, Oxford 1920.

C. Helfrich-Förster, S. Monecke, I. Spiousas, T. Hovestadt, O. Mitesser, T.A. Wehr, *Women Temporarily Synchronize Their Menstrual Cycles with the Luminance and Gravimetric Cycles of the Moon*, «Science Advances», 7 (5), 2021.

A. Hom, *International Relations and the Problem of Time*, Oxford University Press, Oxford 2020.

J. Hoult, *Prescot Watchmaking in the XVIII Century*, «Transactions of the Historic Society of Lancashire and Cheshire», LXXVII, 1926, pp. 39-53.

House of Commons, *Report from the Committee on the Petitions of Watchmakers of Coventry*, London, 11 luglio 1817.

House of Commons, *Report from the Select Committee Appointed to Consider the Laws Relating to Watchmakers*, London, 18 marzo 1818.

G.M. James, *Stolen Legacy: The Egyptian Origins of Western Philosophy*, Allegro Editions 2017.

A.R. Jones, P. Stallybrass, *Renaissance Clothing and the Materials of Memory*, Cambridge University Press, Cambridge 2000.

M. Jones, *Fake? The Art of Deception*, British Museum Publications, London 1990.

P.M. Jones, *Industrial Enlightenment: Science, Technology and Culture in Birmingham and the West Midlands 1760-1820*, Manchester University Press, Manchester 2008.

A.V. Keats, *Chess in Jewish History and Hebrew Literature*, University College, University of London, tesi di dottorato, 1993.

M. Klein, *How to Set Your Apple Watch a Few Minutes Fast*, «How-To Geek», 2006. Disponibile al link: https://www.howtogeek.com/-237944/how-to-set-your-apple-watch-so-it-displays-the-time-ahead (consultato l'8 febbraio 2021).

D. Landes, *Revolution in Time: Clocks and the Making of the Modern World*, Harvard University Press, Cambridge 1983.

D. Lardner, *The Museum of Science and Art, Vol. 6*, Walton & Maberly, London 1855.

K. Lester, B.V. Oerke, *Accessories of Dress: An Illustrated Encyclopaedia*, Dover Publications, New York 2004.

J.N. Lockyer, *The Dawn of Astronomy: A Study of Temple Worship and Mythology of the Ancient Egyptians*, Dover Publications, New York 2006.

T. Lum, *Building Time Through Temporal Illusions of Perception and Action: Sensory & Motor Lag Adaption and Temporal Order Reversals*, tesi, Vassar College, 2017, p. 6. Disponibile al link: https://s3.us-east-2.amazonaws.com/tomlum/Building+Time+Through+Temporal+Illusions+of+Perception+and+Action.pdf (consultato il 19 aprile 2021).

A. Marshack, *The Roots of Civilization*, McGraw-Hill, New York 1971.

E. Masood, *Science & Islam: A History*, Icon Books Ltd, London 2009.

P. Mathius, *The Social Structure in the Eighteenth Century: A Calculation by Joseph Massie*, «Economic History Review», 10 (1), 1957, pp. 30-45.

D. Matthes, *A Watch by Peter Henlein in London?*, «Antiquarian Horology», 36 (2) (giugno 2012), 2015, pp. 183-194.

D. Matthes, R. Sánchez-Barrios, *Mechanical Clocks and the Advent of Scientific Astronomy*, «Antiquarian Horology», 38 (3), 2017, pp. 328-342.

W.E. May, *A History of Marine Navigation*, G.T. Foulis, London 1973.

C. Mills, *The Chronopolitics of Racial Time*, «Time & Society», 29 (2), 2020, pp. 297-317.

K. Moore, *The Radium Girls*, Simon & Schuster, London 2016.

I.W. Morus (a cura di), *The Oxford Illustrated History of Science*, Oxford University Press, Oxford 2017.

T. Mudge, *A Description with Plates of the Time-keeper Invented by the Late Mr. Thomas Mudge*, London 1799.

T.V. Murdoch, *The Quiet Conquest: The Huguenots, 1685 to 1985*, Museum of London, London 1985.

T.V. Murdoch, *Europe Divided: Huguenot Refugee Art and Culture*, V&A, London 2022.

J. Myles, *Chapters in the Life of a Dundee Factory Boy, an Autobiography*, Adam & Charles Black, Edinburgh 1850.

J.A. Neal, *Joseph and Thomas Windmills: Clock and Watch Makers; 1671-1737*, St Edmundsbury Press, Suffolk 1999.

P.E. Newberry, *The Pig and the Cult-Animal of Set*, «The Journal of Egyptian Archaeology», 14 (34), 1928, pp. 211-225.

S. Newman, *The Christchurch Fusee Chain Gang*, Amberley Publishing, Stroud 2010.

G. Oestmann, *Designing a Model of the Cosmos*, in *Material Histories of Time: Objects and Practices, 14th-19th Centuries*, a cura di G. Bernasconi e S. Thürigen, Walter de Gruyter, Berlin 2020, pp. 41-54.

E. Payne, *Morbid Curiosity? Painting the Tribunale della Vicaria in Seicento Naples* (conferenza, Courtauld Research Forum, 3 febbraio 2021).

S. Peek, *Knocker Uppers: Waking up the Workers in Industrial Britain*, BBC, 27 marzo 2016. Disponibile al link: https://www.bbc.co.uk/news/uk-england-35840393 (consultato il 10 gennaio 2021).

M. Popova, *Why Time Slows Down When We're Afraid, Speeds Up as We Age, and Gets Warped on Vacation*, «The Marginalian», 15 luglio 2013. Disponibile al link: https://www.themarginalian.org/2013/-07/15/time-warped-claudia-hammond (consultato il 16 settembre 2022).

K. Quickenden, A.J. Kover, *Did Boulton Sell Silver Plate to the Middle Class? A Quantitative Study of Luxury Marketing in Late Eighteenth-Century Britain*, «Journal of Macromarketing», 27 (1), 2007, pp. 51-64.

L. Rameka, *Kiaōwhakato muri te haere whakamua: I Walk Backwards into the Future with My Eyes Fixed on My Past*, «Contemporary Issues in Early Childhood», 17 (4), 2016, pp. 387-398.

A. Ramirez, *The Alchemy of Us: How Humans and Matter Transformed One Another*, The MIT Press, Cambridge 2020.

A. Rees, *The Cyclopaedia, or Universal Dictionary*, vol. II, Longman, Hurst, Rees, Orme, and Brown, London 1820.

F. Renwick, *The Digital Watch Turns 50: A Definitive History*, «Esquire», 18 novembre 2020, https://www.esquire.com/uk/watches/-a34711480/digitalwatch-history/.

A. Ribero, *Dress and Morality*, B.T. Batsford, London 2003.

J.W. Roe, *English and American Tool Builders: Henry Maudslay*, McGraw-Hill, New York 1916.

Rolex, *Perpetual Spirit: Special Issue – Exploration*, Rolex SA, Geneva 2011.

D. Rooney, *Ruth Belville: The Greenwich Time Lady*, National Maritime Museum, London 2008.

G.D.v. Rossum, *Clocks, Clock Time and Time Consciousness in the Visual Arts*, in *Material Histories of Time: Objects and Practices, 14th-19th Centuries*, a cura di G. Bernasconi e S. Thürigen, Walter de Gruyter, Berlin 2020, pp. 71-88.

G. Saliba, *Islamic Science and the Making of the European Renaissance*, MIT Press, Cambridge 2011.

D.L. Salomons, *Breguet 1747-1823*, Alpha Editions, s.l. 2019.

C. Sandoz, *Les Horloges et les Maîtres Horologeurs à Besançon; du XV° Siècle a la Révolution Française*, J. Millot et Cie, Besançon 1904.

D. Scarsbrick, *Jewellery in Britain 1066-1837: A Documentary, Social, Literary and Artistic Survey*, Michael Russell Ltd, Norwich 1994.

R.F. Scott, *Scott's Last Expedition*, John Murray, London 1911-1912 (ed. 1941).

L.A. Seneca, *De brevitate vitae*.

M. Shaw, *Time and the French Revolution*, The Boydell Press, Suffolk 2011.

A. Snir, D. Nadel, I. Groman-Yaroslavski, Y. Melamed, M. Sternberg, O. Bar-Yosef, E. Weiss, *The Origin of Cultivation and Proto-Weeds, Long Before Neolithic Farming*, «PLOS ONE», 10 (7), 2015. Disponibile al link: https://www.sciencedaily.com/releases/2015/07/-150722144709.htm (consultato il 10 agosto 2020).

D. Sobel, W.J.H. Andrewes, *The Illustrated Longitude: The True Story of a Lone Genius Who Solved the Greatest Scientific Problem of His Time*, Fourth Estate, London 1995.

D. Sobel, *Longitude: The True Story of a Lone Genius Who Solved the*

Greatest Scientific Problem of His Time, Walker & Company, New York 2005.

N. Stadlen, *What Mothers Do (Especially When It Looks Like Nothing)*, Piatkus Books, London 2004.

S. Steiner, *Top Five Regrets of the Dying*, «Guardian», 1° febbraio 2012. Disponibile al link: https://www.theguardian.com/lifeandstyle/2012/-feb/01/top-five-regrets-of-the-dying (consultato il 23 luglio 2020).

T. Stern, *Time for Shakespeare: Hourglasses, Sundials, Clocks, and Early Modern Theatre*, «Journal of the British Academy», 3, 19 marzo 2015, pp. 1-33.

S.C. Stubberud, K.A. Kramer, A.R. Stubberud, *Image Navigation Using a Tracking-Based Approach*, «Advances in Science, Technology and Engineering Systems Journal», 2 (3), 2017, pp. 1478-1486.

W. Sullivan, *The Einstein Papers. A Man of Many Parts*, «New York Times», 28 marzo 1972. Disponibile al link: https://www.nytimes.com/1972/03/28/archives/the-einstein-papers-a-flash-of-insight-came-after-long-reflection.html (consultato il 14 maggio 2021).

J. Tann, *Borrowing Brilliance: Technology Transfer across Sectors in the Early Industrial Revolution*, «International Journal for the History of Engineering and Technology», 85 (1), 2015, pp. 94-114.

J. Taylor, S. Prince, *Temporalities, Ritual, and Drinking in Mass Observation's Worktown*, «The Historical Journal», Cambridge University Press, Cambridge 2020, pp. 1-22.

A. Thompson, *Time and Timekeepers*, T. & W. Boone, London 1842.

E.P. Thompson, *Time, Work-Discipline, and Industrial Capitalism*, «Past & Present», 38, dicembre 1967, pp. 56-97.

D. Thompson, *Watches in the Ashmolean Museum*, Ashmolean Handbooks, Ashmolean Museum, Oxford 2014.

D. Thompson, *Watches*, British Museum Press, London 2008.

W.I. Thompson, *The Time Falling Bodies Take to Light: Mythology, Sexuality and the Origins of Culture*, St. Martin's Press, New York 2008.

G. Verhoeven, *Time Technologies*, in *Material Histories of Time: Objects and Practices, 14th-19th Centuries*, a cura di G. Bernasconi e S. Thürigen, Walter de Gruyter, Berlin 2020, pp. 103-115.

L. Wadley, *Early Humans in South Africa Used Grass to Create Bedding, 200,000 years ago*, video di YouTube, 2020. Disponibile al link: https://www.youtube.com/watch?v=AzUui4eZI2I (consultato l'8 novembre 2020).

R. Walker, *Blacks and Science Volume One: Ancient Egyptian Contributions to Science and Technology and the Mysterious Sciences of the Great Pyramid*, Reklaw Education Ltd, London 2013.

A. Weiss, *Why Mexicans celebrate the Day of the Dead*, «Guardian», 2 novembre 2010. Disponibile al link: https://www.theguardian.com/-commentisfree/belief/2010/nov/02/mexican-celebrate-day-of-dead (consultato il 2 settembre 2020).

L. Weiss, *Watch-making in England, 1760-1820*, Robert Hale Ltd, London 1982.

Z.M. Wesolowski, *A Concise Guide to Military Timepieces 1889-1990*, The Crowood Press, Wiltshire 1996.

D. Whitehouse, *«Oldest star chart» found*, BBC, 21 gennaio 2003. Disponibile al link: http://news.bbc.co.uk/1/hi/sci/tech/2679675.stm (consultato il 12 giugno 2020).

C. Wilkinson, *British Logbooks in UK Archives 17th-19th Centuries. A Survey of the Range, Selection and Suitability of British Logbooks and Related Documents for Climatic Research*, 2009. Disponibile al link: https://www.researchgate.net/publication/263673461_British_Logbooks_in_UK_Archives_17th-19th_Centuries.

R. Wragg Sykes, *Kindred: Neanderthal Life, Love, Death and Art*, Bloomsbury Sigma, London 2020.

M. Yazid, A. Akmal, M. Salleh, M. Fahmi, A. Ruskam, *The Mechanical Engineer: Abu'l – 'Izz Badi'u'z – zaman Ismail ibnu'r – Razzaz al Jazari*, 9 dicembre 2014 (seminario sulla religione e la scienza: contributi musulmani semestre 1, 2014/2015, Skudai, Johor, Malesia).

N. Yoshihara, *«Cheap Chic» Timekeepers: Swatch Watches Offer Many Scents, Patterns*, «Los Angeles Times», 21 giugno 1985. Disponibile al link: https://www.latimes.com/archives/la-xpm-1985-06-21-fi-11660-story.html (consultato il 14 maggio 2021).

S. Zaimeche, *Toledo*, Foundation for Science Technology and Civilisation, giugno 2005.

C. Zaslavsky, *Women as the First Mathematicians*, «International Study Group on Ethnomathematics Newsletter», 7 (1), gennaio 1992.

C. Zaslavsky, *Africa Counts: Number and Pattern in African Cultures*, Lawrence Hill Books, Chicago 1999³.

Per scrivere la storia di un oggetto bisogna per forza vederlo ed esaminarlo fisicamente. Questo libro non sarebbe stato possibile senza alcune delle numerose collezioni di orologeria presenti nei musei e nelle gallerie d'arte di tutto il mondo. Se desiderate vedere alcuni dei segnatempo che descrivo in questo libro, e altri simili, di seguito trovate un elenco di musei aperti al pubblico con collezioni di orologi e pendole. In alcuni casi queste collezioni sono disseminate all'interno di mostre più ampie di arte e design e potrebbe volerci un po' di tempo per individuarle.

Alcuni musei sono piccoli e aperti solo di rado; altri offrono visite guidate e percorsi di approfondimento su prenotazione. Vi consiglio di contattarli prima della visita per sapere quali oggetti siano esposti in quel momento o se un curatore è disponibile a mostrarvi oggetti normalmente non in esposizione.

EUROPA

Regno Unito
  Bury St Edmunds: Moyse's Hall Museum
  Coventry: Coventry Watch Museum
  Londra: Clockmakers' Company Collection, Museo della scienza
  Londra: British Museum
  Londra: Royal Observatory
  Londra: Wallace Collection
  Londra: Victoria & Albert Museum
  Newark: Museum of Timekeeping di Newark
  Oxford: Ashmolean Museum
  Oxford: History of Science Museum
Austria
  Karlstein: Uhrenmuseum
  Vienna: Uhrenmuseum, Museo di Vienna
Belgio
  Mechelen: Horlogeriemuseum

279

Danimarca
Museo all'aperto di Den Gamle By: Museo danese degli orologi
Finlandia
Espoo: Suomen Kellomuseo
Francia
Besançon: Musée du Temps
Cluses: Musée de l'Horlogerie et du Décolletage
Parigi: Conservatoire National des Arts et Métiers
Parigi: Musée des Arts et Métiers
Parigi: Breguet Museum
Saint-Nicolas d'Aliermont: Musée de l'Horlogerie
Germania
Albstadt: Philipp-Matthäus-Hahn-Museum
Furtwangen: Deutsche Uhrenmuseum
Glashütte: Deutsches Uhrenmuseum
Harz, Bad Grund: Uhrenmuseum
Norimberga: Uhrensammlung Karl Gebhardt
Pforzheim: Technisches Museum der Pforzheimer, Schmuck und Uhrenindustrie
Schramberg: Junghans Terrassenbau Museum
Italia
Bardino Nuovo: Museo dell'Orologio di Tovo S. Giacomo
Milano: Museo Nazionale della Scienza e della Tecnologia Leonardo da Vinci
Paesi Bassi
Franeker: Eise Eisinga Planetarium
Joure: Museum Joure
Zaandam: Museum Zaanse Tijd
Romania
Ploiesti: Museo dell'Orologio Nicolae Simache
Russia
Mosca: Museum Collection
Siberia, Angarsk: Museo dell'Orologio di Angarsk
San Pietroburgo: Museo statale Ermitage
Spagna
Madrid: Museo del Reloj Antiguo
Svizzera
Basilea: Haus zum Kirschgarten – Historisches Museum
Fleurier: L.U.CUEM
Ginevra: Musée d'Art et d'Histoire
Ginevra: Patek Philippe Museum
La Chaux-de-Fonds: Musée International d'Horlogerie (MIH)

Le Locle: Château des Monts
Vallée de Joux: Espace Horloger
Zurigo: Beyer Clock and Watch Museum

AFRICA

Sud Africa
   Kimberley: Museo McGregor

ASIA

Cina
   Pechino: Museo del Palazzo, Città Proibita
   Macao: Museo degli Orologi di Macau
   Yantai: Polaris Heritage Museum
Giappone
   Hiroshima: Museo memoriale della pace di Hiroshima
   Nagano: Gishodo
   Tokyo: Museo nazionale della natura e delle scienze
   Tokyo: Museo della Seiko
   Tokyo: Daimyo Clock Museum
Thailandia
   Bangkok: Antique Clock Museum

AUSTRALASIA

Australia
   Melbourne: Museums Victoria
Nuova Zelanda
   Whangarei: Claphams Clock Museum

MEDIO ORIENTE

Israele
   Gerusalemme: The Salomons Collection, Istituto d'arte islamica
      L.A. Mayer
Turchia
   Istanbul: Palazzo Topkapı

NORD AMERICA

Canada
   Alberta, Peace River: The Alberta Museum of Chinese Horology
   Ontario, Deep River: The Canadian Clock Museum
Messico
   Città del Messico: Museo del Tiempo
   Puebla: Museo de Relojeria

281

STATI UNITI

California, San Francisco: The Interval – The Long Now Foundation
Connecticut, Bristol: American Watch & Clock Museum
Distretto di Columbia, Washington: National Air and Space Museum
Illinois, Evanston: Halim Time & Glass Museum
Maryland, Baltimore: B&O Railroad Museum
Massachusetts, North Grafton: The Willard House and Clock Museum
Massachusetts, Waltham: Charles River Museum
New York: Metropolitan Museum of Art
New York: The Frick Collection
Ohio, Harrison: Orville R. Hagans History of Time Museum (AWCI)
Pennsylvania, Columbia: National Watch & Clock Museum (NAWCC)
Pennsylvania, Philadelphia: Philadelphia Museum of Art
Texas, Lockhart: Southwest Museum of Clocks and Watches

SUDAMERICA

Brasile
San Paolo: Museu do Relógio (Professor Dimas de Melo Pimenta)

Ma i musei che prevedono collezioni di orologi sono molti di più di quelli qui elencati.

INDICE

Questo libro è stampato col sole

Azienda carbon-free

Finito di stampare
nel mese di febbraio 2024 presso
Grafica Veneta – via Malcanton 2, Trebaseleghe (PD)